BASTEI
LÜBBE

Portia Da Costa

DER CHEF

Erotischer Roman

Aus dem Englischen von
Markus Berg

BASTEI LÜBBE TASCHENBUCH
Band 15 807

1. Auflage: Januar 2008

Vollständige Taschenbuchausgabe

Bastei Lübbe Taschenbücher in der Verlagsgruppe Lübbe

Deutsche Erstausgabe

Titel der Originalausgabe: »Entertaining Mr Stone«
Published by Arrangement with Virgin Books Ltd., London, UK

Dieses Werk wurde vermittelt durch die Literarische Agentur
Thomas Schlück GmbH, 30827 Garbsen
Titelillustration: Wire ImageStock/Masterfile
Umschlaggestaltung: Bianca Sebastian
Satz: Urban SatzKonzept, Düsseldorf
Druck und Verarbeitung: Nørhaven Paperback
Printed in Denmark
ISBN 978-3-404-15807-2

Prolog

Wieder starre ich auf die Tür. Diese große, alte Tür, die in sein Büro führt.

Sie ist riesig, und wahrscheinlich ist eine halbe Eiche für das Holz draufgegangen. Man sieht Astlöcher und Maserungen, alles ist poliert. Zwei Maserungen sehen wie Augen aus, die mich ansehen und mich mustern, genau wie er es macht.

Irgendwo in meinem Innern beginne ich zu zittern. Oh, mach doch schneller, du Bastard! Ich kann nicht länger warten. Bitte mich hinein!

Als habe er meine Gedanken mit der Macht eines Voodoomeisters gelesen, ertönt ein Laut, der wie ein heller Ruf eines riesigen mechanischen Vogels klingt. Mrs. Sheldon, seine Sekretärin, sagt: »Sie können jetzt hineingehen, Miss Lewis.«

Die Gute schenkt mir ein freundliches Lächeln und nickt.

Zum Glück hat sie keinen Schimmer, was hier läuft.

Jetzt, da der Moment gekommen ist, bin ich ängstlich und so aufgeregt, dass ich beinahe vergessen hätte, einen Fuß vor den anderen zu setzen. Kommt mir wie ein Jahr vor, bis ich die Tür endlich erreiche, und als ich vor der Schwelle stehe, scheinen meine Füße für eine Weile am Teppich festzukleben.

Robert Stone, Director of Finance.

Ich verspüre das verrückte Verlangen, das Namensschild zu küssen, doch ich kann mich beherrschen. Mrs. Sheldon könnte Verdacht schöpfen, wenn ich mich jetzt im vorderen Büro merkwürdig und zu auffällig verhalte. Meine Bewunderung sollte ich mir besser für das Innere des Heiligtums aufbewahren.

Von jenseits der gemaserten Tür ruft eine feste, sonore Stimme: »Kommen Sie herein.«

Mist! Ich habe ihn warten lassen. Jetzt kann ich mich auf etwas gefasst machen. Ich hoffe es sogar.

Mit feuchter, zittriger Hand – nicht die einzige Körperstelle, wo ich feucht werde – betätige ich den großen Messingknauf, drücke die Tür auf und schlüpfe hinein.

Er sitzt gar nicht an seinem Schreibtisch, was mich verblüfft. Ich stehe da wie ein Dummchen und starre ihn an, bis er sich vom Fenster abwendet, das auf den Hof hinausgeht. Ich frage mich, wen er wohl beobachtet hat. Er beobachtet gerne andere Leute, und an diesem verrückten Ort ist immer irgendetwas los, das seine spezielle Aufmerksamkeit verdient.

Aber ich bin verträumt. Dabei sollte ich mich konzentrieren. Er sieht mich an. Wartet, dass ich etwas sage. Aber leider hat es mir die Sprache verschlagen. Wie immer.

Der Director of Finance. Stone. *Mr.* Stone. Cleverer Bobby. Was auch immer.

Nun, er ist ein großer Mann und eine beeindruckende Erscheinung. Nicht zu dick, aber auch kein Adonis. Eigentlich ist er ein Mann mittleren Alters mit Bartschatten, ein Büromensch, der allmählich an den Schläfen grau wird und gewöhnlich aussieht. Angeblich hat dieses große Tier in der städtischen Politik italienische Vorfahren, so stellt er es zumindest dar.

Eigentlich würde man sich in der Menge nicht nach ihm umdrehen, insbesondere dann nicht, wenn jüngere Talente in der Nähe sind. Aber tatsächlich werden mir in seiner Gegenwart die Knie weich, und dann ist da dieses Sehnen, das irgendwo da anfängt, wo ich mein Herz vermute.

Beinahe wäre ich noch gestolpert, als er sagt: »Setzen Sie sich doch, Maria.« Gott sei Dank!

Ich nehme Platz. Auf dem schlichten, harten Stuhl, der vor seinem Schreibtisch steht. Ich fühle mich aber nicht besser, weil ich diesen alten Stuhl kenne.

»So!«, beginnt er und klingt aufgeräumt und forsch, als er sich vorbeugt und sich mit den Händen auf dem Schreibtisch abstützt. Kann sein, dass er auf den Papierkram schaut, der auf seiner Schreibtischunterlage liegt. Durch diese kurze Bewegung weht der Duft des Mr. Stone zu mir herüber – eine Mischung aus Dior und eines Anflugs von Nachmittagsschweiß, den ich nicht als unangenehm empfinde. Und ich muss mich richtig konzentrieren, um nicht vom Stuhl zu fallen oder der Versuchung zu erliegen, auf allen vieren zu Mr. Stone zu kriechen und mein Gesicht in seine unteren Regionen zu pressen.

»Ihre letzte Leistungsbeurteilung«, fährt er fort und wirft mir einen Blick zu, der mir durchgeht. Er versucht, ein Lachen zu unterdrücken, weil all dies eigentlich nicht mich betrifft. Die Person, die nämlich die Berichte schreiben soll, ist Mr. *Ich-bin-so-trendy* William Youngblood, der Chef der Personalabteilung. Immer in Designerklamotten, bisexuell. Und außerdem ist Stone diese ›Beurteilungen‹ erst vor vier Tagen mit mir durchgegangen.

»... lässt noch einiges zu wünschen übrig, was, Maria?«, sagt er, als hätte ich einen Schimmer, was da auf dem Papier vor seiner Nase steht. Die Augenbrauen hochziehend, richtet er sich wieder auf, greift schnell seinen edlen Kugelschreiber und dreht ihn spielerisch in der Hand. Er kann nervös und entspannt zugleich sein und hat trotzdem immer alles unter Kontrolle, und das ist beunruhigend. Dann kommt er mir wie ein ungezogenes, übergroßes Teufelchen vor, das mir einen Streich spielt.

Ich muss schlucken. Oh, seine Streiche ...

»Haben Sie nichts dazu zu sagen?«

Mein Mund ist ganz trocken. Plötzlich habe ich dieses ganze Gerede satt. Ich wünschte, er würde endlich zur Sache kommen.

»Ich ...«

Ganz der Voodoomeister liest er meine Gedanken.

»Haben Sie heute einen Slip an?«, fragt er mich in demselben Tonfall, mit dem er mich sonst bittet, ins Intranet zu gehen oder ein paar Gewinn-Verlust-Rechnungen aufzurufen. Genauso rasch wirft er den Kugelschreiber wieder weg und kommt um den Tisch zu mir – behände für einen Mann seiner Größe –, bleibt vor meinem Stuhl stehen und berührt mich sacht an der Wange. Er hat nicht die weiche Haut eines Bürohengsts. Er ist immer in Aktion, obwohl er keinen Sport treibt. Dafür kennt er andere Spielchen ...

Immer noch habe ich die Sprache nicht wiedergefunden.

»Kein Slip, Miss Lewis?«, fragt er weiter, die Fingerspitzen noch an meiner Wange. Die Hand kommt mir heiß vor, als würde er mir ein Brandzeichen verpassen.

»Äh ... doch.«

»Doch, was?«

»Doch, Mr. Stone, ich trage einen Slip.«

Zärtlich streichen seine Finger über mein Gesicht, und für einen Moment verharrt sein Daumen auf meiner Unterlippe. Als er die Hand zurückzieht, betrachtet er die Spuren meines durchsichtigen Lipgloss, das an seiner Fingerkuppe haftet. Für einen Moment scheint er mit den Gedanken woanders zu sein. Vielleicht denkt er an einen Make-up Werbespot. Kate Moss mit Schmollmündchen? Ich weiß es nicht.

Dann plötzlich: »Details, Miss Lewis, ich möchte Details hören!« Er klingt forsch, als er sich schwungvoll abwendet und wieder ans Fenster tritt.

»Er ist rosa ... äh ... aus Baumwolle und Lycra. Eigentlich ist es ein Tanga.«

Ich beginne zu stottern und ersticke beinahe an den Worten, als hätte er mich aufgefordert, eine ganze Reihe der übelsten Obszönitäten von mir zu geben. Weit weg war er davon nicht, wenn ich über Sinn und Zweck dieser Befragung nachdenke.

»Ein Tanga, wie?« Mit einer Hand stützt er sich am Fenstersims ab, schaut nach draußen, die andere Hand ruht oberhalb des Kopfes an der Scheibe. Er dreht den Kopf leicht.

Er hat den Spaß seines Lebens, wie immer.

»Nicht gerade passend für die Arbeit, oder?«, hakt er nach, ohne mich anzuschauen. Das braucht er auch gar nicht. Hat er nicht jeden Zollbreit meines Körpers längst gesehen, in Technicolor, und das mehrfach? Wenn er wollte, könnte er wahrscheinlich aus dem Kopf eine Zeichnung meiner sexuellen Topografie anfertigen. Vielleicht macht er das sogar eines Tages.

»Ja, könnte sein«, murmele ich vor mich hin. Das betreffende Kleidungsstück wird schnell ziemlich feucht, und ich verspüre das schwindelerregende Verlangen, ihm den Slip zu zeigen. Ich möchte beschämt und unterwürfig dastehen. Für ihn würde ich vor ihm auf dem Bauch kriechen. Alles würde ich tun. Alles zeigen. Alles ertragen.

»Dann sollten Sie ihn vielleicht besser ausziehen.«

Ja!

Ich rutsche auf meinem Stuhl herum und greife unter den Rock, aber ehe ich Fortschritte machen kann, dreht Stone sich zu mir um und sieht mir zu. Seine leuchtenden Augen haben die Farbe von zartbitterer Schokolade. Er lächelt mit diesen Augen, auch wenn seine Miene keine Regung erkennen lässt.

»So nicht, Miss Lewis. Stehen Sie auf. Heben Sie den Rock an.«

Ich gehorche und schiebe den Baumwollstoff nach oben, allerdings gibt es da nicht allzu viel zu schieben, da der Rock schon recht kurz ist. Wieder ein Kleidungsstück, das unpassend für die Arbeit ist, obwohl es natürlich wunderbar geeignet ist, um Mr. Stone bei Laune zu halten.

Ich bin nicht besonders anmutig, wenn ich nervös bin, und so hopse ich herum, als ich mich des Tangas entledige. Vielleicht kriege ich auch dafür eine schlechte Note. Ohne recht zu wissen, was ich mit dem Ding machen soll, stehe ich einfach da, Tanga in der Hand, halte immer noch meinen kurzen Rock hoch und merke, wie mir die Röte ins Gesicht schießt. Ich traue mich nicht, auf meinen Pelz zu schauen, weiß aber, dass meine Säfte fließen, um es milde auszudrücken. Ich kann meinen Duft riechen (ich bin bereit, weil ich schon den ganzen Tag darauf warte), und ich wette, seine flirrenden Nasenflügel haben mich auch längst gewittert.

Mit einem Kopfnicken ordert er mich zum Schreibtisch, aber ich stelle mich dumm. Er zieht die Augenbrauen wie ein durchtriebener Dämon hoch, und meine Vagina zieht sich zusammen.

»Auf den Schreibtisch bitte, Miss Lewis«, ordnet er an, als erwarte er eine Akte mit Steuerschätzungen.

Sowohl in meinen Ohren wie auch in meinem Kitzler hämmert es jetzt. Ich spüre, dass sich Verlegenheit und totale Geilheit in mir vermischen. Ich breite mein kleines Höschen mitten auf seiner Schreibtischunterlage aus, genau so, wie er es mag, die feuchte Seite nach oben.

Er verschränkt die Arme.

Löst sich wieder aus dieser Haltung und reibt sich dann das stoppelige Kinn.

Schreitet vor dem Schreibtisch auf und ab und begutachtet mein Mitbringsel.

Er bleibt stehen, tippt sich an die vorgeschobene Unterlippe und nickt.

Junge, der macht heute ein Fest daraus!

Dann schlingt er die Arme um den Leib, schaut wieder auf die feuchte Stelle an meinem Slip, sieht mich an und macht: »Hm ...«

Nicht ein einziges Mal hat er auf mein krauses Delta geschaut, das immer noch deutlich unter dem hochgezogenen Rocksaum zu sehen ist.

»Ziemlich eindeutiger Beweis«, stellt er fest und ahmt dabei meinen Lieblingsdetektiv aus dem Fernsehen recht gut nach. Des Öfteren habe ich ihm gesagt, dass er ihm ähnlich sieht.

Eine Weile betrachtet er meinen rosafarbenen Slip und den sichtbaren Beweis meiner Bereitschaft, als suche er dort nach dem Sinn des Lebens.

Gerade als ich das Gefühl habe, zusammenzuklappen, kommt er auf mich zu. Das Duftgemisch aus Dior und diesem raubtierähnlichen Geruch wird stärker, und unwillkürlich atme ich tief ein. Er sieht, wie meine Brüste sich unter meinem Top heben, bleibt dann eine Handbreit von mir entfernt stehen, berührt mich aber noch nicht.

»Also«, murmelt er wieder, den Kopf zur Seite geneigt, wieder leicht nervös, und doch ist er in dieser Situation nicht so durcheinander wie andere Männer.

Nach wie vor halte ich mit einer Hand meinen Rock hoch, aber die andere Hand hängt schlaff hinunter, als hätte ich keine Kraft, sie anzuheben. Die Hand bleibt auch dort, als er mir zwischen die Beine fasst und damit beginnt, mich zu befingern.

Touchdown! Die Zuschauer jubeln! Zumindest all die Nervenfasern dort unten. Die Nerven nämlich, die schon nach dieser herrlichen Behandlung geschrien haben, als ich noch nicht mal das Vorzimmer betreten hatte. Ich fange an zu keuchen, gebe ein Stöhnen von mir und bewege meine Hüften zu dem Rhythmus, den er vorgibt. Aber er schüttelt langsam den Kopf und raunt: »Uh, oh!«

Ich beiße mir auf die Unterlippe, und seine Augen verengen sich. Seine Lider sind halb gesenkt, die Haut um die Augen kräuselt sich leicht. Es sieht jungenhaft aus, zeigt aber auch, dass er die Vierzig überschritten hat. Meine Erregung schwingt sich hoch bei diesem kundigen Finger.

Es fällt mir schwer, still stehen zu bleiben. Ich habe plötzlich das Gefühl, dass ich an einem seltsamen Ort bin, Meilen entfernt vom Büro des Director of Finance in Borough Hall.

Ich befinde mich in einem Paralleluniversum, das anderen Gesetzen unterliegt und andere Bewohner hat. Ich versuche, jeden Muskel meines Körpers unter Kontrolle zu halten, und mein Saft läuft mir an der Innenseite eines Schenkels hinab.

Immer noch befingert er mich.

»Ich glaube, ich kann mich nicht mehr halten«, entfährt es mir kurzatmig, und meine Stimme klingt merkwürdig hoch und beinahe fremd.

»Dann halten Sie sich an Ihrem Stuhl fest, Sie dummes Mädchen«, tadelt er mich, beschleunigt den Rhythmus und wird ein wenig rau.

Mein Kitzler schwingt, verspannt sich. Mit der freien Hand klammere ich mich an den Stuhl. Er reibt weiter, lässt die freie Hand entspannt hinabhängen, als habe der Arm nichts mit den Geschehnissen zu tun.

Und dann komme ich. Komme in gewaltigen Schüben, und plötzlich ist seine freie Hand nicht mehr untätig. Jetzt stützt er mich und gibt mir Halt, als ich nicht mehr aus eigener Kraft stehen kann.

»Oh, Bobby«, wispere ich in meiner Ekstase, aber er tadelt mich nicht für meine Dreistigkeit, ihn beim Vornamen zu nennen. Er hält mich einfach noch eine Weile fest, bis ich wieder Bodenhaftung bekomme.

Aber er ist hart geworden. Richtig hart. Ich spüre, wie er gegen meinen bloßen Schenkel drückt, durch den Stoff seiner Hose hindurch. Im nächsten Moment zieht er mich zum Schreibtisch und drückt mich mit dem Gesicht nach unten auf die Tischplatte.

Stoff raschelt, und ich höre das vertraute Geräusch eines teuren Reißverschlusses, der leicht und ohne zu haken aufgeht. Eine Hand drückt meinen Rücken hinunter, bis ich flach auf der Unterlage liege, unmittelbar auf meinem feucht-duftenden Slip. Dann zwängt dieselbe Hand meine Beine auseinander und öffnet meine geschwollenen Blütenblätter.

»Oh!«

Ich halte die Luft an, als sein Schwanz hineingleitet, und als er zu stoßen beginnt, hart und fordernd, presst er meinen Kitzler auf den Schreibtisch.

Ich komme wieder und sehe die Sterne.

Oh, mein cleverer Bobby!

1. Kapitel

Das Borough der Verdammten

Wieder ein Arbeitstag im Borough der Verdammten. Ich bin erst eine Stunde hier und langweile mich schon zu Tode.

Ich schaue auf die Uhr und komme mir vor wie in einem dieser psychologischen B-Filme der Fünfziger, und die Zeiger laufen in Zeitlupe. Und wenn ich mich im Raum umsehe, sind wir immer noch in den Fünfzigern. Massive Eichenschreibtische, ein großer Kamin mit Marmorsims, die Wände haben den verblichenen Farbton von Magnolien – wenn man die Wand vor lauter Projektplanern und Informationspostern mit Eselsohren überhaupt sehen kann. Sogar Topfpflanzen auf den Fensterbänken! Kommt mir so vor, als habe jemand sein Haus samt Einrichtung loswerden wollen. Und wir Bürotanten wurden mit unserer ganzen Ausrüstung hierher gebeamt, um wieder Leben in das Gebäude zu bringen. Der einzige Beweis, dass wir im 21. Jahrhundert angekommen sind, sind die Bildschirme mit ihren Screensavern, die das Wappen des Viertels zeigen, die Keyboards und die anderen Utensilien. Und die Verkabelung, die hoffentlich überprüft wurde, die aber nicht sicher verlegt ist. Die Aussicht, dass jemand, den ich nicht besonders gut leiden kann, darüber stolpern könnte, zählt zu den wenigen freudigen Momenten am Tag.

Seufz.

Das ist ein Scheißjob, aber ich vermute, ich sollte dankbar sein. Mit meinem Lebenslauf – den es kaum gibt – kann ich mich glücklich schätzen, überhaupt Arbeit zu haben. Ich kann immer noch nicht glauben, dass sie mir eine Stellung angeboten haben, aber sie haben es getan, und ich habe angenommen. Und jetzt sitze ich hier.

Aber mir ist sooo langweilig.

Das Verlangen unterdrückend, meinen Kopf auf den Schreibtisch zu legen und auf all dem Papierkram einzuschlummern, mache ich mich daran, die Darlehensanträge für Kleinunternehmer mit Codes zu versehen. Es interessiert mich wirklich überhaupt nicht, was ich da mache, und viel lieber spekuliere ich, was meine Arbeitskollegen wohl für ein Leben führen. Zumindest würde ich darüber nachdenken, wenn die Leute in meiner unmittelbaren Nähe nur ein wenig interessanter wären. Pech für mich, dass sie alle erschreckend eifrig in ihre Arbeit vertieft sind. Dennoch, die kleinen bösen Sexkobolde in meiner Vorstellung wollen sich nicht vertreiben lassen.

Ich frage mich zum Beispiel, ob Sandy Sex hat. Und wenn ja, wie oft? Ihr Freund Nigel, der in einer anderen Abteilung arbeitet, sieht zwar so aus, als hätte er was in der Hose, aber sie ist so prüde und lächelt immer so schüchtern, dass ich mir nicht vorstellen kann, dass zwischen den beiden etwas Aufregendes läuft. Wahrscheinlich muss er erst einen Antrag in dreifacher Ausfertigung bei ihr einreichen, wenn er sie mal besteigen will. Sie schaut von ihrer Arbeit auf und lächelt mich leicht verwirrt an, weil ich sie ansehe, und dann stelle ich mir vor, wie sie auf Händen und Knien dahockt und es sich von Nigel von hinten besorgen lässt. Sie trägt immer noch ihre blitzsaubere weiße Bluse und ihren grauen Rock, unter dem nuttige rote Unterwäsche zu sehen ist.

Wild!

»Alles okay bei dir, Maria?«, fragt Sandy und sieht ein bisschen verunsichert aus, als habe sie gesehen, was ich sehe.

»Ja, alles bestens«, antworte ich, setze ein strahlendes Lächeln unter Kolleginnen auf und widme mich wieder den Formularen.

Aber nun ist der Schaden angerichtet. Diese kleinen Kobolde sind hellwach, und ich kann meinen erotischen Fantasien einfach nicht widerstehen. Verdammt! Es ist schon schlimm genug, hier in der Einöde schuften zu müssen und nicht weg zu können, und ständig quält mich meine hyperaktive Vorstellungskraft mit Sex. Seit ich London den Rücken gekehrt habe, habe ich keinen Freund mehr. Ich wollte sparen, um meine Schulden loszuwerden. Daher bin ich fast gar nicht mehr ausgegangen, um mich nach einem neuen Freund umzusehen.

Folglich gab es auch keinen Sex mehr. Was mich, glaube ich, nicht sonderlich bedrückt hat. Gut, nicht mehr jedenfalls als mein vertrauenswürdiger Dildo verkraften kann. Jetzt aber stört mich das schon. Pech eben.

Da ich einfach keine Begeisterung für diese Anleiheformulare aufbringen kann, schaue ich nach oben. Wenn ich doch bloß sehen könnte, was da in den Büroräumen auf der anderen Seite des Hofes vor sich geht. Vielleicht gehen da jede Menge wilde Sachen ab. Mir ist jedenfalls zu Ohren gekommen, dass Borough Hall trotz der biederen und altbackenen Fassade in Wirklichkeit ein Brennpunkt der geilen Ausschweifungen sein soll, auch wenn ich bislang dafür keine Beweise gesehen habe. Unglücklicherweise sind die Fenster in diesen Büros im Erdgeschoss hoch, und daher kann ich nur einen Blick auf die Räume im zweiten und dritten Geschoss erhaschen. Da müssten es schon zwei direkt am Fenstersims treiben, damit ich sie von hier unten sehen könnte.

Eine Viertelstunde vergeht. Ich drifte allmählich ins Koma ab. Und dann höre ich Sandy sagen: »Wie wär's mit einem Spaziergang? Diese Arbeitsblätter müssen in die Verwaltung.«

Arbeit für die Schleimscheißer, aber ich lächele und springe begeistert auf. Mir ist alles recht, um dieser Langeweile zu entkommen.

Draußen auf dem Gang klemme ich mir die Blätter unter den Arm und entscheide mich für den Weg mit Aussicht. Das heißt, ich spaziere einmal in dem äußeren Gang in diesem Klotz von einem Gebäude herum, anstatt direkt zu einem Büro zu gehen, das eigentlich nur ein paar Türen den Gang runter ist. Als Ausrede könnte ich immer vorbringen, dass ich kurz für kleine Mädchen musste.

Allerdings gibt es nicht viel zu sehen. Die Holzvertäfelung, überraschend gut poliert, ist nicht wirklich ein interessanter Blickfang, und auch der Anstrich über dem Holz hat denselben dunklen Einheitsfarbton wie die Büros. Der ganze Laden hier müsste mal ein bisschen aufgepeppt werden. Oder niedergebrannt.

Vielleicht sollte ich meinem neuen Boss, Mr. Stone, den Vorschlag machen, das Gebäude renovieren zu lassen? Nicht, dass ein kleines Licht wie ich oft die Gelegenheit hat, mit ›denen da oben‹ zu sprechen. Offen gestanden überrascht es mich, dass er mich zu einem persönlichen Gespräch eingeladen hat, obwohl ich keinen Ort kenne, an dem es stärkere Hierarchien und Hackordnungen gibt als hier.

Aber er lud mich ein. Und es war komisch. Er und der Personalchef William Youngblood – die beiden großen Tiere der Abteilung –, führten ein Gespräch mit einer Büroangestellten zweiten Grades, die nur aushilfsweise angestellt wurde. Ich hätte gedacht, die hätten genug mittelmäßige Leute, die einen Job wie den meinen übernehmen könnten. Seien wir ehrlich, ich gehöre in der Abteilung doch bloß zu den Schlusslichtern.

Als ich die Arbeitsblätter endlich in einem Büro abgegeben habe, das auch nicht aufregender aussah als das, in dem ich sitze, und in dem ein paar Leute fluchend vor einem Kopiergerät standen, das wie verrückt Papier ausspuckte, beschließe ich, meinen Spaziergang noch ein wenig auszudehnen.

Ich werde Mel einen Besuch abstatten.

Mel ist eine Bekannte von mir. Eigentlich so etwas wie eine Freundin. Glaube ich. Ich weiß es nicht. Ich kenne sie noch nicht besonders lange und bin mir nicht sicher, was ich von ihr halten soll. Aber plötzlich denke ich, es wäre nett, bei ihr vorbeizuschauen.

Man könnte fast sagen, dass sie und ich zusammen wohnen, aber das stimmt nicht ganz. Unsere Wohnungen sind nur in demselben Haus, aber das fiel mir erst auf, als ich Mel rein zufällig ganz woanders traf. Ich stöberte in dem Laden an der Ecke und suchte nach vernünftiger Kleidung für den Job. Als ich den schwarzen Rock, den ich kaufen wollte, ans Tageslicht hielt, um besser sehen zu können, ob er auch wirklich schwarz und nicht dunkelblau war, stieß ich aus Versehen mit einigen Leuten zusammen, unter anderem auch mit Mel. Und der Becher mit Kaffee, den ich in der freien Hand hielt, kippte auf ihr Jackett.

Ein verheißungsvolles Treffen? Wäre es anders herum gewesen, wäre ich vielleicht ausgeflippt und hätte sie wütend angefahren, sie solle gefälligst besser aufpassen, aber sie sagte einfach: »Kein Problem. Ich kaufe Ihnen einen neuen Kaffee. Ich kenne ein Café um die Ecke.« Als wäre es ihr Fehler gewesen. Was ja nicht stimmte.

Was ich zu diesem Zeitpunkt noch nicht wissen konnte, war, dass sie versuchte, mich abzuschleppen.

Als ich das Foyer am Haupteingang erreiche, habe ich Glück. Mel sitzt in ihrem kleinen Sicherheitsraum, wo ich sie auch vermutet habe.

»Hey, taffe Frau, wie ist die Lage?«, begrüße ich sie und bin ein bisschen nervös, als sie sich von dem Schlüsselbrett abwendet und mich auf ihre sexy Art kurz mustert. Ich merke, dass ihr mein kurzer Rock und die eng geschnittene, verzierte Jacke gefallen. (Die Klamotten für den Job habe ich mir nie gekauft, und solange mir keiner Vorschriften macht, was ich anzuziehen habe, nehme ich mit den Sachen vorlieb, die ich habe.)

Mel sieht auch ziemlich scharf aus. Junge, wie ich diese Uniform mag! Dunkelblaues Hemd (mit Epauletten, was sonst?), schicke Krawatte, Hose mit Bügelfalten, Doc Martins, die spiegelblank poliert sind. Passt genau zu ihrer Vorliebe, wie eine

Soldatin oder eine Polizistin auszusehen. Alles, was ihr jetzt noch fehlt, sind Handschellen, ein langstieliger Schlagstock und ein Ding zwischen den Beinen!

Natürlich ist sie lesbisch.

»Bestens, Babe«, erwidert sie mit einem Zwinkern und kommt ins Foyer. »Und selbst?«

Mel hat Schichtdienst und unternimmt viel, soweit ich das beurteilen kann, und deshalb treffe ich sie selten zu Hause an. Ich sehe sie seit Tagen das erste Mal. Sie fährt mit ihrer Kawasaki zur Arbeit, während ich mich morgens von Greg mitnehmen lasse, einem Typen, der auch eine Wohnung in dem Haus hat, in dem wir wohnen.

»Mir ist todlangweilig, Mel. Wann sollen, bitte schön, die heißen Sachen abgehen, von denen du mir dauernd erzählst?«, scherze ich und greife ihren Witz auf, den sie mir erzählte, als sich der Job für mich ergab. Es war an meinem ersten Tag, wir saßen in dem Café, und aus irgendeinem Grund erzählte ich ihr meine Lebensgeschichte und verschüttete dabei meinen Cappuccino. »Noch habe ich nichts Knackiges gesehen, obwohl ich mich umgeschaut habe!« Ich setze mein Schmollmündchen auf. Es macht Spaß zu flirten, auch wenn ich nicht sicher bin, ob ich das weiter durchhalte. Für einen Moment fällt mir wieder ein, was mir nicht allzu lange nach meinem Arbeitsanfang aufging: Dass Mel auf Frauen steht. Ich dachte (und hätte beinahe gesagt): »Wow! Eine Lesbe, das ist interessant.« Ich hatte bislang keine Freunde, die schwul oder lesbisch waren, nicht einmal auf der Uni, und doch habe ich mich immer gefragt, ob mir auch eine Frau gefallen würde.

Ich weiß, dass sie mich mag. Daraus macht sie kein Geheimnis. Und, um ehrlich zu sein, ich komme in Versuchung. Ein bisschen. Ich bin noch nie mit einer Frau zusammen gewesen, aber für alles gibt es ein erstes Mal. Und Mel sieht furchtbar niedlich aus in ihrem Outfit, mit ihrem kurz geschnittenen blonden Haar und ihren rosigen Wangen.

»Gedulde dich, meine Liebe. Wenn man am wenigstens damit rechnet, passiert's«, sagt sie weise, und dabei sieht sie mich die ganze Zeit so an, als wollte sie sagen, dass es jeden Augenblick gleich hier im kleinen Separee hinter uns passieren könnte. Ich fühle eine Reaktion, so ein Kribbeln im Bauch, und bin kurz davor, etwas ziemlich Dummes zu sagen, als laute Stimmen aus dem langen Gang zu unserer Linken zu hören sind.

Zwei Männer kommen näher, in ein Gespräch vertieft. Aber selbst auf die Entfernung kann man heraushören, dass sie sich nicht sonderlich mögen. Sie schreien sich zwar nicht an und gestikulieren nicht wild, aber Mel und ich spüren sofort, dass die gegenseitige Ablehnung bis zu uns herüberstrahlt.

Der Kleinere der beiden ist William Youngblood, der Chef der Personalabteilung in Borough Hall. Er ist wirklich süß. Schlank, blond, sehr gepflegt und städtisch in seinem dunklen Anzug, dem dunklen Hemd und der dazu passenden Krawatte. Meine Sensoren springen gleich an und machen ›pling! pling! pling!‹ wie ein Sonar.

Aber der andere Mann. Oh, der andere! Bei ihm ist's wie »Alle Mann auf Gefechtsstation!«, und alle Sirenen heulen. »Achtung!«

Mr. Robert Stone. Director of Finance. Ganz oben auf meiner Nahrungskette in Borough Hall.

Eigentlich müsste mir Youngblood besser liegen. Er ist jünger, hübscher und cooler. Aber wenn ich meine Hormone frage, übertrifft Mr. Stone den blonden Typen bei weitem.

Dabei kann ich nicht einmal erklären, warum das so ist.

Stone hat die Vierzig überschritten, wird schon grau an den Schläfen, ist gut im Futter und ein bisschen untersetzt. Er hat einen dunklen Teint und sieht immer so aus, als müsste er sich rasieren, und das schon um neun Uhr morgens. Dann kommt er immer mit wehendem dunklen Mantel hereingerauscht, wenn ich an der Stechuhr stehe und hoffe, einen kurzen Blick auf ihn zu erhaschen.

Mein täglicher Kick.

Im Vergleich zu dem glatten, schicken Youngblood ist Stone Durchschnitt, nichts weiter als ein leitender Typ im Anzug. Aber jedes Mal, wenn ich ihn sehe, gibt es sowohl bei meinen Nervenfasern als auch bei meinen unteren Regionen Alarmstufe Rot.

Obwohl die beiden ziemlich schnell den Korridor entlanggehen, sind wir wieder in dem Zeitlupeneffekt der B-Filme aus den Fünfzigern gefangen, wie im Büro. Ich habe keine Ahnung, worüber die beiden sich im Augenblick uneins sind, aber Youngblood sieht bedient aus. Er sieht sogar richtig sauer aus, da Stone sich seinen Ärger überhaupt nicht anmerken lässt. Doch ich spüre, dass er genauso sauer auf Youngblood ist wie Youngblood auf ihn.

Dass Stone wütend ist, sieht man lediglich an seinen Fingern, mit denen er auf eine lederne Aktenmappe trommelt, die er bei sich hat. Und doch sagt mir mein untrügliches Gespür, sobald es um ihn geht, dass dieses Trommeln weniger ein Ausdruck von Nervosität oder Stress ist, sondern nur dazu dient, Youngblood noch mehr auf die Palme zu bringen.

Während die beiden sich uns wie zwei Typen aus dem Streifen *Reservoir Dogs* nähern, wird mir klar, dass ich im Foyer herumstehe, nichts zu tun habe und im Augenblick gar nicht hierher gehöre. Nur Mel dürfte hier sein, denn das ist ihr Job.

Ich plappere etwas wie: »Danke, dass Sie es mich wissen ließen. Ich werde die Information weitergeben.«

Mel sagt: »Kein Problem«, mit professionell-verbindlicher Stimme und grinst mich dabei an, was die beiden Chefs wiederum nicht sehen können, da Mel ihnen den Rücken zudreht.

Soll ich ihn ansprechen oder nicht? Das ist jetzt die Frage. Theoretisch ist Borough Hall ein progressiver Verein mit offenen Türen und ein Arbeitgeber, der allen die gleichen Chancen gibt. Aber einige der jüngeren Schulabgänger kriegen in Gegenwart der großen Tiere keine Silbe über die Lippen und würden am liebsten in der Wandvertäfelung verschwinden, wenn Leute wie Stone oder Youngblood auftauchen.

Was mich betrifft, nun, ich bin ein bisschen älter und kenne mich ein wenig mit Männern aus, also lächele ich und sage »Guten Morgen!«, als die beiden herangerauscht kommen.

Youngblood nickt mir mürrisch zu, geht aber keinen Schritt langsamer.

Mr. Stone aber bleibt unmittelbar vor mir stehen, schenkt mir ein dünnes Lächeln und mustert mich ungeniert. Das Ganze dauert zwar nicht länger als eine Sekunde, und vielleicht habe ich mir den Blick auch nur eingebildet, denn seine ernste Managermiene ändert sich kaum. Aber irgendwo in seinen Augen ist dieses Aufblitzen, als wollte er mir sagen: ›Hör zu, kleines Mädchen, du hast absolut keine Ahnung.‹

Das ist wie ein Schlag gegen den Solar Plexus. Ich habe das Gefühl, seine Hand sei gerade in meinen Slip gewandert!

Mir bleibt der Mund offen stehen, aber bevor ich etwas unverzeihlich Blödes sagen kann, antwortet er: »Guten Morgen, Maria. Haben Sie sich schon eingelebt?« Bei diesen Worten legt er den Kopf leicht schräg wie ein Vogel, und ich weiß nicht, ob sein Interesse echt oder nur gespielt ist. Immer noch trommeln seine Finger auf die Ledermappe, aber jetzt treibt er sein Spielchen mit mir, denn ich versinke in Selbstbefriedigungsfantasien, und es ist sein langer Zeigefinger, der die Sache übernimmt.

»Ja, bestens, danke.«

Ich klinge wie ein Roboter, aber meine Augen sind alles andere als mechanisch, denn sie entziehen sich gerade jeglicher Kontrolle und starren auf den Schritt von Mr. Stones grauer Hose.

Ich Trottel! Wieso glaube ich, dass einem scharfsichtigen Typen wie Mr. Stone ein solches Manöver entgehen würde?

Und natürlich hat er meinen Blick richtig gedeutet, denn sein Lächeln vertieft sich. Dann schüttelt er mehrmals den Kopf und hätte beinahe laut gelacht.

»Ausgezeichnet!«, sagt er verbindlich. »Nun, ich muss weiter. Den Bösen ist kein Frieden beschieden. Freut mich, dass Sie sich bei uns wohlfühlen.«

Mit diesen Worten wendet er sich mit einer eleganten Drehung von mir ab, die man einem Mann von seiner Statur gar nicht zugetraut hätte, und hält auf Youngblood zu, der nur wenige Schritte entfernt wartet und ziemlich ungeduldig und noch verstimmter als vorher aussieht. Dann wirft auch er mir einen Blick zu, feindselig und merkwürdiger Weise auch sexy, ehe die beiden weitergehen und wieder an ihr Streitgespräch anknüpfen.

Das Ganze ist in so kurzer Zeit über die Bühne gegangen, aber als die beiden um die Ecke biegen, lacht Mel leise und stellt fest: »Uh, sieht ganz so aus, als mag der clevere Bobby dich.«

Sie hat Recht. Glaube ich. Es sei denn, mein fein geschärfter Instinkt täuscht mich. Ich habe immer ziemlich genau sagen können, wenn ein Typ auf mich stand, und außerdem – auch wenn es sich abgedroschen anhört – bin ich davon überzeugt, dass die Chemie zwischen mir und Mr. Stone stimmt. Nicht, dass sich daraus etwas machen ließe. Er ist mein Vorgesetzter, und ich bin nur eine unbedeutende Angestellte, die erst kürzlich eingestiegen ist.

Aber das hindert mich nicht, meinen Fantasien nachzuhängen.

Ich bin nie mit einem Typen von seiner Statur zusammen gewesen. Er ist groß und ein wenig füllig um die Hüften. Ich überlege, ob sein Schwanz die passenden Proportionen hat. Ich stelle mir vor, wie er auf mir liegt, in mir ist und mich ganz unter sich vergräbt, während seine hellen, cleveren Augen mir bis in die Seele schauen.

Schnipp!

Ich schrecke zusammen, als Mel genau neben meinem Ohr mit den Fingern schnippt.

»Hey! Wo warst du gerade?« Sie grinst mich an, als ich in die Gegenwart zurückdrifte. »In einer anderen Welt? Oder doch nur bei unserem geschätzten Direktor?«

»Woher weißt du das?«

»Du hattest diesen ich-sterbe-gleich-wenn-ich-nicht-was-zum-Anbeißen-kriege-Blick«, erklärt sie und bringt die Sache wieder einmal besser auf den Punkt, als ich es je könnte.

»Ja, der ist nicht zu verachten, oder?«

Es überrascht mich, als sie zustimmt.

»Aber offenbar nicht dein Typ.« Ich mustere sie mit verengten Augen. Ist mir da was entgangen? Habe ich sie falsch eingeschätzt?

»Nein, aber ich kann trotzdem sehen, was Anziehung ausmacht. Er ist groß, einflussreich, ist eine eindrucksvolle Erscheinung und hat Kohle.«

Aber es ist mehr als nur das. Sie weiß es. Ich weiß es. Ich bin im Begriff, mich auf eine Diskussion einzulassen, warum eine Frau mit dem Director of Finance vögeln will, als die Uhr von Borough Hall zur vollen Stunde schlägt. Erst da merke ich, wie lange ich schon aus dem Büro fort bin.

»Ich glaube, ich mache mich jetzt besser auf den Weg, bevor Sandy noch einen Suchtrupp losschickt«, sage ich und gehe im Geiste die Liste möglicher Ausreden durch, die alle irgendwie blöd klingen. »Dann ... bis bald.« Es ist ein bisschen komisch, direkt neben einer Person zu wohnen und dennoch auf einem vollkommen anderen Planeten zu leben.

Als ich mich zum Gehen wende, kommt Mel plötzlich auf mich zu und gibt mir völlig unerwartet einen Kuss auf die Wange. Für einen Moment bin ich so perplex, dass ich vergesse, mich umzusehen, ob uns jemand beobachtet hat. Glücklicherweise ist außer uns niemand im Foyer, aber ich verbanne sofort

Mr. Stone aus meinem Kopf, auch seinen speziellen Blick, in dem ich heimliche Lust entdeckt habe.

Das würde dir gefallen, nicht wahr?, sage ich zu seiner imaginären Gestalt. Ich wette, du würdest dabei zugucken wollen. Das würde dir so richtig Spaß machen.

Jetzt sind es schon zwei Dinge, mit denen ich mich für den Rest des Tages gedanklich beschäftigen kann.

Die Aussicht auf Sex mit dem Director of Finance Stone.

Die Aussicht auf Sex mit einer Frau, nämlich mit Mel.

Großartig! Beide Möglichkeiten haben Fallstricke. Wenn ich mich an Mr. Stone heranmache, besteht die Gefahr, dass ich meinen Job aufs Spiel setze, den ich dringend brauche. Wahrscheinlich kriege ich nicht so schnell einen neuen. Und wenn ich mich an Mel heranmache, könnte ich mich in einer echt peinlichen Situation wiederfinden, wenn ich plötzlich merke, dass ich die intimen Aktionen zwischen Frauen dann doch nicht mag. Es wäre nicht das erste Mal, dass ich glaube, jemanden zu mögen, um dann festzustellen, dass ich mich geirrt habe.

Eigentlich kann ich bei beiden Situationen nur den Kürzeren ziehen. Denn im Grunde will ich sie beide.

Ich brauche wohl nicht zu betonen, dass ich ziemlich viele Fehler beim Ausfüllen der Darlehensanträge mache, und wenn ich die Fehler nicht gleich verbessere, schmeißen die mich raus. Da kommt es mir wie eine Erlösung vor, als Mr. Allsopp, die ›graue Eminenz‹, die unsere Abteilung leitet, mir nahelegt, schon früh zum Mittagessen zu gehen, um dann mit einem wacheren Geist zurückzukommen.

Eher unwahrscheinlich, aber es ist so eine Erleichterung, das Büro verlassen zu können, dass ich ihm mein schönstes Lächeln schenke und ihm versichere, dass er ja *soo* Recht habe und ich am Nachmittag viel fitter bin. Bin mir nicht ganz sicher, ob mir seine etwas zu überschwängliche Reaktion gefällt (bitte *keine* weiteren Komplikationen), aber was soll's, ich bin raus aus dem Knast, zumindest für eine Stunde.

Es regnet, und die Straßen sind rutschig und grauer als sonst. Nicht zum ersten Mal frage ich mich, was ich eigentlich in dieser Stadt verloren habe, aber dann rufe ich mir in Erinnerung, dass ich pleite bin und dass das Leben hier viel billiger ist als in einer Großstadt. Und irgendwie passt das Grau auch gut hierher, heißt dich willkommen, während es in der Hauptstadt kalt ist und man Angst haben muss, wenn man allein unterwegs ist.

Dennoch, heute ist es auch hier ziemlich kalt, und die Kälte und die Feuchtigkeit dringen schnell durch den Regenmantel, der eher durch sein Design auffällt als durch seine Nützlichkeit. Ich eile in das Cathedral Shopping Centre und gelobe, dass es nur beim Gucken bleiben wird – kein Shoppen!

Aber die Läden sind so verführerisch. M&S, BHS, Body Shop, Miss Selfridge. Doch mit meinem festen Vorsatz, das Geld zusammenzuhalten, widerstehe ich den teuren Sandwiches bei Marks & Spencer und begnüge mich mit einem Käsebrötchen bei The Butty Bar. Als kleine Belohnung meiner Bescheidenheit gönne ich mir ein Klatschmagazin bei W. H. Smith.

Ich blättere schnell durch die Boulevardseiten und schwebe in die automatische Drehtür des Centres, in der Hoffnung, der Regen möge nachlassen. Immer der gleiche Kram, stupide eigentlich, aber trotzdem bin ich wie gebannt von den bunten Bildern, wie eine Schaulustige bei einem Autounfall. Hier sind sie alle, die Popstars und die Fußballspieler, die Spielerfrauen und die anderen Leute, die berühmt sind der Berühmtheit wegen, wie Kandidaten einer Reality-Show. Ich erinnere mich an meine kurze Phase der Berühmtheit, als ich für zwei oder drei Wochen in Magazinen dieser Art auftauchte. Da war ich noch mit einem Typen zusammen, der ein bisschen mehr darstellte.

Aber jetzt kennt mich niemand mehr. Ich schneide eine Grimasse, als ich in einem der hohen Spiegel meinen durchnässten Regenmantel und das nasse, strähnige Haar sehe. Ich bin eine normale, hübsche Blondine mit einer einigermaßen stattlichen Figur und einem Lächeln, das vor der Kamera immer ein bisschen zu nervös wirkt. Nichts Ungewöhnliches bei Magazinen wie diesen, und schließlich vergisst man so ein Lächeln genauso schnell wie man die Zeitschriften wegwirft.

Oh, stopp! Achtung, düstere Gedanken! Ich vertreibe sie und lächele mein Spiegelbild an. Nicht nervös diesmal, denn trotz des Regens, der grauen Straßen und des eher bescheidenen Jobs bin ich froh, zurück zu sein. Zu Hause.

Außerdem gibt es noch andere Dinge, auf die ich mich konzentrieren kann, und meine Gedanken schweifen wieder zu Mr. Stone und zu Mel. Und plötzlich erscheinen mir beide als willkommene Herausforderungen, die man genießen sollte, und nicht als mögliche Probleme.

Na los, Mädchen!

Ich gehe hinaus in den Regen.

2. Kapitel

Kollisionskurs

Ein weiterer Tag im Paradies? Eher nicht.

Aber heute gibt es etwas Besonderes, das mich aus meiner Langeweile reißen wird. Ich fand es gestern Nachmittag, als ich mich im Büro umschaute, nachdem alle anderen schon gegangen waren. Es ist die ungewöhnlichste Masturbationshilfe, die man sich vorstellen kann, aber hier ist sie eben.

Ein kleines Foto. Herausgetrennt aus dem Personalmagazin. Zwar nur schwarz-weiß, aber es reicht. Es ist das Foto unseres geschätzten Director of Finance Robert Stone.

Ich streiche mit dem Finger darüber und versuche, die Knitterfältchen wegzubügeln, die das Foto bekommen hat, weil ich es schnell in meiner Tasche verschwinden lassen musste, als Sandy plötzlich von irgendeiner Besorgung zurückkam. Es ist nur Papier, doch ich kriege dieses eigenartige Kribbeln, als würde ich den Mann anfassen und ihm langsam über das rundliche, bärtige Kinn streicheln. Er lächelt auf dem Foto sogar, und es ist ein warmes, natürliches und eben nicht gekünsteltes Lächeln, als habe jemand gerufen: »Hey, Bobby! Bitte ein Lächeln für die Kamera!« Und er hat sich überrascht umgedreht, hat aber nichts dagegen, einem Paparazzo zum Opfer zu fallen. Die Augen kneift er ein wenig zusammen, da es vermutlich sehr sonnig war, aber man kann seine Zähne sehen, die erschreckend weiß und ebenmäßig aussehen, ganz wie bei einem Hollywoodstar.

Bobby.

Cleverer Bobby.

Ich mag diesen Spitznamen, denn er *ist* clever. Offensichtlich äußerst intelligent, wenn er es bis da oben geschafft hat, aber ich finde ihn noch in anderer Hinsicht clever. Einerseits weiß ich selbst nicht so genau, wie sich diese Art von Cleverness erklären lässt, doch mein Gefühl sagt mir, dass er sie besitzt. Gestern leuchtete diese Cleverness in seinen Augen, im Foyer, und ich glaube, ich habe diesen Augenausdruck jedes Mal gesehen, wenn wir uns über den Weg liefen, angefangen bei dem kurzen und unerwartet erfolgreichen Gespräch, das er und Youngblood leiteten.

Er mag mich. Mel hat Recht. Er mochte mich von Anfang an.

Ha! Du vergisst, in welcher Liga er spielt, tadele ich mich. Aber ich muss immer wieder auf dieses kleine Foto gucken, weil ich herausfinden möchte, was es mit diesem täuschend sonnigen Lächeln auf sich hat.

Ich bete meine Ikone immer noch an, als Sandy hereinrauscht. Rasch lasse ich den cleveren Bobby Stone unter einem der ernüchternd dicken Stapel Darlehensanträge verschwinden, die ich alle noch bearbeiten soll. Ich frage mich, wie vielen dieser kleinen Unternehmen Borough Hall die Steuergelder des Councils weiterreicht. Dann verliere ich mein Interesse sofort wieder, da ich über weitaus verlockendere Themen nachdenken kann.

Ich weiß nicht, ob es daran liegt, dass Stone meine Fantasien belebt, oder dass ich endlich dahinterkommen will, was hier in den Büros für geheime Sexspielchen ablaufen, von denen Mel mir erzählt hat, als sie mich auf den Job aufmerksam machte. Aber wenn ich mir die gute Sandy genauer ansehe, habe ich das Gefühl, dass sie sich so verstohlen umschaut. Sie wirkt irgendwie aufgeregt. Und sexy.

Sexy?

Sandy ist pingelig und immer hyperkorrekt, aber jetzt scheint mir ihre Frisur am Hinterkopf ein bisschen platt gedrückt zu sein, und ihre Wangen sind definitiv leicht gerötet. Sie beißt sich auf die Unterlippe und fasst sich dauernd an die Mundwinkel, als ob sie eben etwas gegessen hat und nun befürchtet, noch Krümel am Mund zu haben.

Vielleicht hat sie ja wirklich irgendwo ›genascht‹?

Plötzlich grinse ich wie Garfield.

Oh mein Gott, ist die gute Sandy etwa gerade kurz weg gewesen, um Nigel einen zu blasen?

Das kann nicht sein. Sie ist so prüde, so kreuzbrav und die letzte Person, die man sich bei einer heimlichen Fellatio vorstellen kann!

Trotzdem, da ist dieses Leuchten in ihren Augen, und sie sieht sich dauernd um, als befürchte sie, irgendjemand könnte etwas an ihrem Äußeren auszusetzen haben. Ich fange ihren Blick ein, und sie errötet noch heftiger. Ist das der Beweis, den ich brauche?

Bingo! Ich habe Recht! Sie hat irgendetwas gemacht, und selbst wenn sie Nigel keinen geblasen hat, ist es bestimmt etwas, das sie nicht in ihrer Arbeitszeit tun durfte. Etwas sehr, sehr Ungezogenes!

»Gibt's noch Kaffee, Maria?«, fragt sie plötzlich ziemlich scharf in meine Richtung, da sie offenbar versucht, die Rangordnung im Büro klarzustellen.

»Na klar«, erwidere ich. Dann kann ich mir die kleine Anspielung nicht verkneifen. »Mit einem Schuss Sahne?«

Ihre sorgfältig gezupften Brauen schnellen hoch, und ich weiß, dass wir uns verstehen. »Wir haben keine Sahne. Wovon redest du da, Maria?«

So nervös, Sandy?

»Nein, natürlich haben wir keine. Vergiss es. Ich weiß auch nicht, was ich manchmal so rede.« Ich setze ein Grinsen auf, mache scheinbar einen Rückzieher, gebe aber in Wirklichkeit kein Stück nach. Ihr Gesicht ist von einer dunklen Röte überzogen. »Dauert nur einen Moment«, murmele ich, eile in die Ecke zu dem Tisch, auf dem der Wasserkocher steht, und grinse über das ganze Gesicht, da Sandy mich jetzt nicht sehen kann.

Der Rest des Morgens macht gleich viel mehr Spaß, und ich teile meine Zeit ein: Ich arbeite, necke Sandy mit prüfenden Blicken und einem verstohlenen Grinsen, das aber sofort auf meinen Lippen erstirbt, damit sie mich deswegen nicht anmachen kann. Und dann ist da meine geheime Sucht, mir in allen Einzelheiten einen Blowjob auszumalen. Meistens inspiriert mich dabei mein kleines Foto von Mr. Stone, aber manchmal auch Sandy und ihr Nigel. Und dann schaue ich ihnen zu.

Am späten Nachmittag habe ich den Kontakt zur Realität vollkommen verloren und kann es nicht länger ertragen, in diesem Büro zu hocken. Ich brauche Luft! Oder irgendetwas.

Ich frage, ob ich kurz eine rauchen kann.

»Ich wusste gar nicht, dass du rauchst«, meint Sandy und kneift argwöhnisch die Augen zusammen.

Ich würde am liebsten sagen: »Ich rauche ja auch gar nicht«, was ja stimmt, aber dann werfe ich ihr nur einen herausfordernden Blick zu. Und da Allsopp sonst wo ist, gibt die gute Sandy ihr Okay.

Ich nehme noch schnell meine Tasche, laufe zum nächstbesten Ausgang, der in den großen Innenhof führt, und wäre in meiner Eile, endlich an die frische Luft zu kommen, beinahe über die teilweise überwucherten Pflastersteine gestolpert. Im Hof stehen ein paar Leute und rauchen. Ich täusche vor, in meiner Tasche nach einem Päckchen Zigaretten zu kramen. »Oh, Mist«, entfährt es mir dann.

»Möchtest du eine?«

Die Stimme kommt mir bekannt vor, und als ich mich umdrehe, sehe ich meinen Wohnungsnachbarn Greg, der mir eine Blechdose hinhält, in der er eine Anzahl selbst gedrehte Zigaretten aufbewahrt, die alle ziemlich krumm und unförmig aussehen. Oder ist das Dope?, frage ich mich, doch dann steigt mir der Geruch seiner brennenden Zigarette in die Nase. Der Geruch ist würzig, aber es scheint nur eine harmlose Mischung zu sein.

»Danke. Aber ich habe aufgehört. Wollte nur mal für fünf Minuten aus dem Büro, mehr nicht.«

Für einen Moment sieht er enttäuscht aus, dass ich seinen Liebesbeweis ablehne, und ein verlorener Ausdruck schleicht sich in seinen niedlich-treuen Hundeblick. Dann zuckt er die Schultern und meint: »Ich weiß, was du meinst. Ich sollte es auch lassen.« Er zieht die Nase kraus, als widere ihn die Zigarette an, wirft sie dann auf den Boden und tritt die Glut übertrieben aus.

Ich mag Greg. Er ist der klassische Computerfreak, und das finde ich süß an ihm. Er ist nicht viel größer als ich und sieht so aus, als müsse er sich noch nicht regelmäßig rasieren. Er hat dichtes, braunes Haar, das er jeden Morgen vor der Fahrt zur Arbeit mit Gel bearbeitet. Er ist jung, aber auch richtig intelligent und ein technisches Genie, was ich seltsamerweise unwiderstehlich sexy an ihm finde. Offensichtlich habe ich es seit meiner Rückkehr nur mit gescheiten, cleveren Männern zu tun.

Greg hat keinen Schimmer, dass ich ihn in das Pantheon meiner Tagesfantasien mit aufnehme und ihn neben den cleveren Bobby stelle.

Da haben wir doch schon einen Typen, der bestimmt nichts gegen einen Blowjob hätte, denke ich bei mir, als ich zusehe, wie er ziellos mit der Schuhspitze an einem losen Pflasterstein herumspielt. Ich habe das Gefühl, dass er es sich noch nicht allzu oft hat besorgen lassen.

Wir unterhalten uns noch eine Weile, hauptsächlich über das Fernsehprogramm gestern Abend und die langweilige Arbeit, aber gerade, als ich mich verabschieden will, um Sandy im Büro noch ein bisschen zu ärgern, verspüre ich ein seltsames Gefühl im Bauch. Wie ein Schauer, der mich durchrieselt. Für einen Moment schwanke ich leicht. Greg fragt mich schon, ob es mir gut geht, und ich fasele etwas von meinem Blutzucker und einem Keks, den ich gleich im Büro essen werde.

Aber innerlich zittere ich immer noch. Es ist wirklich wie das Klischee mit dem ›Schauer, der einem über den Rücken läuft‹, oder wie das unbestimmte Gefühl, dass irgendein Psychopath dich ins Visier genommen hat und dir als Stalker zusetzt. Unwillkürlich schaue ich nach oben zu den Fenstern im ersten Stock. Für einen kurzen Augenblick meine ich, eine Bewegung dort oben an einem der Fenster wahrzunehmen, als wäre jemand rasch zurückgetreten. Vielleicht war es nur Einbildung, aber in meinem Kopf ruft eine kleine Stimme: »Stone!«

»Was ist dort oben? Wem gehören diese Büroräume?«, frage ich. Ich habe noch nicht den Überblick, wer wo in Borough Hall arbeitet, aber irgendwo dort oben muss mein Einstellungsgespräch stattgefunden haben – und mein internes Radar verrät mir, dass Stone hinter diesen Fenstern ist.

»Oh, das ist der Adlerhorst, wenn man so will«, erklärt Greg und sieht mich immer noch ein wenig besorgt an, als befürchte er, ich würde doch noch vor seinen Augen zusammenklappen. »Da sind die hohen Tiere in einer erlesenen Atmosphäre, die uns Sterblichen nicht vergönnt ist.«

»Hohe Tiere wie Robert Stone?«

»Genau, unser geschätzter Finanzmanager. Ja, der residiert dort oben«, sagt Greg mit plötzlich kalter Stimme. »Wieso, hast du vor, ihm einen Besuch abzustatten?«

»Ich könnte ja mal bei ihm vorbeischauen«, erwidere ich locker.

»Ja, warum auch nicht.« Greg lacht, aber es klingt bitter.

»Wieso? Er ist auch nur ein Mensch, Greg. Kein Gott, auch wenn die erste Garde an diesen Orten sich oft dafür hält!«

Ich protestiere, da sowohl die Feministin als auch die Arbeiterin in mir mich zum Protest anhält. Aber die andere Seite meines Wesens, die eben noch beinahe ehrfürchtig gezittert hat, überlegt, ob dieser Robert Stone nicht doch vielleicht ein Gott ist. Auf eine merkwürdige, unerklärliche Art, die ich noch nicht nachvollziehen kann.

»Dann schaue ich auch bei ihm vorbei«, meint Greg in fast gerissenem Ton. »Die sind alle ziemlich hilflos mit der Technik dort oben. Einige denken tatsächlich, dass ich in gewisser Hinsicht ein Gott bin.« Jetzt grinst er und plustert sich ein bisschen auf. Er ist wieder besser gelaunt und stolz auf seine eigenen Fähigkeiten. »Aber das würde natürlich keiner von denen je zugeben.«

Ich betrachte ihn genauer und merke, dass mir fast etwas entgangen wäre. Ein seltsam überheblicher und fast wissender Ausdruck schleicht sich in Gregs Züge. Das will nicht recht zu der schüchternen Bewunderung passen, die er sonst in meiner Gegenwart an den Tag legt.

Was weiß er? Bezieht sich das auch auf die Dinge, die Mel hat andeuten wollen? Ist Sandy heute Morgen wirklich aus dem Büro gegangen, um ihren Freund mit einer Fellatio zu erfreuen? Treibt jeder an diesem gottverlassenen Ort diese Spielchen? Nur ich nicht?

Ich bin kurz davor, Greg eine Frage zu stellen, die ihm wahrscheinlich peinlich sein dürfte, doch da durchrieselt mich wieder dieser kalte Schauer, sodass ich wie unter einem Zwang erneut nach oben schaue.

Diesmal werde ich belohnt. Eine mir vertraute große Gestalt scheint das mittlere von drei Fenstern auszufüllen. Ich kann ihn deutlich hinter der staubigen Glasfront erkennen, aber mir verschlägt es den Atem.

Robert Stone.

Wie aus eigenem Antrieb will mein Arm sich heben, um ihm zuzuwinken, aber ich kann mich gerade noch beherrschen, um mich nicht lächerlich zu machen. Ein Lächeln versucht, sich in meinem Gesicht festzusetzen. Und obwohl ich auch diesen Kampf gewinne, habe ich das Gefühl, dass ich durch jede noch so kleine Bewegung gezeigt habe, wie aufgewühlt ich bei seinem Anblick bin.

Er hingegen zeigt überhaupt keine Reaktion. Ich kann sein

Gesicht zwar nicht deutlich sehen, aber da ist kein Lächeln und keine Geste, die mir gezeigt hätte, dass er mich wahrgenommen hat. Dabei bin ich mir sicher, dass sein Blick auf mir ruht. Mir kommt es so vor, als schaue er mich eine ganze Weile unverwandt an. Dabei vergehen nur ein paar Sekunden, bis ich zur Seite schaue und so heftig erröte wie Sandy zuvor im Büro. Ich habe das Gefühl, ohne Rock und Slip in den Innenhof gekommen zu sein, und keiner der Raucher hat mich darauf hingewiesen.

Als ich wieder zum ersten Stock hinaufschaue, ragt keine Gestalt mehr hinter dem Fenster auf. Und ich habe das Gefühl, mich rückwärts in einem Windkanal zu bewegen.

»Bist du sicher, dass du okay bist?«

Gregs Stimme scheint vom anderen Ende des Windkanals zu mir zu dringen, wird aber von meinem Puls gedämpft, der an meinen Ohren dröhnt. Ich wende mich ihm wieder zu und merke, dass er mich besorgt ansieht.

»Ja! Mir geht's gut! Nur keine Aufregung!«, entfährt es mir ein wenig zu scharf, und dann komme ich mir gemein vor, als ich sehe, dass er eingeschüchtert wirkt. »Tut mir leid«, sage ich gleich, »heute ist irgendwie ein komischer Tag.«

Und die letzten Minuten waren besonders seltsam.

Nachdem ich Greg wiederholt versichert habe, dass ich okay bin, gehe ich wieder rein. Mit einem Mal gefällt mir der Innenhof nicht mehr. Ich kam mir wie ein Tier in einem Stall vor, und Robert Stone war der Pferdebeschauer, der mich begutachtete. Und da er überhaupt keine Reaktion gezeigt hat, genügte ich seinen Ansprüchen wahrscheinlich nicht.

Obwohl ich schon zweimal das Büro verlassen habe und eigentlich wieder an die Arbeit müsste, gehe ich zur Toilette und schließe mich in einer der Kabinen ein. Mir war gar nicht bewusst, dass ich musste, aber sowie ich mich auf die verblichene Holzbrille setze, merke ich, dass meine Blase fast schon platzt. Und dennoch kann ich nicht pinkeln. Alles dort unten fühlt sich seltsam an. Eng. Verspannt. Ich versuche, an donnernde Wasserfälle oder den Fluss zu denken, der durchs Wehr rauscht.

Aber ich sehe nur Robert Stones ovales, unbewegliches Gesicht und den leichten Bartschatten, den ich so sexy an ihm finde.

»Oh, bitte, lass mich pinkeln!«, flüstere ich. Und ich flehe *ihn* an, nicht meinen widerspenstigen Körper.

Ich rutsche auf der Klobrille hin und her. Ich versuche, mich zusammenzureißen und klammere mich an der Halterung des Toilettenpapiers fest, sodass ich sie beinahe aus der Wand reiße. Und plötzlich taucht wieder das dünne Lächeln vor meinen Augen auf, das sich nach meinem Einstellungsgespräch um seine Mundwinkel andeutete. Dieser »Ich weiß, worauf das hier hinausläuft, aber Sie werden sich noch gedulden müssen«-Ausdruck in seinen Augen.

Die Schotten öffnen sich, und ich erleichtere mich mit einem Rauschen, als könnte ich gar nicht mehr aufhören. Die Erleichterung ist so überwältigend, dass ich kurz weg bin und Stone für einen Augenblick fast ganz vergesse.

Aber eben nur fast.

Sowie der Strom versiegt, ist Stone wieder da, und immer noch umspielt dieses dünne Lächeln seine Lippen.

Oh Gott, ich will ihn!

Unwillkürlich fasse ich nach unten, berühre mich an einer bestimmten Stelle und fühle, wie feucht ich bin.

Ich schließe die Augen, um mir den Anblick der abblätternden Farbe an den Kabinenwänden zu ersparen. Endlich brauche ich auch nicht mehr die Staubbüschel in den Ecken zu sehen, die den Putzfrauen widerstanden haben, oder die mühsam in die Klotür eingekerbten Sprüche, die überpinselt wurden. Nein, wenn ich die Augen schließe, gibt es nur mich und

Stone, irgendwo in einem namenlosen Raum, und es ist seine Hand, die zwischen meine Schenkel fährt, nicht meine eigene.

Die Berührung ist so zart, aber mehr braucht es auch nicht. Sein Zeigefinger ist groß und breit, denn seine ganze Erscheinung ist groß und breitschultrig, aber jetzt tanzt seine Fingerspitze wie Distelwolle auf meiner Haut, unmittelbar in meiner empfindlichsten, feucht-heißen Zone.

Er neckt mich. Lächelt in meiner Fantasie. Ich stöhne auf, der Laut entringt sich meinen Lippen. Es ist ein lautes Stöhnen, und kaum, dass ich es von mir gebe, höre ich, dass jemand in die Toilette kommt. Aber da will mein Mund mir nicht gehorchen, und ich stöhne weiter.

Oh, Mr. Stone, denke ich und wundere mich über die formale Anrede, weiß aber zugleich, dass es zu diesem Moment passt. Bitte, wären Sie doch derjenige, der gerade hereinkommt, flehe ich, obwohl mir klar ist, dass er wohl kaum die Damentoilette aufsuchen wird, hoffe es aber insgeheim. Tränen laufen mir aus den Augen, als ich die Absätze eines Damenschuhs auf den Fliesen höre; dann wird eine andere Kabinentür geöffnet und zugeschlossen.

›Mr. Stone‹ legt mir die Fingerspitze, die mich gerade verwöhnt hat, auf die Lippen, damit ich leise bin, und daher muss ich mir auf die Unterlippe beißen, als die ersten Kontraktionen einsetzen und der Orgasmus wie eine riesige Welle durch meine Sinne rauscht.

Minuten verstreichen, und ich sitze immer noch auf der Schüssel, lehne mich zurück, sodass die Rohrleitung des alten, hoch hängenden Spülkastens in meinen Rücken drückt. Ich habe das Gefühl, mit mir selbst um die Wette gelaufen zu sein oder einen hohen Berg erklommen zu haben. Ich habe keine Luft mehr und ringe keuchend nach Atem.

Stone ist wieder fort. Zumindest ist diese teils beunruhigende, teils wunderbare Erscheinung, die von mir Besitz ergriffen hat, Teil meiner Selbstbefriedigung geworden. Und ohne ihn komme ich mir allein gelassen vor, bin den Tränen nahe.

Postkoitale Traurigkeit ohne richtigen Koitus.

Wieder lasse ich Wasser und schleiche mich dann aus der Kabine. Die Kollegin, die eben hereingekommen ist, ist schon wieder weg, und daher werde ich wohl nie erfahren, wer die Frau war, die sich jetzt bestimmt fragt, was dort für eigenartige Geräusche aus der Nachbarkabine gekommen sind.

Aber vielleicht sind Frauen, die sich auf der Toilette selbst befriedigen, hier ja auch nichts Besonderes, denke ich, als ich in den Spiegel schaue. Ich bin fest entschlossen, mich durch nichts zu verraten, wenn ich zurück ins Büro gehe. Ich will nämlich nicht, dass Sandy mich ansieht und meine intimsten Geheimnisse errät, auch wenn ich viermal so lange weg war, wie ich eigentlich vorhatte. Absolut sorgfältig wie ein Chirurg, der eine Operation am offenen Herzen vornimmt, schrubbe ich meine Hände mit der schmierigen Seife aus dem Spender. Verdammt scheußliches Zeug, aber an meinen Fingern darf nichts von meinem Duft haften bleiben. Nicht mal ein Hauch. Ich wünschte, ich hätte einen Deostift bei mir und einen frischen Slip, also muss ich mich mit einem Sprühstoß aus der billigen Spraydose begnügen, die ich in meiner Handtasche habe.

Damit und mit ein paar Tupfern Gesichtspuder bin ich wieder so weit hergestellt, um mich der Öffentlichkeit zu präsentieren. Plötzlich höre ich die große Uhr zur Viertelstunde schlagen, und ich merke, dass aus meiner Zigarettenpause, die nicht länger als fünf Minuten dauern sollte, eine Dreiviertelstunde geworden ist.

Oh, Mist!

Wirklich besorgt eile ich aus der Damentoilette, schaue gar nicht, wo ich hinlaufe und stoße in meiner Hast mit einem großen, breitschultrigen Mann zusammen, der einen dunklen Anzug trägt und mir auf dem Gang entgegenkommt.

Oh Gott, ausgerechnet *er!*

Durch den Zusammenstoß und den Schreck, dass der Mann meiner Fantasie jetzt Wirklichkeit geworden ist, schwanke ich wie ein Kegel, aber ehe ich zu Boden falle, schließen sich zwei kräftige Hände um meinen Oberarm und geben mir mühelos Halt. Wie von Ferne höre ich, wie Leder auf den Marmorfliesen aufklatscht, als seine dünne Aktenmappe mit dem Reißverschluss zu Boden fällt.

Orientierungslos und vollkommen verwirrt, hänge ich gleichsam in seinem Griff. Starre ihn an. Seine Augen erfassen mich, sein Blick gleitet forschend über mein Gesicht, dann an meinem Körper hinab. Erheiterung zeichnet sich auf seiner Miene ab, aber da ist auch dieses beunruhigend Analysierende in seinen Augen. Nach allem, was ich eben in der Toilette getan und empfunden habe, fühle ich mich mit ihm in intimer Weise verbunden, er aber empfindet bestimmt nur vorübergehendes Interesse oder leichte Neugier für mich.

Oder wie soll ich seinen Blick deuten?

Lichtpunkte scheinen in diesen braunen Augen zu tanzen, und seine Lippen – die bei dieser Nähe ungewöhnlich weich wirken – verziehen sich zu einem schmalen Lächeln.

Ich blinzele eher hilflos und frage mich, wie lange er mich wohl schon so hält. Mir kommt es wie Stunden vor, dabei können nicht mehr als ein paar Sekunden vergangen sein.

»Maria ... Maria . .. Maria ...«, murmelt er vor sich hin, lässt mich dann los, aber seine Fingerspitzen schweben noch unmittelbar über meinem Arm, falls ich doch noch zusammenklappe. »Was, um alles in der Welt, hatten Sie vor? Wissen Sie denn nicht, dass es gefährlich ist, auf den Fliesen zu laufen?«

Dann beugt er sich wie ein großer dunkler Vogel nach unten und hebt seine Mappe wieder auf. Ich zucke zusammen, da er ein so großer Mann ist, dessen Bewegungen entsprechend ausladend sind.

Aber als er sich wieder aufrichtet, scheint er für einen

Moment innezuhalten, und kleine Falten zeichnen sich auf seiner Stirn ab. Seine Nasenflügel flirren.

Oh, Gott!

Er nimmt meinen Geruch wahr!

Ich rieche mich zwar selbst nicht, merke aber plötzlich, dass er mich wahrnimmt. Nicht den gewöhnlichen Geruch, sondern den Duft, der einem nach dem Sex anhaftet. Die Pheromone, die ich durch meine Aktion in der Kabine freigesetzt habe. Er schaut auf meine Hände, und sein Lächeln vertieft sich. Obwohl ich sie mehrmals geschrubbt habe, kommt es mir so vor, als könnte er den Beweis meiner Selbstbefriedigung wie eine fluoreszierende Leuchtspur sehen.

Die Augenblicke unseres unvermuteten Zusammentreffens ziehen sich unerträglich in die Länge, und eine stumme Art der Kommunikation, die ich kaum wahrnehme, setzt zwischen uns ein.

Er weiß Bescheid.

Ich weiß, dass er es weiß.

Er weiß, dass ich weiß, dass er es weiß.

Als er wieder etwas sagt, klingt seine Stimme allerdings völlig normal. Sogar besorgt, was ich nach dieser tiefgehenden, perfekten Art der Kommunikation beinahe als beleidigend empfinde. Er spricht zu mir, als wäre ich irgendjemand.

»Geht es Ihnen gut, Maria? Sie sehen ein bisschen mitgenommen aus. Vielleicht gehen Sie jetzt wieder in Ihr Büro und setzen sich eine Weile ruhig hin. Trinken Sie eine Tasse Tee, das beruhigt die Nerven.«

»Okay, ja. Werde ich tun. Danke.« Ich höre mich wie ein Roboter an, aber das scheint ihm nicht aufzufallen. Er bückt sich wieder, hebt meine Handtasche auf, die irgendwann auf den Boden gefallen sein muss, und reicht sie mir.

»Okay dann. Passen Sie auf sich auf«, sagt er forsch, und dann ruht seine Hand für einen kurzen Moment auf meinem Arm, was ich wie einen elektrischen Schlag empfinde. Seine

Augen verengen sich. »Sind Sie sicher, dass Sie nicht irgendwas ausbrüten, Maria? Sie sehen erhitzt aus. Haben Sie Fieber?«

Ja, so könnte man es auch nennen! Ich würde es ihm am liebsten ins Gesicht schreien: Sehen Sie denn nicht, dass mir schon der Qualm aus den Ohren kommt?

Außerdem komme ich mir plötzlich wie ein Hund vor, der hohe Frequenzen wahrnehmen kann. Ich hätte schwören können, dass er das Wort ›erhitzt‹ merkwürdig betont hat. Aber seine Miene verrät ihn nicht. Kein Grinsen. Kein Zwinkern. Nichts. Aber in seinen Augen ist wieder dieser kleine Kobold der Erheiterung.

»Nein, mir geht es gut. Danke. Ehrlich«, lüge ich stammelnd.

Er zuckt die breiten Schultern. »Wenn Sie es sagen.«

Dann geht er weiter und hält mit langen, zielgerichteten Schritten auf den Ausgang zu. Und ich habe das Gefühl, als habe man mir das Herz aus dem Leib gerissen, so groß ist der Verlust, den ich im Augenblick verspüre.

Steif und unbeweglich schaue ich ihm nach, doch ehe er die Tür erreicht, dreht er sich um und ruft: »Wenn Sie sich nicht gut fühlen, Maria, dann nehmen Sie sich den Nachmittag frei und legen sich zu Hause ein bisschen hin. Sollte Allsopp irgendwas sagen, beziehen Sie sich auf mich.«

Und dann ist er verschwunden. Das Sonnenlicht betont noch kurz seine Silhouette, während ich wieder ein ›Danke‹ vor mich hin murmele.

Ich fühle mich angeschlagen. Mehr als ich zugeben möchte. Und ich würde jetzt nichts lieber tun, als nach Hause zu gehen, um mich, wie Stone es so schön sagte, ›ein bisschen hinzulegen‹. Stattdessen kehre ich ins Büro zurück und versuche, mich wieder auf den normalen Arbeitsalltag einzulassen.

Aber was ist noch normal, wenn ich plötzlich das Gefühl habe, dass mein Leben sich vollkommen verändert hat?

Ich widme mich wieder meiner Arbeit. Hier und da plaudere ich mit Kollegen, ohne jedoch der armen Sandy weiter mit Anspielungen zuzusetzen, denn inzwischen sieht man ihr nichts mehr von ihrer möglichen Durchtriebenheit an. Mein Kopf ist wie eine Festplatte, die in zwei Hälften geteilt ist (oder partitioniert ist, wie der Computerspezialist Greg jetzt vermutlich sagen würde). Ein Teil führt die Routinevorgänge aus, während der andere Teil jede noch so kleine Information verarbeitet, die ich über Robert Stone weiß. Und dann läuft jeder Filmmeter unserer bisherigen Interaktionen wie auf einer inneren Leinwand vor mir ab.

Er will mich, davon bin ich überzeugt. Und ich will ihn mit einer Intensität, die ich noch nie verspürt habe. Ich stelle mir vor, wie es wohl wäre, mit ihm ins Bett zu gehen – und das wäre bestimmt sehr gut! –, aber dann merke ich, dass meine Gedanken andere Wege nehmen, die nichts mit Bett zu tun haben.

Ich denke an bestimmte Filme, die ich gesehen habe. An Dokumentationen im Fernsehen. Werbespots. An Modebilder in Hochglanzmagazinen.

Ich denke an das, was ich weiß, was gemessen an meiner persönlichen Erfahrung nicht viel ist, denke an Sado-Maso Praktiken und an das, was die Männer und Frauen in diesen ernsten Dokumentationen als ›Kräfteaustausch‹ bezeichnen. Bislang hat mich das nicht berührt. Erschien nie auf dem Radarschirm der Dinge, die ich mir vornahm.

Aber mit Stone habe ich das Gefühl, es tun zu können.

Oder?

Ich bin eine Novizin. Bin Alice im Wunderland. Wahrscheinlich kommt alles nur in meiner Einbildung vor, und er hält mich bloß für eine Angestellte unter vielen. Vielleicht eine recht hübsche Angestellte, aber eben nichts Besonderes.

Als es schließlich Zeit ist, an den Heimweg zu denken, dreht sich alles in meinem Kopf, und ich habe leichte Kopfschmerzen. Schon wünschte ich, ich wäre nie zurückgekehrt. Ich hätte in London bleiben sollen, um mein Leben zu ordnen.

»Geht es dir gut?«, fragt Greg mich wieder, als wir uns an der Stechuhr begegnen. Er sieht mich besorgt an, und ich erschrecke, dass ich womöglich so mitgenommen aussehe, dass dies selbst einem Mann auffällt.

»Ja, danke. Mir geht's gut. Warum fragst du?«

Er mustert mich von der Seite, als wir zum Parkplatz gehen.

»Vorhin erhielt ich einen Anruf vom D of F. Er bat mich, dich im Auge zu behalten. Er meinte, er habe dich gesehen und du hättest ein bisschen erschöpft ausgesehen.«

Was?

»Hat er sich wirklich bei dir gemeldet?« Ein Prickeln läuft über meine Haut. Was geht da vor sich?

»Woher weiß er, dass ich mit dir nach Hause fahre?«

»Oh, der clevere Bobby weiß alles Mögliche«, sagt Greg, und da ist wieder dieser seltsame Unterton. »Und der clevere Greg auch.« Er zwinkert mir zu.

Darauf reagiere ich nicht, aber ich komme nicht umhin, wieder an diesen sonderbaren Moment zu denken, als ich zusammen mit Greg im Innenhof stand. Irgendwie hat er da andeuten wollen, in etwas eingeweiht zu sein. Er schließt die Autotür auf, öffnet sie für mich, legt mir dann zu meinem Erstaunen eine Hand unter den Ellbogen und hilft mir in den Wagen, als wäre ich eine gebrechliche Herzogin, der die Lakaien in den Rolls Royce helfen müssen.

Was, zum Teufel, hat Robert Stone ihm bloß erzählt?

Sowie wir unterwegs sind, bedient Greg umständlich die Heizung und fragt mich dann sogar, ob ich etwas dagegen habe, wenn er seinen Lieblingssender im Radio einstellt. Die spielen die Hits der Achtziger, was mir bei einem vermeintlich hippen jungen Mann ein bisschen komisch vorkommt, aber über Geschmack lässt sich ja bekanntlich nicht streiten.

Ich muss wieder an Stone denken. An wen sonst?

»Ist Robert Stone eigentlich verheiratet?«

Die Frage passt eigentlich gar nicht zu unserem Geplauder, aber als ich Greg ansehe, wirkt er kein bisschen überrascht.

»Nein. Im Augenblick nicht. Er ist Witwer. Seine Frau starb vor drei Jahren.«

Ein ganz anderes Gefühl bestürmt mich, als ich das höre. Ich vergesse, dass es mir immer so vorkommt, als wäre ich in irgendeiner wirklichen, aber prickelnden Gefahr, sobald ich in Stones Nähe bin. Plötzlich verspüre ich nur reines Mitleid mit diesem Mann.

Armer Bobby. Ich stelle mir vor, wie ich die Arme um seinen großen, festen Körper schlinge und ihn an mich drücke. Ich male mir aus, wie sich sein angegrautes Haar anfühlt, wenn er seinen Kopf auf meine Schulter legt und zu schluchzen beginnt.

Die Vorstellung kommt mir plötzlich so real vor, dass ich zu Tränen gerührt bin. Aber dann male ich mir unweigerlich eine ganz andere Art des Tröstens aus. Ich schlage die Decke zurück und heiße seine große, nackte Gestalt in meinem Bett willkommen.

Wir küssen uns, und er ist entspannt und zurückhaltend, gar nicht wild und ungeduldig. Verspürt offenbar nicht den Drang, sich beweisen zu müssen – was die meisten Männer machten, mit denen ich zusammen war. Ich stelle mir vor, wie dieser Mann meinen Körper langsam und genüsslich erforscht, mit kundigen Händen, da er in jeder Hinsicht clever ist.

»Bist du sicher, dass du okay bist?«, fragt Greg wieder, und erst da merke ich, dass ich in seinem Renault sitze und eben nicht mit Robert Stone in einem breiten Bett liege. Eine ziemliche Enttäuschung.

Undankbare Kuh, schelte ich mich selbst und schenke Greg ein warmes Lächeln, als er kurz zu mir schaut.

»Alles bestens, danke, Greg. Ich musste nur gerade an Stone denken. Hat er eigentlich eine Freundin oder so?«

Greg hat einen schönen Mund, aber seine Lippen werden zu einem dünnen Strich, als er die Stirn runzelt und ziemlich ruppig schaltet. Irgendwie habe ich ihn verärgert. Das liegt bestimmt daran, dass er mich mag, ich aber jedes Mal von Stone spreche, wenn wir uns sehen. Aber was soll ich machen? Der Mann geistert eben ständig durch meinen Kopf.

»Keine feste Beziehung«, weiß Greg zu berichten, klingt jetzt aber nicht mehr sauer, als habe er den Moment der Eifersucht hinter sich gelassen. Er lächelt jetzt sogar wieder, allerdings wirkt dieses Lächeln ein wenig gerissen. Als kenne er ein pikantes Geheimnis, das er unter allen Umständen für sich behalten will. Zumindest im Augenblick.

»Da gibt's natürlich diese Gerüchte«, fährt er fort, als er in unsere Straße einbiegt, »Frauengeschichten eben. Er hat eine beachtliche Stellung. Da finden die Frauen ihn nun mal toll.« Er wirft mir einen Seitenblick zu, als wir vor dem schäbigen grauen Haus halten, in dem unsere Apartments sind. »Aber er hat den Ruf, ein bisschen abgedreht zu sein. Wusstest du das?«

Abgedreht? Oh Gott, ja! Plötzlich kann ich mir das lebhaft vorstellen. Es kommt mir so vor, als habe meine Einbildungskraft eine Art Geheiminformation aufgenommen, die in Borough Hall in der Luft hängt. Die Vorstellung, dass Robert Stone vielleicht verrückte Vorlieben hat, bestätigt nur das, was mein Radar bislang wahrgenommen hat.

Der Augenblick ist intensiv. Irgendwie besonders. Aber ich gebe mich unbeeindruckt. Wahrscheinlich wäre es keine gute Idee, Greg gegenüber anzudeuten, dass ich auch ein wenig abgedreht bin. Könnte ihn auf dumme Gedanken bringen.

»Wer will das wissen? Woher? Hat ihn jemand dabei erwischt, wie er seine Sekretärin übers Knie legt und ihr den Hintern versohlt?« Die Vorstellung, dass Stone die Vorzimmerdame züchtigt, die bestimmt schon die Sechzig überschritten hat, ist wirklich absurd. »Er ist ein intelligenter und einflussreicher Mann. Bestimmt ist er nicht so dumm, jemandem Anlass zu geben, ihn zu erpressen. Oder?«

Greg zuckt die Schultern und hebt die Brauen.

»Greg! Sag es mir! Wenn es da Geschichten über Robert Stone gibt, möchte ich sie hören!«

»Vielleicht ein andermal«, antwortet er und klingt mit einem Mal so selbstbewusst und beherrscht, dass ich ihn kaum wiedererkenne. »Aber die Infos haben ihren Preis.«

Als wir ins Haus gehen, bedränge ich ihn noch ein bisschen, aber er bleibt hart, und dafür bewundere ich ihn. Der junge Greg ist viel erwachsener und mehr auf Zack, als ich bislang dachte.

Vielleicht ist Bobby Stone nicht der Einzige, der hier clever ist?

3. Kapitel

Ja, es ist wirklich wahr!

Die nächsten Tage sind gemein und frustrierend.

In jeder Hinsicht.

Greg mauert weiterhin und lässt meine Fragen an sich abprallen. Letzten Endes gebe ich es auf und flehe ihn nicht mehr an, die Informationen preiszugeben. Stattdessen vermittle ich ihm den Eindruck, dass mich das alles nicht mehr interessiert. Auch wenn das natürlich nicht stimmt.

Das Schlimmste ist aber, dass ich Robert Stone gar nicht mehr zu Gesicht bekomme. Jeden Morgen und jeden Nachmittag hänge ich länger als nötig an der Stechuhr herum oder flitze in die Toilette unmittelbar nebenan, sehe Stone aber nirgends.

Schließlich frage ich Sandy, ganz beiläufig natürlich, warum man Mr. Stone gar nicht mehr sehe.

Sie wirft mir einen Blick zu, als wolle sie sagen: Und was geht das *dich* an?

»Oh, da findet gerade eine große Konferenz in Bournemouth statt. Wusstest du das nicht? Mr. Stone hält die Begrüßungsrede. Ziemlich wichtig, weißt du?«

Ja, genau.

Sofort sehe ich mich in irgendeinem riesigen Hörsaal. Stone steht wie ein Herrscher vor versammelter Mannschaft am Rednerpult. Alle applaudieren, und er begegnet den Begeisterungsstürmen mit einem leichten Kopfnicken. Ich muss mich richtig zusammenreißen, damit ich ihn nicht allzu sehr vergöttere. Der clevere Bobby predigt die neue Religion der perversen Vorlieben!

Nach dieser Nachricht kann ich noch weniger Interesse für

meine Arbeit aufbringen. Tatsächlich kommt mir Borough Hall mit einem Mal trostlos und verlassen vor. Als ich so die Gänge hinuntergehe, mal hierhin und dorthin eile, Kopien abhole und die ganzen Jobs erledige, die meiner erbärmlichen Position entsprechen, habe ich das Gefühl, als habe sich die ganze Atmosphäre verändert. Da wird mir bewusst, dass ich immer voller Erwartung bin, wenn Stone im Haus ist. Und irgendwie aufgeregt. Wenn er nicht da ist, ist das ganze Haus ein trüber, erbärmlicher Ort.

Das nachfolgende Wochenende verbringe ich in einem Zustand der Starre, obwohl ich meine Schwester und ihre Familie besuche. Sie leben immer noch hier, in einer furchtbaren Vorstadt-Idylle. Und alle aus ihrer Familie halten mich für seltsam und verschwenderisch.

Aber am Montag komme ich wieder mit Greg zur Arbeit, und plötzlich macht mein Herz einen einzelnen, harten Schlag. Ich habe ihn nicht gesehen, und ich weiß nicht, woher es kommt, aber ich würde mein Leben verwetten, dass Stone wieder im Haus ist. Ich muss nicht einmal den Eingang im Auge behalten. Ich weiß einfach, dass er da ist – und dass es nur eine Frage der Zeit ist, bis ich ihn zu Gesicht bekomme.

Mit der Rückkehr des Königs scheint Borough Hall die Verschlafenheit abzuschütteln.

Insbesondere Sandy wirkt zerstreut. Nervös ist sie. Sie kommt mir genauso aufgeregt vor wie ich selbst, obwohl ich nicht glaube, dass sie viel auf unseren geschätzten Director of Finance gibt. Abgesehen vielleicht von der Aussicht, dass er ihr einen Sprung auf der Karriereleiter ermöglichen könnte.

Dauernd macht sie sich Kaffee, lässt die Tasse dann aber kalt werden. Alle fünf Minuten schaut sie auf die Uhr. Sie scheint neuen Lippenstift aufgetragen zu haben; ein scharfes Pink, das sie viel mehr sexy aussehen lässt als der fade Ton, den sie sonst aufträgt.

Irgendetwas hat sie vor, und mir fallen wieder die Blowjobs ein.

In letzter Zeit habe ich über Sandy nachgedacht, wenn ich mit meinen Gedanken gerade mal nicht bei Robert Stone war.

Ich kann nicht nachvollziehen, warum sie sich während der Arbeitszeit aus dem Büro stehlen sollte, um etwas Ungezogenes mit ihrem Nigel anzustellen, weil die beiden zusammenleben. Es sei denn, es ist der Reiz des Verbotenen. Was ich wiederum nachvollziehen könnte, mir aber bei so einem – seien wir ehrlich – eher spießigen Paar wie Sandy und Nigel nicht vorstellen kann.

Also gibt es da noch jemanden.

Kaum ist mir diese Möglichkeit in den Sinn gekommen, da verschlägt es mir den Atem. Ein schrecklicher Gedanke durchzuckt mich.

Was, wenn dieser Jemand Stone ist? Sollte Sandys mangelndes Interesse an unserem Chef womöglich nur vorgetäuscht sein?

Aber sofort spüre ich, dass er es unmöglich sein kann. Ich weiß nicht, warum, aber ich weiß es eben.

Der Tag zieht sich in einem Zustand der Anspannung dahin. Sandy ist angespannt. Ich bin angespannt. Alle anderen im Büro sind kurz angebunden, als ahnten sie etwas, das sie sich aber nicht erklären können. Ich brauche wohl nicht zu erwähnen, dass ich mich wieder einmal durch meine Gründlichkeit hervortue: Ich benehme mich nämlich wieder daneben, weil ich die Anrufer mit den falschen Leuten verbinde und aus Versehen ein Formular in den Aktenvernichter schiebe, das noch vor Dienstschluss raus muss. Mist!

Und jedes Mal, wenn ich zu Sandy hinübersehe, muss ich an Blowjobs denken!

Zuerst stelle ich mir vor, wie sie vor einem Mann kniet, der für mich noch kein Gesicht hat, und an seinem Ding lutscht. Die beiden sind hier im Haus, das spüre ich, und ich frage mich, welche Räume wohl für diese verbotenen Spielchen infrage kämen.

Vielleicht der Keller, denn da ist ein Gewirr aus Gängen und kleinen Räumen. Genug Ecken und Winkel, um sich ungestört auszutoben.

Aber bald verliere ich das Interesse an Sandys Lutschkünsten und male mir aus, wie ich es machen würde, bis ich wie besessen bin von dem Penis, vor dem ich bewundernd niederknien möchte.

Ob Stones Ding genauso groß ist wie bei den anderen?

Ich bin nicht unbedingt auf lange Dinger festgelegt, aber ich hoffe natürlich, dass sein Penis zu seinen sonstigen Maßen passt. Ich stelle mir vor, wie sein Schwanz aus dem makellosen Anzug hervorlugt – und sich wild von der zivilisierten Kleidung abhebt. Als ich mir einen Kaffee mache und etwas Milch eingieße, sehe ich die weiße Flüssigkeit und denke gleich an Sperma. Sein Sperma. Und daran, wie es schmeckt.

Oh, jetzt reicht's, Maria, rufe ich mich selbst zur Vernunft, schüttele den Kopf und vertreibe die Gedanken, allerdings nur für einen Moment.

Der Nachmittag bricht an, und seht, seht – Sandy verschwindet.

Es gibt keinen offiziellen Grund für ihr Verschwinden. Sie ist nicht zu einem Kunden unterwegs und sagt mir nicht, wohin sie mal eben muss. Sie schleicht sich einfach aus dem Büro, als sie sich unbeobachtet wähnt. Aber ich kriege alles mit und muss mir ein Grinsen verkneifen, denn sie verlässt den Raum so verstohlen, als würde sie die Rolle in einer Krimiparodie spielen. Sieht sich dauernd um wie der klassische Täter in den alten Filmen. Ich schaue auf meine Formulare und lasse mir das Haar ein wenig ins Gesicht fallen, damit ich sie beobachten kann, als sie aus der Tür schlüpft.

Ich knirsche mit den Zähnen. Welche Ausrede soll ich jetzt vorbringen, um ihr folgen zu können? Auf der Toilette war ich gerade schon. Die Post habe ich vor zehn Minuten abgeholt. Genug Milch haben wir auch, ebenso Arbeitsblätter, Gummibänder, CD-Rohlinge, alles ist da.

Ich komme noch um vor Frust und kann es kaum noch abwarten, endlich aus dem Büro zu kommen. Und die Minuten verstreichen quälend langsam.

Wo ist sie bloß? Hat sie sich wirklich zu einem Rendezvous geschlichen? Ob sie wohl im Keller ist? Wo steckt sie nur?

Nach einer frustrierend langen Zeit von vielleicht fünfzehn oder zwanzig Minuten meinen es die Götter gut mit mir: Ein Kollege kommt herein, einen Stapel Akten auf dem Arm, und sagt, dass Mr. Stone höflich anfrage, ob ich so freundlich wäre, ihm kurz auszuhelfen. Die Akten sollen nämlich wieder in die Ablage im Keller, und da es Stones Chefsekretärin mit der Lunge hat und den Staub dort unten nicht verträgt, bittet er mich, ob ich das nicht übernehmen könne. Der Kollege hat sogar die Schlüssel für die Kellerräume bei.

Stone, ich liebe dich!, denke ich, als ich mich sofort auf den Weg mache. Ich merke, dass ich wie besessen von dem Mann bin. Und mit seinen telepathischen Fähigkeiten hat er mir genau den Fluchtweg aufgezeigt, nach dem ich mich gesehnt habe.

Also mache ich mich auf, und meine Gedanken springen zwischen Sandy, ihrem unbekannten Lover und dem Director of Finance hin und her. Ich erreiche einen der schmalen Treppenabgänge, die in das Untergeschoss führen.

Verflixt, ist das schäbig hier unten! Ein echtes Labyrinth obendrein. Ich wette, dass dieser Ort von M. C. Escher entworfen wurde. Oder vielleicht von Dr. Who? Ich sollte vielleicht ein paar Brotkrumen ausstreuen, damit ich nachher den Weg wiederfinde.

Kaum dass ich in die Tiefe hinabsteige, habe ich das Gefühl, als lege sich der Staub der Zeiten auf meine Kleidung. Ich rieche den Staub förmlich. Die feinen Körnchen steigen mir in die Nase, es riecht nach trockener, abgestandener Luft. Und die schwache Notbeleuchtung macht die Sache nur noch schlimmer. Wenn ich jetzt ein hyperängstlicher Typ wäre, würde ich wahrscheinlich Serienkiller oder Zombies hinter jeder Ecke und in jedem dieser kleinen Räume vermuten. Glücklicherweise bin ich aber so in meinen üblichen Fantasien gefangen, dass ich mich nicht weiter auf die Geisterschlossatmosphäre einlasse.

Sandy. Stone. Der geheime Blowjob-Typ. Ich blase Stone einen. Immer wieder und immer wieder die gleichen Bilder in meinem Kopf.

Aber schließlich merke ich, dass ich mich auf meine Aufgabe konzentrieren sollte. Denn sonst finde ich nicht die Räume mit der entsprechenden Ablage und verlaufe mich irgendwann doch noch hoffnungslos in diesen Katakomben.

Endlich finde ich die Regale, die ich suche, in einem langen, mit Trennwänden unterteilten Raum, der sowohl als Aktenablage als auch als Aufbewahrungsort vorsintflutlicher Möbelstücke dient. Weiß der Himmel, woher all dieses Zeug kommt, aber manche Sitzmöbel dürften sich wunderbar für ein verbotenes Schäferstündchen eignen.

Und plötzlich wird aus der Fantasie die Wirklichkeit.

Verdutzt bleibe ich stehen und drücke die Aktenmappen an meine Strickjacke. Ich höre das Stöhnen einer Frau. Die eindeutigen Geräusche kommen bestimmt aus dem Nebenraum, der mit diesem Keller durch eine Tür verbunden ist.

Und da ist nicht etwa Jack the Ripper am Werk, der irgendein Opfer zerstückelt. Es ist ein Gestöhne, das auch mir über die Lippen kommt, wenn ich mit einem Mann im Bett bin. Dieselben scharfen, heißen Laute.

Ich bin augenblicklich wie gebannt, ziehe schnell die Schuhe aus, damit ich mich ja nicht verrate, stelle sie oben auf die

Akten und schleiche zu der Tür. Im anderen Raum stehen noch mehr von den hohen Metallregalen voller Akten. Dahinter türmen sich weitere alte Möbelstücke auf.

Oh Gott! Es stimmt! Es stimmt wirklich!

Auf einer alten, durchgesessenen Plüschcouch in hässlichem Braun liegt die gute Sandy, Miss Prüde aus dem Büro! Und zwischen ihren schön weit gespreizten Schenkeln hockt ein Mann, der sein Gesicht in ihrer Muschi vergräbt. Und diesen Mann habe ich nun wirklich nicht hier unten erwartet.

Da hockt nämlich nicht ihr Freund Nigel und auch nicht – Gott sei Dank – Robert Stone. Nein, das unnatürlich goldblonde Haar verrät mir gleich, wer sich da in den Keller aufgemacht hat: Es ist der Chef der Personalabteilung, der es Sandy so ungestüm mit der Zunge besorgt, als hänge sein Leben davon ab.

Wer hätte das gedacht: William Youngblood! Im Leben wäre ich nicht darauf gekommen, dass er die vermeintlich prüde Tippse hier unten im Keller bumst. Er ist immer so förmlich, so geschniegelt und überheblich. Und jetzt kniet er da auf dem staubigen Fußboden, auf dem sich bestimmt Spinnen und Silberfischchen tummeln, und zeigt, was Cunnilingus ist!

Ich bekomme Stielaugen wie eine Comicfigur und bin so perplex, dass mir beinahe die Akten und meine Schuhe aus den Händen geglitten wären. Aber in einem Augenblick der Geistesgegenwart kann ich gerade noch alles festhalten. Dann schleiche ich weiter und schlüpfe in eine Nische zwischen den Regalwänden, aufgestapelten Stühlen und Bücherschränken. Zwischen den Regalen ist eine Lücke, durch die man von diesem perfekten Versteck aus spähen kann, und als ich in die Hocke gehe, habe ich den Eindruck, als ob dieses Guckloch nicht zufällig existiert. Hat sich hier etwa jemand einen Platz so zurecht gemacht, um einem ungleichen Paar wie Sandy und

Youngblood bei verbotenen Sexspielchen zuzuschauen? Aber dann beschließe ich, später darüber nachzudenken, wer sich dieses Peepshow-Versteck eingerichtet haben könnte. Denn die Show dort auf dem Sofa ist viel zu prickelnd.

Sandy schießt plötzlich in meiner Achtungsskala nach oben.

Sie ist nicht nur clever genug, während der Arbeitszeit hier unten mit jemandem zu bumsen, der gar nicht ihr Freund ist, sondern weiß sich auch in Szene zu setzen, wie es eine Nutte nicht besser könnte. Ihre hübsche weiße Bluse ist offen, und den prüde wirkenden BH mit Verzierung hat sie nach oben geschoben, um ihre Brüste zur Geltung zu bringen. Den grauen Rock hat sie sich über die Taille geschoben, der Slip und die Strumpfhose tänzeln noch um ihr linkes Fußgelenk, während sie sich auf der Couch windet und dem forschen Youngblood die Hüften entgegenschiebt, damit er sich eifrig zwischen ihren Schenkeln zu schaffen machen kann.

Na los, Mädchen!, denke ich und bin ganz auf ihrer Seite, als sie ihre Hände in seinem perfekt gestylten Haar vergräbt und Youngbloods Kopf noch fester zwischen ihre Schenkel zieht.

Auch Youngblood hat sich für die Aktion schon halb entkleidet. Sein Jackett und seine Hose liegen auf dem Boden – hübsch gefaltet übrigens –, und die Designer Boxershorts hängen ihm auf Kniehöhe. Von diesem Blickwinkel aus kann ich es nicht genau sehen, verdammt, aber offensichtlich holt er sich bei diesem Job gleichzeitig einen runter.

Youngblood!, wundere ich mich wieder. Nett, Sie hier zu treffen!

Während meines Vorstellungsgesprächs habe ich, das muss ich zugeben, kaum Notiz von unserem Personalchef genommen, denn schon da hatte ich nur Augen für Stone. Aber wenn mich jemand gefragt hätte, hätte ich ihn als erfahrenen und ideenreichen Verführer eingestuft. Mr. Seidenwäsche, Champagner dazu, vielleicht stimmungsvolle Musik. Die ganze Palette eben. Aber hier kniet er und schiebt sein Goldköpfchen zwischen die gespreizten Schenkel meiner Kollegin, auf der Suche nach dem schnellen, heißen Sex.

Für mich ist das alles zu viel. Der Frust vom Wochenende, meine heißen Gedanken wegen Stone, die seltsame, latent sexuell aufgeladene Atmosphäre, die das ganze Haus zu erfüllen scheint, all das schafft mich. Vorsichtig stelle ich die Akten und die Schuhe ab, nehme eine bequemere Haltung ein und mache mir bewusst, dass dies wirklich ein tolles Guckloch für die Sexshow ist, denn auf dem Boden liegt sogar ein Stück alter Teppich, der angenehm weich ist. Nach wie vor haften meine Blicke auf Sandy und auf William Youngbloods glänzendem Schopf vor ihrer Muschi, aber ich fasse mir in den Slip und taste nach meinem Kitzler.

Na komm schon!

Ich bin total feucht, mehr als ich erwartet habe, und daher gebe ich einen schnellen, punktierten Rhythmus vor, als ob meine innere Stimme trotz der großartigen Show mir zuraunt, dass es keine gute Idee sei, zu lange aus dem Büro fortzubleiben.

Sandy beißt sich auf die Unterlippe und versucht, ihre Lustschreie aufzuhalten, und ich bin ganz eifersüchtig. Schon viel zu lange her, dass ich so eine Zuwendung erlebt habe. Wie schön wäre doch jetzt ein schmucker Typ, der genau weiß, was er mit seiner langen, samtenen Zunge erreichen kann. In Gedanken schweife ich sofort zurück zu dem Einstellungsgespräch, und dann sehe ich, wie Mr. Stone sich mehrmals mit der Zunge über die Unterlippe fährt, während er mein Bewerbungsschreiben durchgeht.

Unsere Blicke begegnen sich, und uns beiden ist klar, dass meine Referenzen für diesen Job geradezu lächerlich sind, aber trotzdem setzt Stone sich gegen Youngbloods Meinung durch und hält an mir fest.

Mein Finger zuckt über meine Perle, und es fällt mir schwer, nicht laut aufzustöhnen. Aber mich wird ohnehin keiner hören, solange Sandy stöhnt und seufzt und sich unter den Zungenstrichen windet.

Falsch gedacht!

Plötzlich habe ich das Gefühl, das reißerische Heranzoomen der Kamera zu erleben, wie bei *Der Weiße Hai*. Alles um mich herum rückt in weite Ferne. Ich weiß nicht, wie es dazu gekommen ist, oder warum ich durch nichts gewarnt wurde, aber ich bin nicht länger allein in meinem kleinen Winkel.

Neben mir hockt Robert Stone und scheint den engen Raum ganz auszufüllen.

Ich bin wie erstarrt – abgesehen von meinem Finger natürlich, der nach wie vor über meinen Knopf kreist. Ich kann einfach nicht aufhören. Meine Augen suchen Stones Blick, und ich habe das Gefühl, als würde er mich mit irgendeinem abgefahrenen Psycho-Telepathie-Trick dazu bringen, weiter zu masturbieren.

Mir klappt die Kinnlade runter. Er tippt sich mit einem langen Zeigefinger an die Lippen, um anzudeuten, dass ich leise sein soll, weist dann mit einem Kopfnicken auf die Couch und formt stumm die Worte: Mach weiter.

Weitermachen? Soll ich weiter zusehen oder mich weiter befriedigen? Oder beides?

Ich versuche, ihm zu gehorchen.

Mit meinem Kitzler zu spielen, ist einfach. Nie habe ich es lieber getan als in diesem Moment. Aber es fällt mir schwer, mein Interesse an Sandy und Youngblood wachzuhalten, wenn meine Augen nur den Mann ansehen wollen, der neben mir kauert.

Scheinbar mühelos nimmt er eine andere Position ein. Der Typ ist mindestens 1,90 Meter groß, aber er hat einen biegsamen Körper und sitzt im Nu auf dem Teppich, nur wenige

Zoll von mir entfernt (unsere Füße berühren sich sogar). Dass sein schicker Anzug dabei den ganzen Staub vom Boden aufnimmt, scheint ihm nichts auszumachen. Einen Arm schlingt er um den Körper und stützt das Kinn auf die Faust der freien Hand, während er mir zusieht. Als ich ihn weiterhin anstarre, nickt er erneut in Richtung des Paars auf der Couch.

Ich richte meine Aufmerksamkeit wieder auf Sandy und William Youngblood, spüre aber, dass Stone nicht die beiden, sondern ausschließlich mich beobachtet: Unter halb gesenkten Lidern nimmt er jede meiner Bewegungen in sich auf, und seine dunklen Augen haben die Farbe von Zartbitterschokolade. Und da meine Muschi verdeckt ist, betrachtet er mein Gesicht.

Jenseits der Regalwand hat sich inzwischen etwas getan.

Youngbloods Gesicht ist nicht mehr zwischen Sandys Schenkeln vergraben, und jetzt ist er kurz davor, sie zu besteigen. Sie ist so erregt, dass sie ihn schon am Schwanz zu sich zieht, der ganz okay, aber nicht besonders eindrucksvoll ist.

Sofort verschwindet Youngblood in meiner Wahrnehmung; übrig bleibt Stone – *Mr.* Stone, wie ich mich aus einem unerfindlichen Grund verbessere –, der nun vor mir ist und in meiner Vorstellung beeindruckend bestückt ist. Sein Ding ragt aus dem Hosenschlitz des maßgeschneiderten Anzugs heraus. Gegen seinen Willen werfe ich einen Blick auf seinen Schoß, aber im Halbdunkel kann ich nichts erkennen; wie es scheint, fasst er sich nicht an. Unverändert sitzt er da, hat das Kinn abgestützt, und ein heiterer, fast nachdenklicher Ausdruck beherrscht sein im Schatten liegendes Gesicht.

Er formt ein tadelndes »Na, na!« mit den Lippen, worauf ich gleich wieder zu der quietschenden Couch schaue.

Sandy und Youngblood sind jetzt wirklich bei der Sache, treiben es wie die sprichwörtlichen Karnickel. Kein besonders eleganter Anblick. Die Bewegungen wirken eher wie ein stotternder Dampfkolben. Youngbloods Hintern schießt vor und zurück, und Sandy rutscht auf den Knien hin und her und versucht, einen guten Rhythmus zu finden. Wenn ich mir seine seltsam zögerliche Vorstellung so ansehe, wundert es mich nicht, dass sie ihn dazu brachte, es ihr vorab mit der Zunge zu besorgen. Hätte ich auch so gemacht.

Und wenn Mr. Stone mich nicht beobachten würde, würde ich mir wahrscheinlich ein Lachen verkneifen bei dem Anblick, den die beiden jetzt abgeben. Stattdessen stöhne ich weiter und wiege mich in den Hüften, als ich meinem Orgasmus entgegenstrebe.

Verdammt! Ich will den beiden gar nicht zusehen. Ich will viel lieber *ihn* ansehen! Und als ich wieder zu ihm hinüberschaue, hebt er nur die rechte Braue und lässt mich mit dieser kleinen Änderung in seinem Mienenspiel beinahe überkochen.

Ich bin so kurz vorm Höhepunkt! Beiße mir auf die Lippe. Ich versinke, versinke, versinke in seinem amüsierten Lächeln. Meine Hüften heben sich, und ich spanne die Muskeln an, die jetzt nötig sind. Und während ich mich abmühe, macht Mr. Stone etwas ganz Seltsames. Er streckt die Hand nach mir aus und streicht mir mit den Fingerspitzen über die Lider. Dann drückt er sie mir sanft zu, wie der Gerichtsmediziner bei einem Toten in einem Krimi.

Es ist eine bizarre, zarte Berührung, aber genau das lässt mich kommen. Meine inneren Muskeln ziehen sich wieder und wieder zusammen, und die Wellenschübe erfassen meinen ganzen Körper. Ich schmecke schon Blut in meinem Mund, da ich mir auf die Lippe gebissen habe, und sinke dann nach hinten. Kräftige Hände verhindern, dass ich falle, und setzen mich behutsam auf den Teppich.

Wie aus großer Ferne höre ich mehr Gestöhne und Geräusche, dazu ein halb unterdrücktes »Oh, Gott!«

Sieht so aus, als ob Sandy auch gerade gekommen ist.

Es dauert eine Weile, bis ich wieder atmen kann. Aber als

ich langsam zu mir komme, wird mir klar, dass ich die Beine in die Hand nehmen sollte. Mr. Stone und ich müssen schleunigst verschwinden, ehe die Liebesvögel die Couch verlassen. Wenn Youngblood und Sandy hier vorbeigehen, können sie in die Nische schauen und uns bemerken, zumal da gleich zwei hocken.

Aber als ich die Hand wieder aus meinem Slip ziehe und die Augen öffne, merke ich, dass ich allein bin. Vollkommen allein. Und kein Hinweis, dass hier noch jemand gewesen ist, abgesehen von einem Fußabdruck auf dem staubigen Teppich. Aber der könnte auch von mir sein.

Ich lasse die Akten liegen, greife nur nach meinen Schuhen und schleiche auf Zehenspitzen zum Ausgang. Mein Herz rast. Ich hoffe, Stone zu finden, obwohl ich keinen Schimmer habe, was ich zu ihm sagen soll, sobald wir hier raus sind.

Aber er scheint sich in Luft aufgelöst zu haben.

Puff! Ist einfach verschwunden!

Nicht einmal ein Hauch von seinem Rasierwasser liegt in der Luft, das ihn hätte verraten können.

Ich stolpere hinaus in den Innenhof und schnappe nach Luft, als wäre ich lange unter Wasser gewesen.

Vielleicht war ich ja auch in einer unwirklichen, freakigen Unterwasserwelt?

Ich kann das Ganze immer noch nicht glauben.

Sandy und Youngblood. Und dann Stone.

Oh Gott, Stone!

Ich beginne zu zittern, bebe am ganzen Leib. Meine Zähne klappern. In meinem Kopf beginnt sich alles zu drehen, ich stehe kurz vorm Schock.

Ich habe neben dem Director of Finance in dem Versteck gehockt, und er hat mir beim Masturbieren zugesehen. Bin ich jetzt meinen Job los? Zumindest habe ich das Gefühl, den Verstand verloren zu haben.

Ich wirbele herum und schaue hinauf zum Fenster im ersten Stock, hinter dem ich ihn vor kurzem gesehen habe. Ob er mich immer noch beobachtet?

Aber dort oben ist niemand, und ich habe nicht das Gefühl, dass jemand heimlich in den Hof späht. Der Innenhof ist wie immer. Nur ich scheine neben mir zu stehen.

Ich setze mich auf eine der Treppenstufen, die ins Gebäude führen. Die Sonne scheint, und die Steine unter mir strahlen eine einladende Wärme ab. Ich lege meine Hand auf eine Stufe und versuche, mich durch eine Art Meditation zu beruhigen.

Habe ich mir alles nur eingebildet?

Scheinbar nicht. Auf meinem Rock sind Spuren von Staub, und ich erröte, denn als ich mein Gewicht auf der Stufe verlagere, spüre ich, dass mein Slip sich klebrig anfühlt. Ich habe auf jeden Fall masturbiert, so viel steht fest, auch wenn ich mir alles andere eingebildet habe. Ich schließe die Augen und lehne mich zurück, hebe mein Gesicht der Sonne entgegen und sehe verrückte Muster hinter den geschlossenen Lidern. Die Wärme der Sonne lässt mich gleich wieder an Robert Stones Fingerspitze denken, als er mir die Augen zudrückte.

Ja, das war ganz real. Ich kann noch seine Berührung spüren.

Ich atme und atme, versuche nachzudenken. Mich den Tatsachen zu stellen. Was geschehen ist, ist geschehen, und ich kann daran nichts ändern.

Wenn ich aufgesprungen wäre und irgendeine Entschuldigung gestammelt hätte, würde ich jetzt in ganz anderen Schwierigkeiten stecken. Dann wäre ich in eine richtig peinliche Sache verwickelt, an der nicht bloß zwei, sondern gleich vier beteiligt waren. Allerdings kann ich nicht behaupten, dass Stone in irgendeiner Weise peinlich berührt aussah.

Nein, er war ganz bei der Sache, machte es sich bequem und genoss den Anblick. Ob er schon die ganze Zeit da unten in dem Keller Leute beobachtet? Vielleicht ist das ja *sein* Versteck? Was, wenn ich auf den heimlichen Perversen in Borough Hall gestoßen bin?

Die frische Luft hilft mir auch nicht.

Zeit, wieder ins Büro zu gehen und mich den Dingen zu stellen, die mich erwarten.

Aber im Büro ist niemand.

Ich bin sogar eher zurück als Sandy, obwohl ich noch die Verschnaufpause im Innenhof hatte. Und als sie zurückkommt, schaue ich angestrengt auf meine Formulare. Ich mache alles Erdenkliche, um ja nicht mit ihr reden oder in ihre Richtung sehen zu müssen. Dadurch erspare ich uns beiden, dass sich einer durch heftiges Erröten verrät.

Aber das hält mich nicht vom Nachdenken ab.

Oh Sandy, du böses, böses Mädchen! Was würde wohl der gute Nigel denken, wenn er wüsste, dass du nebenbei mit William Youngblood vögelst? Plötzlich berausche ich mich an dem Machtgefühl, das mich überkommt, und daher lächele ich in mich hinein. Ich mag es, Macht zu verspüren! Und ich merke, dass ich mich zum ersten Mal mächtig fühle, seit ich meinen Lebensstil in London aufgeben und mich zusammenreißen musste, um meinen Lebensunterhalt zu sichern.

Ja. Macht. Ich habe jetzt Macht über Sandy, auch wenn sie älter als ich ist. Und in gewisser Hinsicht habe ich auch Macht über Youngblood und könnte das ausnutzen.

Aber was ist mit Stone? Habe ich auch Macht über ihn? Nein, eher nicht. Obwohl wir irgendwie quitt sind. Ich hätte mich nicht unten im Keller befriedigen sollen, aber er hätte mir auch nicht dabei zusehen dürfen.

Das Beste ist aber eigentlich, dass wir beide Sandy und

Youngblood in der Hand haben. Und die Vorstellung, mit Stone etwas gemein zu haben, das so intim und aufregend ist, gibt mir ein echt tolles Gefühl.

Jetzt hängen wir da beide drin, cleverer Bobby, denke ich und freue mich über die heimliche Nähe zu unserem Director, als sich der ermüdende Arbeitstag dem Ende zuneigt.

4. Kapitel

Wieder in der Gegenwart

Na los, du Bastard! Beweg dich! Mach was!

Zwei Tage sind vergangen, und nichts ist passiert. Keine Reaktion von Stone. Nicht ein Wort. Er hat sich nicht einmal blicken lassen. Kommt mir so vor, als ignoriere er die Tatsache, dass ich hier in Borough Hall bin. Ignoriert mich sogar vollkommen. Wie ich schon sagte ... dieser Bastard!

Was hast du erwartet, Frau?, frage ich mich dann, nippe an meinem kalten Kaffee und stoße einen theatralischen Seufzer aus.

»Stimmt etwas nicht?«, fragt Sandy und wirkt echt besorgt. Erst da merke ich, dass ich wie eine liebeskranke Idiotin durch das Büro streiche. Oder doch eher wie eine lustbesessene Idiotin? Ich habe bislang nicht einmal den Mut, die gute Sandy zu necken und mit wohl dosierten Anspielungen auf ihr Verschwinden in den Keller in Erklärungsnöte zu bringen. Ich habe noch keinem etwas erzählt, hauptsächlich aus Angst, auf meinen eigenen Part in dem Spiel angesprochen zu werden.

»Alles bestens, danke«, sage ich gut aufgelegt, ehe ich mit einem Mal aus irgendeinem Grund auspacke. »Nun ... eigentlich ... Da ist so ein Kerl, der mich eigentlich anrufen wollte, aber er meldet sich einfach nicht. Und dabei dachte ich, wir hätten da was am Laufen ... weißt du?«

»Oh, das sieht den Männern doch ähnlich, nicht wahr?«, meint sie und zieht die Stirn kraus. »Eben scharwenzeln sie noch um dich herum, und dann: Funkstille.« Mit einer schnellen, beinahe abgehackten Handbewegung macht sie auf dem Formular, das vor ihr liegt, ein großes Kreuz in das Kästchen unter der Rubrik *Antrag abgelehnt*. Armer Teufel. »Manchmal frage ich mich, warum wir uns überhaupt mit den Kerlen herumärgern. Ich denke, deine Freundin Mel hat die richtige Wahl getroffen! Frauen sprechen wenigstens miteinander.«

Die Aussage verschlägt mir den Atem. Was ist bloß mit unserer Sandy los? Hin- und hergerissen zwischen zwei Lovern? Aber wer von beiden hat sie auf die Palme gebracht? War es der treue, aber langweilige Nigel? Oder der aufregendere, aber verbotene und deswegen unzuverlässige Youngblood? Für einen Moment vergesse ich sogar, mich weiter über Stone zu ärgern.

»Äh, ja, mag sein«, erwidere ich und komme ins Schwimmen, weil ich nicht recht weiß, wie ich die nächste Frage formulieren soll. »Ich dachte, bei dir und Nigel läuft alles bestens. Scheint doch ein netter Typ zu sein. Zuverlässig und dir ... hm ... treu ergeben.«

»Oh, er ist okay. Ich habe mir nur einen Tag freigenommen. Ist alles im grünen Bereich.« Sandy sieht richtig erschrocken aus, und es ist klar, dass sie gemerkt hat, dass sie zu viel ausgeplaudert hat. Und da legt sie auch schon einen ganzen Stapel Arbeit auf meinen Schreibtisch, um mich abzulenken.

Kommt ja wie gerufen. Aber gut zu wissen, dass ich nicht die Einzige bin, die sich wegen eines Typen Gedanken macht. Seit der Kelleraktion hat sie sich nicht mehr heimlich aus dem Büro geschlichen, und ich habe mein Objekt der Begierde auch nicht gesehen. Wie es scheint, kommen wir beide nicht weit in der Abteilung für heimliche Sexabenteuer.

Und offenbar wird das auch bis zum Nachmittag so bleiben, als die Hölle losbricht in *meiner* Abteilung für sexuelle Abenteuer.

Alles beginnt ganz unauffällig. Sandy nimmt den Hörer ab, meldet sich und sagt dann: »Ja, gut, ich schicke sie gleich nach oben.«

Mein Herz beginnt wie wild zu pochen, als würde mir

jemand mit einem Hammer gegen den Rippenbogen schlagen. Ich weiß genau, wo ›nach oben‹ ist und wer nach oben kommen soll.

Und ich behalte Recht.

»Maria, kannst du eben zu Mr. Stone gehen?« Mein Gesichtsausdruck scheint mich zu verraten, denn Sandy fügt sofort in freundlichem Ton hinzu: »Keine Sorge, nichts Schlimmes. Vielleicht nur ein Gedankenaustausch. Für gewöhnlich plaudert er immer gern ein wenig mit den neuen Angestellten, wenn sie ein oder zwei Wochen hinter sich haben. Möchte einfach nur wissen, wie sie sich eingelebt haben. Ist doch nett von ihm, oder?«

»Ja, sehr nett.« Ich ringe mir die Worte förmlich ab. Ich bin mir sicher, dass es nie etwas Harmloses oder Nettes zwischen mir und Robert Stone geben kann.

»Solltest du dich nicht auf den Weg machen? Mrs. Sheldon sagte, du sollst sofort kommen.«

Ich schaue Sandy an, blinzele und merke, dass ich hier wie eine Schaufensterpuppe herumsitze. Alles Mögliche schießt mir durch den Kopf, ich kriege Panik.

Augenblicke später bin ich in der Damentoilette, zupfe mein Haar zurecht und laufe gleich mehrmals zur Toilette, weil meine Blase Spielchen mit mir treibt. Ich schwanke zwischen Furcht und Sehnsucht, und beide Gefühle machen mich fertig.

Ich brauche mindestens zehn Minuten, um die Kurve zu kriegen, und selbst dann zittere ich, als ich meinen Fuß auf die erste Stufe der breiten Marmortreppe setze, die in den ersten Stock hinaufführt. Jede Stufe habe ich genau im Blick, denn ich habe Angst, auf dem gemusterten scharlachroten Läufer ins Stolpern zu geraten. Das gemeine Fußvolk soll die repräsentative Treppe eigentlich gar nicht benutzen, aber ich bin so desorientiert, dass ich nicht darüber nachdenke. Ich verspüre das übermächtige Verlangen, mich irgendwo zu verkriechen, um ja nicht ins erste Stockwerk zu müssen. Ich spiele mit dem

Gedanken, bei Mel vorbeizuschauen oder sogar bei Greg in der IT-Abteilung. Ich habe, was ich wollte: Ich soll zu Robert Stone kommen, aber jetzt kriege ich bei dieser Aussicht das Flattern.

»Um Himmels willen, reiß dich doch zusammen, Maria!«, murmele ich vor mich hin, als ich am oberen Treppenabsatz ankomme und die Etage der großen Tiere erreiche. Eine Sekretärin, die gerade über den Gang geht, wirft mir einen Blick zu, als wäre ich soeben aus einer Anstalt ausgebrochen, aber was soll's? Jetzt zählt nur die Meinung, die Stone von mir hat, und genau das werde ich gleich herausbekommen.

Ich beginne zu hyperventilieren, als ich mich der Tür zum Vorzimmer nähere. Also bleibe ich einen Moment stehen und schlinge die Arme um die Taille, weil ich das Gefühl habe, zu zerplatzen.

Okay. Auf geht's!

Ich klopfe an und trete ein. Mrs. Sheldon, Stones Sekretärin, lächelt mich fröhlich an und sagt: »Gehen Sie nur hinein, meine Liebe!« Ich frage mich natürlich, ob sie überhaupt eine Ahnung hat, was für geheime sexuelle Neigungen ihr Chef hat. Und ich vermute, er hat nicht nur die eine. Ich kann mir einfach nicht vorstellen, dass er sich nur mit heimlichem Zusehen zufriedengibt.

Ich hole tief Luft, strebe der Tür zum inneren Heiligtum zu, zögere dann aber. Ich fühle mich wie eine Turmspringerin auf dem höchsten Brett, wie eine Bungeespringerin an einem Abgrund oder eine Abfahrtsläuferin auf einer olympischen Skipiste. Ich glaube, ich bin in meinem ganzen Leben noch nie so nervös gewesen. Nicht einmal in den Prüfungen. Nicht beim Zahnarzt. Und bestimmt nicht während eines Vorstellungsgesprächs. Übrigens auch nicht vor dem Gespräch für diesen Job, denn da war ich Stone noch nicht begegnet.

Ich spüre Mrs. Sheldons Blicke in meinem Rücken, denn sie wundert sich bestimmt, warum ich nicht hineingehe.

Kommt das öfter vor?, frage ich mich. Hat er mit all seinen weiblichen Angestellten irgendwelche Affären? Oder hat er es nur auf mich abgesehen? Oder nur im Augenblick? Wer weiß das schon. Was ändert es? Jetzt ist jetzt. Ich bin ich. Und vor zwei Tagen hat der Mann hinter dieser Tür mir beim Masturbieren zugesehen und mir mit sanften Fingerspitzen die Augen zugedrückt.

Mach es, Maria! Mach es!

Ich lege meine Hand um den Türknauf, drehe ihn, trete ein und versuche, nicht die Kontrolle über meine Bewegungen zu verlieren.

Stone sitzt hinter seinem Schreibtisch. Papierstapel und Berichte türmen sich dort auf, daneben der Terminkalender und zwei leere Kaffeetassen. Im Augenblick umgibt ihn keine göttliche Aura, keine makellose Allmächtigkeit. Er ist bloß ein beschäftigter, etwas überarbeiteter Mann mit Hemdsärmeln, der in seiner verantwortungsvollen Arbeit unterzugehen droht. Nach all meiner Angst und Zögerlichkeit verspüre ich plötzlich so etwas wie Mitleid.

Der Eindruck, einen Mann unter Zeitdruck zu sehen, bestätigt sich noch dadurch, dass Stone sich wiederholt mit der Hand durchs Haar fährt. Jetzt ist seine akkurate Frisur sogar ein bisschen zerzaust, was ihm ein jungenhaftes Aussehen verleiht. Auch sein Hemd sieht zerknittert aus. Es ist ein schickes Teil in einem hellblauen Ton, aber die Achseln sind leicht angeschwitzt, denn ein harter Tag neigt sich dem Ende.

Zu meiner Überraschung springt er auf. Meiner Erfahrung nach tun das Männer in höheren Positionen eher selten. Die meisten spielen doch lieber Spielchen mit einem, indem sie gelassen sitzen bleiben und dir genau zeigen, wie weit du unter ihnen stehst, da sie dich nicht respektvoll behandeln. Aber Stone ist, das spüre ich, kein Mann für solche Unarten. Er hält sich noch an die guten alten Regeln des Anstands.

»Nehmen Sie doch Platz, Maria«, sagt er und strahlt über

das ganze Gesicht. Dann tritt er leicht nervös von einem Bein auf das andere, was mich ein bisschen aus dem Konzept bringt. Er deutet auf einen eher schlichten, harten Holzstuhl, der vor seinem riesigen Schreibtisch steht.

Alles läuft so normal ab. Ich setze mich, und der Stuhl ist wirklich so hart wie er aussieht. Mein Hintern protestiert ein bisschen. Stone lächelt immer noch verbindlich, und da ist kein Anflug von Zweideutigkeiten in seiner Miene. Langsam beschleicht mich der beunruhigende Verdacht, dass ich mir das ganze Zwischenspiel im Keller vielleicht doch nur eingebildet habe.

Verliere ich allmählich den Verstand?

»Also, wie gefällt Ihnen die Arbeit in Borough Hall?«, erkundigt er sich und lässt sich wieder in seinen sehr viel bequemeren Chefsessel fallen. Der Stuhl dreht sich ein bisschen, und Stone bremst die Drehung leicht ab, indem er sich mit den Fingerspitzen auf seiner Schreibtischunterlage abstützt. »Könnten Sie sich vorstellen, noch eine Weile bei uns zu bleiben?«

Harmlos, oder vielleicht doch nicht? In London bin ich von einem Job zum nächsten gesprungen und habe mich nie richtig auf eine Sache eingelassen. Ich hatte kaum Interesse an den Jobs, da mir die Gestaltung meiner Freizeit immer viel wichtiger war. Will er mir jetzt indirekt vorhalten, unstet und dumm gewesen zu sein? Habe ich in seinen Augen eine gute Ausbildung und ein vernunftbegabtes Gehirn vergeudet?

»Ja, klar. Alles okay«, sage ich und schmolle schon innerlich, weil er total in den oberflächlichen, normalen Fragen stecken bleibt. In der verdammten Arbeit, um Himmels willen!

»Nur okay?«, hakt er nach, und ich schaue ihm in die Augen. Ist das eine Fangfrage? Schwer zu sagen. Seine Miene ist unergründlich, aber irgendwo tief in diesen schokoladenbraunen Augen kann ich ein wissendes Flimmern sehen.

Er spielt wirklich mit mir. Das tut er die ganze Zeit. Er versucht mir zu entlocken, was ich von der Show im Keller halte. Er weiß, dass er so lange weitermachen kann, wie es ihm gefällt, und das genießt er, während ich immer aufgeregter werde.

»Es ist nur ein Job!«, sage ich trotzig, weiß ich doch, dass ich Schwung in die Sache bringen muss, denn sonst explodiere ich noch.

Langes Schweigen. Er betrachtet mich nachdenklich. Allerdings nicht unfreundlich. Auch nicht verärgert. Und meine Antwort scheint ihn nicht zu überraschen. Ein schmales Lächeln umspielt seinen eher weichen Mund. Nebenbei blättert er in irgendwelchen Akten, ohne aber einen Blick hineinzuwerfen.

»Aber Sie haben sich um die Stelle beworben«, unterbricht er die lange Pause, »und haben Sie angenommen.« Er nimmt seinen Kugelschreiber und positioniert ihn kurz zwischen seinen Zeigefingern. »Vielleicht hätten wir die Stelle jemandem geben sollen, der ein bisschen mehr Spaß an dem Job hat?«

Bei dem Wort ›Spaß‹ lässt er den Kugelschreiber auf die Papiere fallen und schaut zu, wie der Stift zu mir rollt.

»Tut mir leid. Das klang wohl gerade ein bisschen undankbar. Ich wollte nicht unhöflich sein«, stottere ich herum. Plötzlich habe ich so ein komisches Gefühl in der Brust. Alles fängt an zu bibbern. Und weiter unten fühle ich mich verspannt, eng, voller Erwartung. »Das ist ein guter Job. Ich mag ihn. Ich bin froh, hier sein zu können.«

»Na, da bin ich ja erleichtert«, sagt er rundweg, nimmt wieder den Kugelschreiber und legt ihn fein säuberlich neben die immer präsente lederne Aktenmappe mit dem goldenen Reißverschluss. »Ich dachte, ich hätte bei Ihnen einen Fehler gemacht, Maria.« Er lehnt sich in seinem Drehstuhl zurück, schlingt für einen Moment die Arme um seinen Leib, reibt sich die linke Wange und begutachtet dann seine Fingernägel.

Eine hübsch einstudierte Vorstellung, geht es mir durch den Kopf. Scheinbar ist er derjenige, der nervös ist, aber ich komme bei all diesen kleinen Bewegungen aus dem Gleichgewicht. Das gehört wohl zu seinem Spiel, und er hat seinen Spaß.

Und ich habe keine Ahnung, was ich sagen soll.

»Ich bin mit Ihnen ein Risiko eingegangen, wissen Sie«, fährt er offen fort. »Dem Bewerbungsschreiben nach zu urteilen, kamen Sie als Kandidatin nicht infrage. Überqualifiziert. Aber ohne die Berufserfahrung, die wir hier brauchen. Sie sind zu alt für den Job. Oder zu jung.« Er atmet tief ein, und sein Brustkorb hebt sich. »Wäre es nach dem geschätzten Kollegen Youngblood gegangen, hätten Sie gleich eine Absage kassiert.« Sein schmales Lächeln vertieft sich. »Wenn ich nicht Ihr Potenzial erkannt hätte, wären Sie nicht einmal zu einem Gespräch eingeladen worden.«

Potenzial?

Potenzial für was?

»Ja, ich habe für Sie gekämpft, Maria«, fährt er fort, und plötzlich ist er wieder aufgestanden und kommt um den Schreibtisch herum. Er setzt sich auf die Kante und positioniert seine großen Füße (45, schätze ich), die in edlen handgenähten Lederschuhen stecken, neben meine kleinen Füße, die hübsch artig zusammenstehen. Er steht viel zu dicht vor mir, und ich könnte schwören, dass die Hitze seiner Beine auf mich überspringt, durch die Hose hindurch. Ich weiß nicht, wo ich hingucken soll, denn immer, wenn wir uns irgendwo begegnen, muss ich wie unter einem Zwang auf seinen Schritt gucken.

»Danke«, sage ich schwach, obwohl ich längst vergessen habe, wofür ich mich eigentlich bedanken müsste.

»Keine Ursache, Miss Lewis«, sagt er, und seine tiefe Stimme klingt aufgeregt. Ich kann das heraushören, auch wenn die Aufregung kaum wahrzunehmen ist. Er ist genauso aufgeregt wie ich, das spüre ich, aber entweder ist er ein perfekter Schauspieler, oder er bringt seine Aufregung einfach anders zum Ausdruck.

Seine leuchtenden Augen huschen jetzt nicht mehr hin und her, die nervösen Bewegungen sind verschwunden. Er ist so reglos wie eine Statue, und sein Blick unter halb geschlossenen Lidern senkt sich in meine Augen. Er blinzelt nicht und sieht mich unverwandt an.

Und dann habe ich das Gefühl, die erste Nachricht einer außerirdischen Intelligenz zu erhalten.

Oberflächlich betrachtet, ist es ganz einfach. Ich höre ein *Hallo, nett Sie kennenzulernen. Wir kommen in friedlicher Absicht*, aber auf einer komplizierten, codierten Frequenz erreicht mich eine Flut von Informationen. Und die enthalten alles über Stone, über seine sexuellen Vorlieben und wie es wohl für mich wäre, diese besonderen Vorlieben zu erfüllen. Und da sind auch Daten über mich, die wiederum ihn erreichen, denn der Informationsfluss läuft in beide Richtungen. Er liest in meinem Kopf, kennt mich und weiß Dinge über mich, die ich selbst kaum verstehe.

Aber zumindest weiß ich, dass ich jetzt auf jeden Fall ›Miss Lewis‹ bin und dass sich alles in meiner Welt verändert hat. Mir ist leicht schwindelig, und beinahe vergesse ich zu atmen.

Plötzlich neigt Stone den Kopf zur Seite, ganz leicht nur, und streckt mir eine Hand entgegen.

Ich starre auf diese Hand, sehe die kräftigen Finger, die fein manikürten Nägel. Und da ist ein kleiner Tintenfleck an seinem Daumen – wie niedlich! Wieder befinden wir uns in den außerirdischen Funkfrequenzen, und ich starre auf dieses Symbol. Aber was bedeutet die Hand? Was soll ich damit machen?

Dann begreife ich.

Ich umschließe seine große warme Hand mit meinen Händen, ziehe sie an meine Lippen und hauche einen Kuss auf den Handrücken. Ich spüre die Beschaffenheit seiner Haut an meinem Mund; die kleinen Härchen kitzeln.

Das ist wie der Treuekuss bei der Mafia. Ich gelobe, mich zu verpflichten. Aber zu was? Da bin ich mir noch nicht sicher, obwohl Stones straffe Haut sich herrlich an meiner Zungenspitze anfühlt.

Ich schließe die Augen, erschauere leicht, und Sekunden später dreht Stone seine Hand und bedeutet mir mit leichtem Druck, aufzustehen. Jetzt stehe ich genau vor seinen gespreizten Beinen. Wir stehen voreinander, aber immer noch scheint er mich um Längen zu überragen.

Ich fühle mich schwach und merke, dass dieses Gefühl von Schwäche mich immer überkommt, wenn ich in die Nähe dieses Mannes komme. Ich kann mich kaum noch auf den Beinen halten, und dann ist es allein seine Kraft, die von ihm auf mich übergeht, die es mir erspart, auf den Teppich zu taumeln. Er drückt meine Finger leicht, und ich sehe mich gezwungen, die Augen zu öffnen. Seine Augen leuchten, sein Blick ist voller Wissen und Durchtriebenheit, und er schaut schnell auf unsere ineinander verschränkten Hände, als fühlte auch er den Energiefluss.

Er löst sich von meinen Fingern, und ich schwanke. Er lächelt schwach. Der Bastard!

Dann macht er etwas Unvorhergesehenes.

Er umfasst meinen Hinterkopf mit der rechten Hand und zieht mich zu sich. Und küsst mich.

Aus einem unerfindlichen Grund habe ich damit überhaupt nicht gerechnet, und daher keuche ich, als unsere Münder verschmelzen. Ich kann sein Lächeln an meinen Lippen spüren und merke, wie er meinen Kopf unaufhörlich mit der Hand zu sich zieht, damit der Kuss nicht unterbrochen wird. Als er den Kopf leicht bewegt, um sich dem Kuss besser anzupassen, reibt seine bärtige Wange über meine Haut.

Aber es ist alles so zärtlich. Seine Lippen bewegen sich

kaum, üben nur den leichtesten Druck aus, und noch merke ich nichts von seiner Zunge.

Noch ist nichts wirklich Sexuelles an dem Kuss. Und trotzdem ist in mir längst alles auf Sex eingestellt.

Ich will. Ich will diesen Mann, wie ich noch keinen Mann zuvor haben wollte. Ich spüre genau, dass mein Körper sich schon darauf vorbereitet, ihn zu empfangen, aber ich bin mir nicht sicher, ob die Vorfreude sich nur auf Fleischeslust bezieht. Das kommt mir zu einfach, zu offenkundig vor. Zu gewöhnlich für den Geist und die Vorstellungskraft des Mannes, der mich gerade küsst. Ich habe keine Ahnung, wie ich darauf komme. Ist eben so mein Gefühl.

Ich spüre, dass sich eine große Aufregung in mir aufbaut. Ich weiß zwar nicht, wonach ich mich genau sehne, aber ich kann es kaum noch abwarten. Ich versuche, ihn dazu zu bringen, mich fordernder zu küssen, aber er lacht nur leise an meinem Mund. Ich merke, dass er mich für meinen Übereifer tadelt, aber er kommt meinem Verlangen ein bisschen entgegen, indem er meinen Mundwinkel neckend mit der Zungenspitze berührt. Die feuchte Berührung ist überwältigend, beinahe geil, denn sie verheißt andere feuchte Zonen und das Eindringen in andere Regionen. Als ich nur hilflos den Mund öffne, um seinem sanften Drängen nachzugeben, blitzt plötzlich ein Bild vor mir auf. Es scheint überhaupt nicht hierher zu passen, aber im nächsten Moment merke ich, dass es von Bedeutung ist.

Vor meinem geistigen Auge sehe ich, wie Stone schreibt. Er schreibt mit links. Er ist Linkshänder und hält meinen Kopf in der Rechten. Was macht also seine andere Hand? Was mag er vorhaben?

Die Frage ist schnell beantwortet. Während er mich weiter küsst, heftiger jetzt, und mir mit der Kraft von Lippen und Zunge seinen Willen aufdrängt, spüre ich, dass seine Hand – die starke, geschickte *linke* Hand – sich um meine Hüfte legt.

Durch den Baumwollstoff meines Rocks kommt mir die Berührung wie ein Brandeisen vor.

Meine Nervenenden spielen verrückt, und Botschaften rasen so schnell und gewaltig überall durch meinen Körper, dass ich sie förmlich als Funkenflüge spüren kann. Ich stöhne leise, nur von dieser einen Berührung. Weiß Gott, was mit mir los ist, wenn er richtig anfängt!

Und immer noch küsst er mich. Und ich erwidere den Kuss. Aber mit einem Mal übernimmt die linke Hand den Hauptpart. Langsam lässt er sie über meine Hüfte und mein Bein streichen, und jedes Mal verlängert er die Bahn. Es ist wahnsinnig erregend, selbst durch die Kleidung hindurch. Ich spüre, wie ich wieder ganz feucht werde. Kein Mann hat bei mir je so viel mit so geringem Aufwand erreicht. Wieder einmal mache ich mir bewusst, dass dieser Robert Stone, der sich auf den ersten Blick nicht für ein Objekt erotischer Obsessionen eignet, so etwas wie ein Phänomen ist. Eine Seltenheit. Und ich könnte vor Freude jauchzen, dass er gerade mich auserwählt hat.

Bis jetzt war ich eher passiv, aber jetzt werde ich mutiger und schlinge meinen Arm um seinen breiten, festen Körper. Schon rechne ich damit, dass er mich auffordert, ihn wieder loszulassen, aber das tut er nicht. Ich merke, dass er wieder lächelt und habe das Gefühl, dass er meine Begeisterung genießt. Die Art und Weise, wie er mich anfasst, scheint genau das anzudeuten.

Er passt seine Handfläche der Rundung meines Hinterns an, erkundet ihn, scheint die Festigkeit testen zu wollen. Jetzt bin ich froh, dass ich immer noch ein paar Aerobicübungen vor dem Fernseher mache, da ich mir keinen Personal Trainer oder ein teures Fitnessstudio leisten kann.

Unwillkürlich fange ich an, mich vor ihm zu bewegen, und als meine Bewegungen stärker werden, scheint ihm das umso mehr Spaß zu machen. Er rückt ein bisschen von mir ab und schaut mich mit funkelnden Augen an.

»Gefällt Ihnen das, Miss Lewis?«, erkundigt er sich und übt etwas mehr Druck auf meinen Po aus. Dann kommen seine Finger durch den dünnen Stoff meines Rocks meiner Pussy gefährlich nah.

Mein Mund ist ganz trocken, obwohl er seine Zunge so herrlich an meinen Lippen spielen lässt. »J... ja«, stammele ich. »Ja, das macht Spaß«, setze ich hinzu, als seine dunklen Augen eine längere Antwort von mir zu erwarten scheinen.

»Gut«, sagt er dann zufrieden. »Und was ist hiermit?« Blitzschnell fährt seine Hand hoch und runter. Und seine Finger berühren meinen bloßen Schenkel, heiß, so heiß.

»Ja!«, keuche ich, als seine Fingerspitzen meine Haut versengen. Zuerst gleiten sie kurz unter den elastischen Saum meines Slips, dann zieht er seine Hand wieder zurück und reißt mir zu meinem Schrecken den Slip hinunter. Der Slip hängt nun irgendwo über meinen Knien, und mein Po ist frei für seine Hand.

»*Ja, Mr. Stone*«, gibt er mir leise vor. In seiner Stimme liegt keine Drohung oder übertriebener Druck, und dennoch zucke ich zusammen. Nicht weil ich vor Stone Angst habe, sondern weil ich spüre, wie mein Körper gleichsam galvanisiert ist von dieser betont förmlichen Anrede. Wir sind also *Miss* Lewis und *Mr.* Stone – und er befingert meinen Po.

Seine Finger spannen und entspannen sich dauernd, betasten mich. Ich fühle mich total erregt, komme mir wie ein Objekt oder eine Puppe vor, an der er seinen Spaß hat. Und das ist das Aufregendste, was mir in meinem bisherigen Sexleben passiert ist. Dann küsst er mich wieder und stimmt die knetenden Bewegungen seiner Finger mit dem feuchten Vorstoß seiner großen, fordernden Zunge ab.

Ich klammere mich an ihn, während er mich genießt, und staune über seinen großen Körper und seinen enormen Brustkorb. Ich akzeptiere ihn als den Mann meiner Träume. Vor einigen Wochen war mir nicht bewusst, dass ich einen Mann brauchte, aber jetzt ist er so unersetzlich wie die Luft zum Atmen.

Er küsst mich in einem fort. Ich klammere mich weiter an ihn. Und er streichelt meinen Po, wie es ihm gerade in den Sinn kommt. Irgendwo in meinem Kopf raunt mir eine Stimme zu, dass die Tür zum Büro nicht verschlossen ist, und ich frage mich natürlich gleich, ob es ihn sogar anturnt, wenn er jeden Augenblick damit rechnen muss, in einer kompromittierenden Situation erwischt zu werden. Selbst als seine Finger mich betasten und mit schöner Regelmäßigkeit meine Pobacken erforschen, male ich mir aus, wie jemand hereinkommt und uns hier sieht.

Einer nach dem anderen kommt herein. Überraschenderweise ist es nicht Mrs. Sheldon, die ja als Erste infrage käme. Auch nicht der Generaldirektor oder der Bürgermeister, der ja theoretisch zu jeder Zeit in jedes Büro gehen kann.

Nein, mir kommen ganz andere Leute in den Sinn. Greg. Mel. Sandy und, oh! William Youngblood. Wie du mir, so ich dir. In meiner Vorstellung ist der Beobachtete jetzt der Beobachter.

Für einen Moment stelle ich mir vor, dass dieser kühle Typ begierig zusieht, wie Mr. Stone mit Hingabe meine Kerbe befingert. Er hat einen Hotspot gefunden und nutzt das nun aus. Die Berührung ist so ungehörig und grob und verdorben, aber ich will mehr und mehr davon. Plötzlich ist es viel erregender, dort befingert zu werden als zwischen meinen Schenkeln. Ich fange an zu stöhnen und mache leise wimmernde Laute. Jetzt will ich um jeden Preis kommen, aber so hart und stimulierend Stones Finger an meinem Po auch sein mögen, ich weiß, dass ich noch einen kleinen Anstoß brauche, um richtig durchzustarten.

Aber ich weiß, dass ich danach nicht fragen kann. Irgendwie ahne ich, dass er das nicht erlauben wird. Also nehme ich mich der Angelegenheit selbst an: Mit einem Arm halte ich mich weiterhin an seinem Brustkorb fest und tauche mit der freien Hand – meiner Rechten – hinab in die Feuchtigkeit zwischen meinen Schenkeln.

»Na, na!« Mr. Stone unterbricht den Kuss und ermahnt mich, doch sein Lächeln ist noch breiter und raubtierartiger. Mir dämmert, dass er schon darauf wartet, dass ich vorpresche. Das ist wohl Teil seines Vergnügens.

Nach wie vor weiß ich, dass ich nicht fragen sollte, aber ich tue es trotzdem.

»Aber ich möchte kommen«, sage ich leise, die Hand immer noch zwischen meinen Beinen.

»›Ich möchte bitte kommen, Mr. Stone‹«, verbessert er mich und reibt immer härter über meinen After. Er wird beinahe grob, aber verdammt, wie ich das mag!

Ich spreche ihm nach wie ein artiges Kind aus der viktorianischen Zeit in einem alten Klassenzimmer, und er scheint über mein Bedürfnis nachzudenken und bearbeitet mich weiter, während ich mich selbst reibe. Unsere Finger trennen bestimmt nur wenige Zentimeter, tanzen aber an zwei unterschiedlichen heißen Stellen.

»Das hat seinen Preis, Miss Lewis«, wispert er an meinem Ohr.

Ich mache wie besessen weiter, mich zu befriedigen, und höre, wie er mir den Preis zuraunt.

Was mich innehalten lässt. Ich muss fast kichern. Das machen Leute also wirklich? Es kommt mir ziemlich abgedreht vor und klischeehaft, gleichzeitig aber auch todernst. Und Mr. Stone versteht das alles genau, da er mich anstrahlt, während ich seine Worte verarbeite. Offensichtlich hat er weiterhin sein Vergnügen.

Und dann ist es sein offenkundiger Spaß, der mich letzten Endes kommen lässt. Sein Finger, mein Finger, dieses Lächeln – das ist alles zu viel, und ich komme mit der Wucht eines Zuges. Meine Hüften rucken wie wild gegen ihn. Und ich nehme wahr, dass ich dabei nicht nur gegen seine teure dunkle Hose pralle, sondern vor allem gegen die Erektion, die unter dem Stoff eingesperrt ist.

Oh, wie gerne würde ich es mir jetzt auch davon besorgen lassen!, denke ich, als meine Vagina sich zusammenzieht, während er mir bei diesen wilden Schauern Halt gibt.

Kurze Zeit später finde ich mich in seinen Armen wieder. Er lehnt an seinem Schreibtisch, mein Bauch drückt immer noch gegen sein hartes Ding. Ich ertaste mit der Hand seine gewölbte Hose, weil das Stoffzelt klasse aussieht und weil ich ihn dadurch ablenken könnte, aber er nimmt meine Hand und zieht sie von seiner Beule weg.

»Wie ungezogen, Miss Lewis. Niemand berührt ihn ohne Erlaubnis.« Er drückt mir einen kleinen Kuss auf den Mundwinkel und zieht mich dann energisch hoch. »Ich denke, es ist Zeit, dass Sie den vereinbarten Preis bezahlen.«

Ich kann mich eigentlich nicht erinnern, etwas ausgehandelt zu haben, aber plötzlich kommt die Erregung wieder. Nicht zuletzt durch dieses Glitzern in seinen Augen.

Wie soll das nun also über die Bühne gehen? Man hat schon im Fernsehen davon gehört, liest darüber in Promimagazinen und Büchern und so weiter. Der und der ist scharf auf Spanking oder sogar ein bisschen Sado-Maso. Aber alles nur Gerede, das keiner wirklich ernst nimmt. Man lacht kurz darüber wie bei den anzüglichen Witzen einer Farce aus den Fünfzigern. Es kommt dir eigentlich nicht in den Sinn, dass Leute das wirklich tun. Und sich daran aufgeilen.

Doch trotz seines durchtriebenen kleinen Lächelns ist mir vollkommen klar, dass Mr. Stone nicht nur redet, sondern ein Mann der Tat ist.

Und ich habe keinen Schimmer!

»Sie haben keine Ahnung, was Sie erwartet, wie?«, liest er meine Gedanken und legt den Kopf ein wenig schief. Wieder scheint er seinen Spaß zu haben, während ich beinahe benommen zu Boden taumele. Gott, ist der Mann auch noch Gedankenleser?

Er strafft die Schultern und dreht sich dann mit mir, als müssten wir einen Tango hinlegen. Dann, kurz bevor mir aufgeht, was wirklich abgeht, sitzt er bereits auf dem einfachen harten Stuhl, auf dem ich eben noch saß, hält meine Hand und schaut mich mit einem herausfordernden Funkeln in seinen Augen an.

Wieder übt er diesen sanften und doch eindeutigen Druck aus, und ich befolge seine Anweisung. Ehe ich mich recht versehe und kaum kapiere, was vor sich geht, liege ich mit dem Gesicht nach unten auf seinen Knien, starre auf das Muster auf dem Teppich und versuche, das Gleichgewicht zu halten. Dabei rücke ich so nah wie möglich an die riesige Erektion heran, die in meinen Bauch drückt.

Wie, zum Teufel, bin ich denn hier hineingeraten?

Was soll ich machen? Ich fange an zu lachen und habe Schwierigkeiten, mich zu beherrschen. Das ist die wohl widersinnigste, aber gleichzeitig auch die erotischste Situation, in der ich je war. Und Robert Stone ist für mich der einzige Mann, den ich in dieser Situation dabeihaben will.

Und da habe ich immer gedacht, ich würde schon alles kennen!

5. Kapitel

Die Vorlieben des Direktors?

Also sieht es ganz danach aus, als ob Mr. Stone mir jetzt den Hintern versohlen wird. Darauf deutet zumindest alles hin. Immerhin hat er mich übers Knie gelegt. Ich schaue nach unten. Er macht sich an meinem Rock und dem Slip zu schaffen und zieht die Sachen so, dass mein Po vollkommen frei ist und ein nettes Ziel abgibt.

Mein Po. Wieder. Da kommt mir ein Gedanke.

Ob Mr. Stone darauf richtig steht? Ist er ein Pofetischist? Lässt er dafür alles andere außer Acht? Noch hat er kein großes Interesse an meinen anderen Regionen gezeigt. Okay, er hat mich geküsst und das schien ihm auch gefallen zu haben. Aber er hat sich noch überhaupt nicht meinen Brüsten oder meiner Muschi gewidmet. Er hatte es gleich auf meinen Hintern abgesehen, obwohl wir da noch beim Küssen waren. Plötzlich brennt mir eine Frage auf der Zunge. Auch wenn ich ahne, dass ich dafür bezahlen muss. Es ist nicht so, dass ich nicht mit Mr. Stone zusammen sein möchte, wenn er nur an meinem Arsch interessiert ist. Ich möchte einfach bloß wissen, wie der Spielstand ist, damit ich mir den Deal besser vorstellen kann.

Ich zucke zusammen, als er seine Hand auf meine Backen legt und die Innenfläche beinahe zärtlich der Rundung anpasst. Es ist nicht direkt eine Liebkosung, kommt dem aber sehr nahe. Mir ist so, als würde seine Hand sagen: *Hallo, ich bin dein Freund, auch wenn es manchmal nicht so aussieht.*

Diese Berührung dauert einen Moment, und obwohl ich sein Gesicht nicht sehen kann, habe ich das Gefühl, dass er mit geschlossenen Augen dasitzt und seine Vorfreude in einer Art

Dämmerzustand auskostet. Meine Aufregung wächst, ebenso der Wunsch, Fragen zu stellen. Der Eindruck unserer unausgesprochenen Kommunikation verfestigt sich zusehends.

Aber ich bin natürlich so blöd und verderbe uns den Spaß.

»Ähm ... ich hätte da eine Frage.« Oops, das war wieder nicht richtig, oder? »Könnte ich Sie bitte noch etwas fragen, Mr. Stone?«

Er holt hörbar Luft. Dann seufzt er. Ob er wohl sauer ist? Oder spielt er den Verärgerten nur? Gehört vielleicht zu diesem Schauspiel dazu ...

»Ja, nur zu.« Seine Finger bewegen sich auf meiner rechten Backe. Es ist kein Zwicken in dem Sinne, aber es könnte andeuten, dass es gleich dazu kommt. »Handelt es sich um eine persönliche Frage?«

»Könnte man so sagen.«

»Hm ...« Mein Herz hüpft. Er hört sich wirklich belustigt an. Das macht Spaß. Auch wenn es schmerzhaft werden könnte. »Okay, dann schießen Sie los, Miss Lewis. Aber bedenken Sie, dass Ihre Frage Konsequenzen haben kann.« Seine Finger umspannen meine Backe ein wenig fester. »Möchten Sie dennoch etwas fragen?«

Ich nicke und lege dann los. »Äh ... Mr. Stone ... sind Sie ... haben Sie nur ...« Oh verdammt, wie soll ich das formulieren? »Mr. Stone, sind Sie ein Pofetischist? Mögen Sie bloß den Arsch der Mädchen, den Rest aber nicht?«

Jetzt komme ich mir mit meiner Fragerei schon lächerlich vor, und Mr. Stones leisem Lachen entnehme ich, dass er sich wieder über mich amüsiert. Ich spüre, dass er verzweifelt den Kopf schüttelt, und stelle mir vor, wie sich ein Lächeln auf seinem Gesicht ausbreitet.

»Ich meine, ich habe nichts dagegen«, plappere ich weiter, »ich wollte das bloß wissen.«

»Eine berechtigte Frage«, sagt er gedehnt, und ich zucke wieder zusammen, als sein Zeigefinger auf Wanderschaft geht und zielstrebig auf die Pforte meiner Vagina zuhält. Der Finger ruht dort nur eine Sekunde, aber es ist lange genug, um mir meine Frage auch ohne Worte zu beantworten.

Doch er lässt noch eine Erklärung folgen.

»Keine Sorge, Miss Lewis, ich mag alle Regionen bei Frauen. Sehr sogar.« Wieder berührt er den Flaum meiner Pussy, bleibt diesmal etwas länger dort. »Und Ihr Pelz gefällt mir ganz besonders.« Er zögert, und ich verkrampfe überall. Mit einem Mal weiß ich genau, was nun kommt. »Aber *das* hier interessiert mich im Augenblick am meisten.«

Bei den Worten *das* hier saust seine große und erschreckend harte Hand auf meine Backen hinab wie ein Donnerschlag, und ich habe das Gefühl, keine Luft mehr zu bekommen.

Das Leben reduziert sich plötzlich auf diffuse Empfindungen. Meine linke Backe scheint in Flammen zu stehen, und ich höre ein unterdrücktes Aufstöhnen. Plötzlich schmecke ich Blut in meinem Mund. In all dem Gewirr aus Eindrücken wird mir klar, dass ich mir, weil ich ahnte, was auf mich zukommen würde, auf die Lippe gebissen habe, um einen Schrei zu verschlucken.

Erst jetzt merke ich, dass ich mich wie wild auf seinem Schoß winde. Mr. Stone lacht leise. Er verabreicht mir einen weiteren Schlag, und ich verbeiße mich wieder in der Lippe.

Der Schmerz ist erstaunlich! So hatte ich es mir nicht vorgestellt. Wenn ich übers Spanken nachgedacht hätte, wäre mir höchstens ein Klaps eingefallen, eine Art prickelndes Gefühl. Aber das hier ist kein Klaps mehr und brennt viel stärker als ein Prickeln. Nur der Gedanke an Mrs. Sheldon im Vorzimmer hindert mich daran, laut aufzuheulen.

Dennoch, beinahe gegen meinen Willen hebe ich meinen Hintern den Schlägen entgegen, als wollte ich meinen Peiniger bitten, nicht aufzuhören.

Und mit einem tiefen Laut der Zufriedenheit kommt er meinem Wunsch nach.

Klatsch. Klatsch. Klatsch.

Vielleicht sind es nur sechs Schläge gewesen, aber als er aufhört, habe ich das Gefühl, eine halbe Stunde geschlagen worden zu sein. Es kommt mir so vor, als wäre mein brennender Po auf die vierfache Größe angeschwollen.

»Genug?«, fragt er nach. Seine Stimme hat einen angenehmen Plauderton, während die Finger unheilvoll auf der Stelle verharren, an der die Hand dieses Brennen hervorgerufen hat.

Als ob ich ein Mitspracherecht hätte!

»Zu viel«, erwidere ich durch zusammengebissene Zähne hindurch. Nun, er hat mich gefragt, und ich habe ihm eine Antwort gegeben.

Jetzt lacht er wieder, aber irgendwie ist das keine unfreundliche Reaktion. Er scheint mit mir zufrieden zu sein, ist beinahe stolz auf mich, und trotz des Pochens in meinem Po und – was mich nicht besonders überrascht – auch zwischen meinen Schenkeln, bin auch ich ziemlich zufrieden mit mir.

Es ist verrückt, aber das Gefühl ist wunderbar. Ich habe etwas Gutes getan! Ich habe mich vor Mr. Stones Augen ›präsentiert‹, und er ist zufrieden mit mir.

Das ist die verrückteste Sache, die mir je widerfahren ist. Das Abgefahrenste, was ich mir vorstellen kann. Aber ich mag es.

»Na gut«, sagt er, legt einen Arm um meine Taille, steht auf und stellt mich wieder auf die Füße. Ich stehe wie eine Puppe vor ihm, während er mir den Slip über den brennenden Po nach oben zieht und meinen Rock glatt streicht. Seltsamerweise fühle ich mich beschützt und umsorgt, obwohl ich gerade ein Spanking hinter mir habe. Ich würde ihn am liebsten in die Arme schließen und ihn an mich drücken. Außerdem bin ich den Tränen nahe.

»Hey!«, sagt er mit sanfter Stimme und zaubert aus seiner Tasche ein weißes Taschentuch hervor. Es ist zerknittert, aber absolut sauber, und damit tupft er mir die Tränen in den Wimpern weg und wischt vorsichtig das Blut von meiner Unterlippe.

Verwirrende Gefühle ergreifen von mir Besitz, und ich versuche, mich zusammenzureißen. Ich merke, dass die aufwallenden Gefühle schwerer zu ertragen sind als das Spanking, aber ich vermeide jegliche Selbstanalyse. Stattdessen konzentriere ich mich auf Stones Gesicht und seine leuchtenden braunen Augen. Und diese Augen scheinen alles zu sehen, was ich mir selbst nicht eingestehen will. Er neigt den Kopf leicht zu einer Seite, betrachtet mich eine Weile und drückt mir das Taschentuch dann sanft in die Hand. Er öffnet den Mund, um etwas zu sagen, aber genau da klingelt sein Telefon, und während er zu seinem Schreibtisch geht und den Hörer abnimmt, fühle ich mich verlassen. Und ich habe nicht einmal erfahren, was er mir sagen wollte.

»Ah ja, natürlich, das ist mir entfallen«, sagt er eher schroff, schaut aber die ganze Zeit in meine Richtung und sieht zu, wie ich meine Lippe abtupfe. Heimlich sucht er meinen Blick. »Sagen Sie ihm, dass ich in zehn Minuten bei ihm bin. Danke, dass Sie mich daran erinnert haben.« Er zieht die Stirn kraus, als er den Hörer auflegt. »Alles in Ordnung?«, erkundigt er sich mit weicherer Stimme, und seine Aufmerksamkeit gilt wieder allein mir. Für den Augenblick scheint er vergessen zu haben, dass da jemand seine Zeit in Anspruch nehmen will.

»Ja, danke«, erwidere ich leise und verfluche den unbekannten Anrufer. Ich weiß nicht, was ich eigentlich erwartet habe, aber das, was sich zwischen uns abgespielt hat, war so intim, dass ich gar nicht wahrhaben will, dass es jetzt vorüber ist.

Aber als ich seinen Augenkontakt meide, merke ich, dass unsere Angelegenheit doch noch nicht ganz vorbei ist. Ein Blick auf seine Hose verrät mir, dass er immer noch ganz schön erregt ist.

Natürlich folgt er meinem verbotenen Blick, hebt gleichgültig die Schultern und schnalzt mit den Fingern, als gehe der Zustand seiner Lendengegend ihn herzlich wenig an.

»Ich könnte etwas für Sie tun«, wage ich mich mutig vor und strecke die Hand schon nach seinem Hosenbund aus.

»Das ist nett von Ihnen, Maria«, meint er und sieht für einen Moment beinahe traurig aus, »aber darum kümmere ich mich selbst.« Er deutet mit einem Kopfnicken auf eine Tür, die, wie ich vermute, zu einem separaten Waschraum führt.

Ich bin wieder ›Maria‹, und es ist definitiv zu Ende.

»Gut, dann sollte ich mich jetzt aufmachen«, murmele ich vor mich hin und weiche zurück.

Mit schnellen Schritten kommt Stone mir zuvor und berührt mich mit seiner großen, warmen Hand an der Wange. Er sagt kein Wort, aber das Leuchten in seinen braunen Augen spricht Bände, und vielleicht mischen sich auch Empfindungen in diesen Blick.

Ich nicke. Er nickt. Dann lässt er mich gehen. An der Tür drehe ich mich noch einmal um. Er steht immer noch da, beobachtet mich, und als ich den Türknauf drehe und hinausschlüpfe, ist es der Glanz seiner Augen, der mir im Gedächtnis bleibt, nicht der Anblick seiner beachtlichen Hosenwölbung.

Ich nicke Mrs. Sheldon zu und frage mich, warum sie mich so eigenartig ansieht, bis mir einfällt, dass ich immer noch Stones weißes Taschentuch in Händen halte.

»Bisschen Nasenbluten«, plappere ich drauflos. »Mr. Stone war so nett, mir sein Taschentusch zu leihen.«

Mrs. Sheldon bringt ihre Besorgnis zum Ausdruck, aber ich spiele weiter Theater und verlasse schleunigst das Vorzimmer. Ich muss einfach hier raus. Muss nachdenken. Ich muss herausfinden, was da gerade mit mir passiert ist. Und welche Bedeutung dieser Vorfall für meine Zukunft in Borough Hall hat.

Aber sowie ich auf dem Gang bin, merke ich, dass mir eigentlich keine Flucht gelungen ist. Als ich mich umdrehe, merke ich, dass ich nicht allein bin. Mit festen Schritten hält William Youngblood auf mich zu, und seine Miene ist angespannt. Diesmal wird er wohl nicht einfach an mir vorbeirauschen und mich ignorieren. Er wirkt ein bisschen streng, aber ich kann im Augenblick jeden Anflug von Angst im Keim ersticken.

Ich brauche mir bloß in Erinnerung zu rufen, wie sein Arsch vor und zurückruckte, als er es Sandy von hinten besorgte!

Ich unterdrücke ein Grinsen. Er ist so ein selbstbewusster, cooler Typ und wirkt im Vergleich zu Stones stämmiger Statur immer wie das Abbild des schicken Models aus der Herrenabteilung. Was für ein Spaß, dass ich weiß, was für ein geiles Monster er eigentlich ist. Genau wie wir auch, denke ich trocken, und erinnere mich an das bizarre kleine Sexfest, das Stone und ich gerade hatten, bei dem es aber zu gar keinem Sex im herkömmlichen Sinne gekommen ist.

Unter anderen Umständen wäre es vielleicht nett gewesen, kurz zu bleiben und Youngblood ein wissendes Lächeln zu schenken, um zu sehen, ob ich ihn ins Bockshorn jagen kann wegen seines Raubzugs auf der Couch unten im Keller. Es wäre doch sehr unterhaltsam, ihn ein wenig zu verunsichern und in ihm die Frage aufkommen zu lassen, ob er und Sandy vielleicht beobachtet wurden. Denn schließlich könnte er mich deswegen nicht zur Rede stellen, ohne sich selbst zu verraten, oder?

Aber mir ist immer noch ein bisschen schwindelig von Stones Maßnahmen, und daher schenke ich Youngblood ein kurzes Lächeln und sage nur »Hi!«, wobei ich versuche, schnell an ihm vorbeizukommen, damit er meine geröteten Wangen nicht sieht. Geschweige denn das mögliche Leuchten in meinen Augen wahrnimmt oder den verräterischen Duft der Erregung.

Aber ich habe kein Glück.

»Ah, Maria«, sagt er, ganz der verbindliche Geschäftsmann, »wie gut, dass ich Sie hier treffe. Hätten Sie gerade einen Augenblick Zeit?«

Oh, oh.

»Was? Jetzt?«, sage ich und merke, dass ich nicht nur undankbar klinge, sondern auch den gebührenden Respekt vermissen lasse, den Youngblood stets von seiner Belegschaft erwartet. Nicht gerade der beste Weg, sich unbemerkt aus seiner Aura zu schleichen.

Youngblood schaut mit zackiger Bewegung auf seine teure Uhr, wobei der makellose Ärmelaufschlag nach hinten gezogen wird. Und wieder denke ich sehnsüchtig an Stones leicht knittriges Oberhemd zurück.

»Nein, ich muss gleich zu einem Meeting«, sagt er im selben verbindlichen Tonfall, was mich davon überzeugt, dass er keine Ahnung hat, wer ihn unten im Keller beobachtet hat. »Kommen Sie doch morgen um elf Uhr in mein Büro.« Er schenkt mir ein aufmunterndes Lächeln, das ihn wirklich nett aussehen lässt. Und plötzlich frage ich mich, was ich wohl von ihm halten würde, wenn es keinen Mr. Stone in meiner Welt gäbe.

»Ja, okay dann«, stammele ich ganz verwirrt und frage mich, was mit mir los ist, seit ich diese Stelle angenommen habe. »Abgemacht.«

Youngblood lächelt jetzt breit und amüsiert sich offenbar prächtig. Trotz aller Widrigkeiten scheint die Chemie zu stimmen, und dem Leiter der Personalabteilung scheint das zu gefallen.

»Ausgezeichnet!«, erwidert er, und zu meiner Überraschung tritt eine kleine Pause ein. Ich weiß nicht, was ich sagen soll, er scheinbar auch nicht, aber das hindert ihn offenbar nicht daran, mich genauer unter die Lupe zu nehmen.

Ich ihn natürlich auch.

William Youngblood ist ein sehr attraktiver Mann, und als die Sekunden verstreichen, fährt er sich mit der Hand durchs Haar. Was die Haare anbelangt, übertrifft er Stone. Auch fast alle anderen Männer. Denn er hat tolles Haar! Es ist weich, schillert leicht golden und ist immer perfekt gestylt. Gut möglich, dass er es färbt, aber das finde ich seltsamerweise aufregender als wenn es sein Naturton wäre. Und er weiß sicherlich genau, wie er sowohl seinem Haar als auch seinem eher blassen Gesicht Akzente geben kann. Er trägt immer Schwarz, Dunkelblau oder einen dunklen Grauton.

»Gut. Okay, also abgemacht«, wiederholt er meine Formulierung und verzieht die Lippen zu einem Lächeln, aus dem nicht die übliche Herablassung des Chefs gegenüber den kleinen Angestellten spricht. »Dann bis morgen, Maria.« Schon geht er entschlossen den Gang hinunter, und seine Schritte sind ungewöhnlich lang für einen Mann, der verhältnismäßig klein ist. Ich vermute, es dürfte ihn mächtig wurmen, dass Stone gute zwanzig Zentimeter größer ist als er.

Sowie er außer Sichtweite ist, frage ich mich, was ich hier eigentlich mache, da ich eine völlig falsche Richtung eingeschlagen habe. Kurz kommt es mir in den Sinn, irgendwo in einer Nische zu warten und zu schauen, ob Stone sein Büro für sein Meeting verlässt. Aber ich verwerfe die Idee gleich wieder. Irgendwie würde das die Sache verderben. Wir sind auseinandergegangen. Und auch wenn ich liebend gern geblieben wäre und Stone etwas von dem Vergnügen bereitet hätte, das er mir bereitet hat, hatte die Verabschiedung etwas Endgültiges, und ich möchte die Bedeutung nicht unterschätzen.

Da ich nicht weiß, wo ich eigentlich hin soll und obendrein befürchte, mich in diesem Gangsystem zu verlaufen, gehe ich ans andere Ende des Gangs und stoße da auf eine kleine Treppe, die nach unten führt.

Unten im Erdgeschoss habe ich meine Orientierung wieder, auch wenn meine Gefühle in Aufruhr sind und ich noch ganz durcheinander bin. Da ich ein Gewohnheitstier bin, springe ich kurz in die Damentoilette.

Ich weiß nicht, was ich tun oder denken soll. Das kurze Zusammentreffen mit Youngblood hat mich abgelenkt, aber nur für einen Moment. Kaum bin ich wieder an einem privaten, geheimen Ort, fliege ich mit meinen Gedanken zurück zu Stones Büro und den Geschehnissen dort.

Verflucht, er hat mich gespankt! Und nicht zu knapp!

Ich ziehe meinen Slip hinunter, sinke auf die Kloschüssel und betaste meine Backen. Ist das ein Versuch, den Geist von Stone heraufzubeschwören, der für mich immer noch auf meinem Hinterteil schwebt?

Zu meiner Überraschung tut es kaum noch weh, und ich frage mich, ob das daran liegen mag, dass Stone eine besondere Begabung fürs Spanken hat. Gibt es da vielleicht eine Methode beim Spanken, sodass die Maßnahme zwar höllisch schmerzt, kurz darauf aber kaum noch Probleme macht? Eine faszinierende Idee. Sofort überlege ich, ob Stone schon öfter Frauen den Hintern versohlt hat. Wie viele weibliche Wesen haben wohl schon die Wucht dieser großen, aber geschickten linken Hand erfahren? Mich überkommt ein Gefühl von Eifersucht, gegen das ich gleich ankämpfe, da mir klar ist, dass ich kein Recht habe, eifersüchtig zu sein. Immerhin muss ich zugeben, dass ich Augenblicke zuvor mit dem Gedanken gespielt habe, es auch mit Stones Erzrivalen Youngblood zu versuchen.

Nach wie vor ist die Vorstellung, dass unser geschätzter Finanzverwalter ein erfahrener Spanker ist, faszinierend. Wer hätte gedacht, dass ich geradewegs in ein Nest knisternder Erotik laufen würde, als ich Mels Ratschlag befolgte und mir die Stellenausschreibung für diesen Job im Netz ansah?

Ich stelle mir nun vor, wie er in seinem kleinen Bad steht und sich schnell noch einen runterholt, damit er ohne die peinliche Erhebung in seiner Hose zu seinem Meeting gehen kann. Immer noch hoffe ich, dass er ein großes Teil hat!

Ich meine, eigentlich sollte das egal sein, ist es aber nicht. In Stones Fall sollte es mir allein deshalb egal sein, weil er ein Künstler mit seinen Händen ist und eine prickelnde Fantasie hat. Dennoch wünsche ich mir, dass er einen schönen großen Penis hat. Der dick ist und schwer in der Hand liegt, ob nun in seiner oder in meiner Hand. Ich bin schon seit längerem in keiner Beziehung mehr, was mir nicht guttut. Ich hatte schon lange keine Gelegenheit mehr, mit der Ausstattung eines Mannes zu spielen, aber ich hoffe doch sehr, dass es Stones Schwanz sein wird, den ich nach meiner Durststrecke verwöhnen kann.

Vielleicht kann ich auch schön daran saugen?

Oh, Gott, ja! Das Wasser läuft mir im Mund zusammen bei diesem Gedanken. Ich spüre schon die Beschaffenheit der Haut an meiner Zunge. Das feste Fleisch, das samtweiche Gefühl der gestrafften Haut.

Ich muss ihn einfach haben! Ich muss ihn in meinem Mund haben und in meinem Körper! Aus der kleinen, beinahe verspielten Schwärmerei für meinen Boss, die sich in mir regte, als ich ihm zum ersten Mal begegnet bin, ist mittlerweile eine richtige Besessenheit geworden. Robert Stone ist der letzte Mann, auf den ich es hier in Borough Hall absehen sollte, aber ich kann mich nicht mehr beherrschen. Er ist mir unter die Haut gegangen, ist wie eine juckende Stelle, an der ich mich ständig kratzen muss. Selbst jetzt merke ich, dass ich wieder vollkommen erregt bin, wenn ich nur an Stone denke.

Mit einem Seufzer, der schon fast verzweifelt klingt, beginne ich, mich zu einem weiteren Orgasmus zu bringen.

6. Kapitel

Hinten auf dem Bock

Es ist ein komischer Tag. Ich möchte so schnell wie möglich nach Hause und fernsehen, Schokolade essen und Tee trinken.

Ich möchte nette, normale Dinge tun und will nicht, dass meine Gedanken den lieben langen Tag um Stone kreisen, wie unbedeutende Monde, die von einem riesigen Planeten angezogen werden. Zum Glück kriege ich einen Anruf von Greg. Aber er sagt mir, er müsse nach der Arbeit noch zu einer Computermesse und könne mich daher nicht mitnehmen.

Ich male mir schon aus, wie ich mich in einen entsetzlich vollen Bus quetschen muss und mich in Gedanken nur mit der gefährlichen Liaison mit dem Director of Finance beschäftige.

Es ist ja nicht so, als wollte ich nicht über Stone nachdenken.

Das möchte ich ja!

Aber wenn ich über ihn nachdenke, kommt unweigerlich die Frage auf, ob eine solche Beziehung überhaupt eine Zukunft hat. Wenn nicht, wie soll ich dann, zum Teufel, diesen Job weitermachen? Und sobald ich an ihn denke, durchlebe ich jeden gemeinsamen Moment, der mich aufgewühlt und mein Leben verändert hat. Und dann bin ich gleich wieder bei feuchten Slips und dem Gefühl großen Frusts, weil mein Körper nach mehr schreit und sich nicht mit dem Wenigen zufriedengeben will.

Ich bin ziemlich mies drauf, als ich die Stechuhr erreiche, und natürlich mache ich mal wieder alles verkehrt, als ich meine ID-Karte immer wieder unter den Sensor halte und dauernd die rote Fehlerlampe aufleuchtet.

»Ach, verdammt!«, grummele ich, denn ich hasse das verfluchte Teil. Wenn es weiter unten hängen würde, hätte ich es längst mit ein paar Tritten malträtiert.

Jetzt versuche ich es zum x-ten Mal und rufe laut »Fuck!«, aber plötzlich streckt jemand seinen Arm neben mir aus, hält die Karte unter den Scanner und bekommt gleich beim ersten Versuch grünes Licht.

Ich bibbere wie Espenlaub, denn eine Sekunde lang dachte ich, mein Retter wäre niemand anders als Stone. Vielleicht, so schießt es mir durch den Kopf, ist er ja gerade von dem Meeting zurück und will mich mit zu sich nach Hause nehmen und es mir dann in aller Ruhe so richtig besorgen, wie ich es will und von ihm brauche. Aber genauso schnell begreife ich, dass nicht er hinter mir steht. Die Hand, die sich an mir vorbeigestohlen hat, ist viel zu klein und feminin, um als Robert Stones Pranke durchzugehen.

»Du musst sanft mit ihm umgehen, meine Freundin«, sagt Mel, als ich mich umdrehe. Dort steht sie, offenbar auf dem Sprung in den Feierabend. Dann holt sie ihre eigene Karte aus der Tasche und zieht auch diese ID ohne Komplikationen durch die Stechuhr.

»Ja, schon klar«, erwidere ich, »aber es war ein harter Tag und ich komme mit dem blöden Teil einfach nicht zurecht.«

»Genau deshalb bin ich ja hier.« Sie greift in ihre Tasche und holt einen Schlüsselbund hervor. »Greg meinte, du bräuchtest jemanden, der dich mitnimmt, und da bin ich, stets zu Diensten, schöne Dame!«

Und sie sieht wirklich wie ein Ritter oder eine Art Krieger aus. Die smarte Uniform der Sicherheitsbeamten hat sie abgelegt und trägt Zivil. Taffe, nützliche Blue Jeans, Doc Martins und eine Motorradjacke. Unterm Arm hat sie ihren Helm mit einem farbigen Aufdruck, der dem Kopfschmuck der Walküren nachempfunden zu sein scheint.

Ich bin sprachlos.

»Mit deinem Bike?«, frage ich und komme mir im selben Moment dämlich vor.

»Wieso nicht? Fährt mich immer wunderbar von A nach B«, sagt sie mit einem Grinsen.

Ich starre sie weiterhin an. »Brauche ich denn keinen Helm oder so? Ich kann doch nicht einfach so auf ein Motorrad steigen, oder?« Das wäre absurd, aber allmählich gefällt mir die Vorstellung. Vielleicht ist das ja der Tag, an dem ich allerhand Neues ausprobiere.

»Keine Sorge, ich habe noch einen Ersatzhelm in meiner Box.« Sie wirft mir ein breites Grinsen zu, hakt sich bei mir unter und zieht mich Richtung Ausgang. »Komm, Maria! Lass uns fahren!«

Und schon überquere ich den Parkplatz Arm in Arm mit einer Lesbe. Ein interessantes Gefühl, und ich frage mich, was Stone wohl davon halten würde. Ich denke, er würde uns mit einem Grinsen auf den Lippen nachschauen. Es würde ihm gefallen. Vielleicht würde er mich sogar ermutigen, weiter mit Mel zu flirten und es darauf ankommen zu lassen. Bestimmt soll ich ihm dann später erzählen, was wir gemacht haben ...

Als wir die Ecke des Parkplatzes erreichen, wo man die Motorräder an Pfosten anketten kann, kommen mir die ersten Zweifel. Mels Kawasaki habe ich bislang nur von Ferne gesehen. Aus der Nähe betrachtet, ist das Ding ein echtes Monster. Und es sieht richtig breit aus. Ich schaue hinab auf meinen Rock, der eher kurz ist, und obwohl der Stoff ein bisschen elastisch ist, wird das blöde Teil sich nach oben schieben, sobald ich mich hinter Mel auf den Sitz schwinge.

Mel hat ein breites Grinsen aufgesetzt. Offensichtlich gefällt ihr die Vorstellung sehr. Aber ich bin mir da nicht so sicher. Heute ist schon genug passiert, ohne dass sich da etwas mit Mel anbahnt. Und ich werde das Gefühl nicht los, dass noch etwas passieren wird, wenn ich rittlings auf diesem Bike sitze. Insbesondere wenn mein Rock meine Muschi freigibt!

»Keine Sorge«, meint sie mit einem Achselzucken. Mit einer Miene, in der Bedauern liegt, öffnet sie die Box hinter dem Sitz, greift hinein und zaubert einen Helm und eine Jeans hervor. »Die dürfte dir passen. Um dich nicht in Schwierigkeiten zu bringen.«

Die Jeans sind aufgetragen, aber frisch gewaschen, und der Helm ist keines dieser wuchtigen Teile, das Mel sich nun auf den Kopf setzt. Ohne Visier und mit einem einfachen Lederriemen ist er eher was für Mädchen. Außerdem ist er rosa und sieht aus wie ein Helm, den irgendein cooles Mädchen in Rom tragen würde, wenn sie mit Brad Pitt auf einer Lambretta durch die Stadt saust.

Ich bin dabei. »Bin gleich so weit«, sage ich und mache mich schon auf den Weg zurück zum Gebäude, um mich rasch umzuziehen. Aber da packt Mel mich am Arm. Jetzt jagt sie mir beinahe Angst ein mit ihrem riesigen Helm, und ich zucke zusammen.

»Das brauchst du nicht«, meint sie, und ihre Augen glitzern unter dem Helm. »Hier ist niemand. Zieh dich hier um.«

Äh ... entschuldige bitte?

Sie hat ja Recht. Es ist keiner in der Nähe.

Nur *sie*.

Sie schüttelt den Kopf, und die späte Nachmittagssonne funkelt auf dem Helm. »Keine Sorge. Ich drehe mich um. Ich gucke auch nicht.«

Aber als sie sich wegdreht, fühle ich mich auch nicht wohler. Sie hat doch ihre Fantasie, oder nicht? Und ich bin verrückt, wenn ich mich jetzt hier auf einem öffentlichen Parkplatz in meinem Slip präsentiere. Außerdem schmeichele ich mir nicht selbst, wenn ich vermute, dass sie auf mich steht, weil sie mir das bereits deutlich zu verstehen gegeben hat.

Ich lege den Helm auf die kleine Mauer neben den Pfosten und falte die Jeans auseinander. Der beste Weg wäre es jetzt, mich in die Hose zu zwängen und dann erst den Rock abzunehmen. Aber plötzlich ist mir die naheliegende Möglichkeit entfallen. Ich sehe braune Augen, die mich ermuntern, den gefährlicheren Weg zu nehmen. Ich schaue zurück auf die Fassade von Borough Hall, aber eigentlich weiß ich, dass er mich nicht beobachten kann, da sein Büro auf den Innenhof geht.

Dennoch, als ich den Reißverschluss meines Rocks öffne und meine bloßen Beine und das knappe Höschen der kühlen Luft aussetze, ziehe ich mich nur für Robert Stone aus. Ich entledige mich meiner Schuhe, zögere einen Moment und bleibe ganz bewusst so stehen.

Und genau diesen kurzen Moment nutzt Mel, um sich schnell zu mir umzudrehen!

»Sehr schön, meine Freundin«, schnurrt sie und macht keinen Hehl aus ihrem Interesse. Mit einem Mal sind ihre grünen Augen dunkler, und ihr Blick ist durchdringend.

»Mel! Du hast gesagt, du würdest nicht gucken!«

»Sorry! Sorry, sorry! Konnte eben nicht widerstehen!« Sie wendet sich wieder ab, aber ich habe genau gesehen, dass nicht ein bisschen Reue in ihrem durchtriebenen Blick lag.

Ich löse mich von meiner dummen Fantasie, von Stone beobachtet zu werden, quäle mich in die enge Jeans und ziehe meine Schuhe wieder an. Als Mel sich zu mir umdreht, mühe ich mich schon mit dem Helm ab und hoffe, dass meine Frisur nachher nicht ganz ruiniert sein wird.

»Keine Sorge, das richtet sich schon wieder auf«, sagt Mel zuversichtlich und streicht hier und da meine blonden Strähnen zurück, die noch unter dem Helm hervorlugen. Ihre Berührung ist überraschend leicht und unverfänglich – und auch ziemlich nutzlos, weil der Fahrtwind mir sowieso gleich die Haare zerzausen wird.

»Ich habe noch nie auf einem Bike gesessen«, bekenne ich in diesem Moment. Habe ich wirklich nicht, und jetzt kriege ich's mit der Angst. Das liegt natürlich auch daran, dass momentan so viel los ist, und ich mir erst jetzt klarmache, worauf ich mich eingelassen habe.

»Keine Sorge. Das ist ein Kinderspiel. Du brauchst keine Bedenken zu haben. Halte dich einfach an mir fest und entspanne dich.« Sie streift sich Handschuhe über, nimmt den Lenker, holt die Maschine vom Ständer und schwingt ein langes Bein über das schwere Bike. Sowie sie sitzt, winkt sie mich heran.

Ich zittere jetzt, als ich meine Tasche und den Rock in die Box stopfe und den Deckel schließe. Ich schaue auf Mels kräftigen Rücken und ihre sicheren Hände an den Lenkgriffen. Sie ist voller Selbstvertrauen. Kein Zweifel, sie weiß, wie man so einen Bock fährt, und sie weiß auch, wie sie mit einem nervösen Neuling auf dem Mitfahrsitz umzugehen hat.

»Okay, steig auf. Halte dich an meiner Taille fest, schwing dein Bein über den Sitz, setz dich hin und stelle deine Füße auf die kleinen Stützen da unten.« Ich zaudere immer noch. »Hey, keine Angst, ich halte dich.« Sie kichert, doch die Laute werden verschluckt, als sie das graue Visier runterklappt. »Hatte schon viele Mädchen hinter mir auf dem Bike sitzen, weißt du.«

Ich befolge ihre Anweisung. Die ganze Zeit befürchte ich, dauernd das Gleichgewicht zu verlieren, aber kaum sitze ich, fühle ich mich sicher und habe volles Vertrauen zu Mel. Zu meinem Schrecken merke ich, dass ich jetzt ein riesiges Ding zwischen den gespreizten Beinen habe, das plötzlich zu vibrieren anfängt.

Das Gefühl, das einen beim Anlassen des Motors überkommt, ist erstaunlich. Die Vibrationen werden direkt auf meine Pussy übertragen, als wäre die Kawasaki ein riesiges Sexspielzeug, das die ganze prickelnde Aufregung wiederbelebt, die Robert Stone zuvor in mir ausgelöst hat. Mit zittrigen Händen umfasse ich Mels Nierengurt, aber es ist nicht nur die Angst vor dem Unbekannten. Wenn das so weitergeht, werde ich einen Orgasmus haben, bevor wir das Ende der Straße erreicht haben.

»Okay, Süße, jetzt gut festhalten!«, ruft Mel in die blubbernden Motorengeräusche hinein, und nach einem letzten aufmunternden Klaps auf meinen Oberschenkel gibt sie Gas und drückt sich gleichzeitig mit den Stiefeln vom Boden ab. Plötzlich sausen wir über den Parkplatz.

Auf der Straße wird die Fahrt mit Mel für mich zu einer Mischung aus purem Spaß und richtiger Panik. Und dazu die ganze Zeit diese pochende, dröhnende und vibrierende sexuelle Stimulierung. Mir wird gleich klar, dass kein Dildo die Kraft eines PS-starken Motorrads hat. Ich klammere mich an Mel, während ihre Maschine alles zwischen meinen Beinen erledigt.

Ich habe das Gefühl, als würden sich mir die Haare unterm Helm aufrichten.

Was Stone wohl zu dieser kleinen Eskapade sagen würde?, frage ich mich. Für einen Moment stelle ich mir vor, er ist ein großer, stämmiger Biker, der sich in schwarzes Leder gehüllt hat. Da ist nichts Geschmeidiges oder Elegantes mehr an ihm. Er ist nur noch der raue Typ. Ursprünglich und wild. Automatisch umarme ich Mel, als wäre sie er, und sie verändert ihre Sitzposition leicht und drückt mit ihrem Rücken gegen mich.

Oh verflucht, was habe ich jetzt wieder gemacht?

Erst da merke ich, dass wir gar nicht auf direktem Weg nach Hause fahren. Tatsächlich jagen wir in entgegengesetzter Richtung davon und halten auf die Umgehungsstraße zu. Ich traue mich nicht, Mel noch einmal zu drücken, denn sonst denkt sie noch, ich will sie knuddeln oder so etwas, und daher tippe ich ihr leicht auf die Schulter. Darauf reagiert sie sofort, fährt an den Straßenrand, stellt einen Fuß fest auf den Boden und macht den Motor aus.

»Was ist, Süße? Hast du Angst?«, fragt sie, klappt ihr Visier hoch und dreht sich auf dem Sitz zu mir um.

Ihre Augen blitzen, als wolle sie mir vorsagen: »Nein, natürlich nicht«, obwohl ich ein bisschen Angst habe. Nicht zuletzt deshalb, weil ich immer noch die Füße auf den kleinen Stützen habe und das Gefühl nicht los werde, keinen richtigen Halt zu haben. Mel hält das Gleichgewicht mit nur einem Bein. Aber mich beschäftigt gar nicht so sehr die Angst, gleich hinunterzufallen, sondern vielmehr die Vorstellung, was *sie* jetzt wohl denkt und was ich im Augenblick fühle. Und das löst diese Unruhe in mir aus. »Nein, eigentlich nicht. Aber ich habe mich gerade gefragt, wo wir hinfahren.«

Mel lächelt, soweit ich ihre Züge unter dem riesigen Helm sehen kann. »Keine Sorge, ich entführe dich nicht. Ich dachte bloß, du hättest nichts dagegen, einen Happen zu essen. Wir fahren zu einem echten Biker Café.« Sie hält inne, guckt mich aber immer noch herausfordernd an. »Aber wenn du dazu keine Lust hast, können wir auch umkehren.«

Zu Hause wäre es bestimmt sicherer. Ich kenne Mel eigentlich gar nicht richtig, und wenn ich mich jetzt einfach so auf ihre Spritztour einlasse, könnte sie falsche Schlüsse daraus ziehen. Und ich weiß nicht, ob ich ihre möglichen Gedanken nun ablehnen oder gutheißen soll. Im Augenblick habe ich genug mit Robert Stone zu tun.

Aber in dem Moment, als ich wieder an ihn denke, weiß ich, dass ich mit Mel fahren muss. Ich weiß, dass ich es *will!* Er ist ein heimlicher Beobachter, jemand, der experimentiert und immer auf der Suche nach dem richtigen Kick ist. Wenn ich jetzt kneife, würde ich ihn bestimmt enttäuschen.

Und das ist das Letzte, was ich tun möchte.

»Nein, das ist prima, ich verhungere schon«, sage ich fröhlich, und passend dazu knurrt mein Magen. Da merke ich, wie hungrig ich bin. Der heutige Tag war seltsam und hat mich ganz schön Reserven gekostet. Ich habe das Gefühl, dass ich noch Energie brauchen werde. »Fahren wir weiter!«

Mel nickt. Es ist schwierig, ihre Miene unter dem Helm

zu deuten, aber ihre Körpersprache zeigt mir, dass sie froh ist.

»Cool! Also los!« Sekunden später dröhnt wieder der Motor, und wir gliedern uns in den Verkehr ein.

Zehn Minuten darauf halten wir vor dem Blue Plate Café. Auf dem trostlosen, großen Parkplatz stehen jede Menge Lieferwagen, weiße Transporter von Baufirmen und große Trucks. Nicht zu vergessen die glänzenden Motorräder, die hübsch aufgereiht in allen Farben des Regenbogens vor dem niedrigen, eher schäbig aussehenden roten Backsteinhaus stehen.

Mel macht den Motor aus, und ich klettere vom Sitz, allerdings nicht so elegant wie sie. Meine Beine fühlen sich wabbelig an, und das ganze Vibrieren zwischen meinen Beinen hat seine Wirkung nicht verfehlt, was ich peinlich finde, da es ja nicht meine eigene Jeans ist, die ich gerade trage. Ich schaue zu, wie Mel die große Kawasaki neben eine ebenso große Honda schiebt, und male mir mit Schrecken aus, wie sie später am Schritt der Jeans schnuppert, wenn ich die Hose wieder in die Box lege.

»Was ist los?« Endlich hat sie den Helm abgenommen und richtet ihr kurzes blondes Haar. Es ist zerzaust, aber hübsch. Vielleicht ein bisschen jungenhaft, aber es sind ihre Augen, die von mir Besitz ergreifen. Sie hat einen ähnlich durchdringenden, alles wahrnehmenden Blick wie Stone. Ob auch sie meine Gedanken lesen kann?

»Ach, nichts«, erwidere ich, »ich bin okay. Wie ich schon sagte, ich habe noch nie auf einem Motorrad gesessen und hatte ein mulmiges Gefühl.«

»Ich auch.« Sie grinst, hebt ihre fein gezupften Augenbrauen und legt ihren Helm dann auf den Sitz.

Ich will sie fragen, wie sie das eben gemeint hat – obwohl ich es ahne –, aber sie schüttelt den Kopf und öffnet dann den Lederriemen an meinem Helm. Vorsichtig nimmt sie ihn mir vom Kopf, wuschelt mir ein wenig durchs Haar und streicht ein paar Strähnen mit beinahe mütterlicher Fürsorge hinters Ohr.

»Dann los, damit du was in den Magen bekommst. Dann fühlst du dich gleich besser!«

Als wir das Café betreten, die Helme unterm Arm, komme ich mir wie in einem Western vor, wenn der ortsfremde Revolverheld zum ersten Mal den Saloon betritt. Heavy Metal Musik dröhnt aus der Jukebox, aber die meisten Gespräche verstummen, und unzählige Köpfe drehen sich zur Tür. Fast ausschließlich Männer, abgesehen von der Frau hinter der Theke. Selbst die Staubkörnchen in der Luft scheinen für einen Augenblick stehen geblieben zu sein.

Es ist ein Klischee, aber alle Augen sind auf uns gerichtet.

Ein paar Biker begrüßen Mel, aber die meisten Trucker sind offenbar mehr an mir interessiert. Ich bin neu hier. Frischfleisch sozusagen. Es scheint die Kerle nicht sonderlich zu interessieren, dass ich ja theoretisch Mels Freundin sein könnte. Vielleicht hoffen sie ja sogar, dass wir ein Paar sind, um ihre Fantasie ein wenig zu beflügeln. Es ist doch bekannt, dass Männer der Gedanke anturnt, wenn Frauen was miteinander haben. Das dürfte auch in der Machoatmosphäre im Blue Plate nicht viel anders sein.

»Sicher uns den Tisch dort.« Mel zeigt auf einen leeren Tisch am Fenster und reicht mir ihren Helm. »Was willst du haben? Ich hole uns was.«

Ich habe nirgends eine Speisekarte gesehen. Es scheint nicht einmal eine Tafel zu geben, auf der die Tagesgerichte stehen, aber ich vermute, dass es hier ohnehin nur die deftigen Sachen gibt, die den Cholesterinspiegel nach oben treiben. So riecht es zumindest, und allein der verheißungsvolle Duft von Gebratenem lässt meinen Magen erneut knurren. Plötzlich scheint mein Körper nach Kalorien zu schreien.

»Ich möchte das Gleiche wie du«, antworte ich und merke zu spät, dass mir eine Doppeldeutigkeit über die Lippen gekommen ist. Warum fragst du sie nicht gleich direkt, ob sie mit dir ins Bett will, Dummerchen! Aber da ist es schon zu spät, denn Mel hat wieder ihr breites Grinsen aufgesetzt. Ihr entgeht nichts.

Ich versuche, möglichst wenig Aufmerksamkeit auf mich zu ziehen, als ich durch den Raum gehe, aber das kann ich vergessen. Es pfeift zwar keiner der Trucker hinter mir her, aber drei oder vier Biker rufen »Hallo, Kleine!«, als ich meinen Platz einnehme und die Helme auf dem sauberen, nur mit Zucker bestreuten Tisch ablege.

Und trotzdem finde ich das alles plötzlich ziemlich aufregend. Die hungrigen Blicke der Typen, die verlockende Gegenwart von Mel, die seltsame Idee, dass Stone im Geiste bei mir ist, mich beobachtet, mich anspornt – all das trägt dazu bei, dass ich in Stimmung komme und wagemutiger werde. Ich erwidere das Lächeln der Biker, lehne mich in meinem Stuhl zurück, öffne die obersten Knöpfe meiner Jacke und fahre mir mit den Händen durchs Haar.

Ich putze mich heraus. Zeige mich. Fordere förmlich das Unheil heraus.

Da hast du es, Stone. Ist es das, was du wolltest? Ich stelle mir vor, dass er am Nachbartisch sitzt und mit diesem kleinen, jungenhaft verschmitzten Lächeln zu mir herübersieht. Verrückterweise spüre ich, wie mein Körper auf diese Vorstellung anspricht. Verlangen. Nur nach was? Ich bin mir nicht sicher, aber ich weiß, dass ich etwas brauche, und zwar bald.

Und als Mel zum Tisch zurückkommt, über das ganze Gesicht strahlend und in jeder Hand eine Tasse, beginne ich zu ahnen, was in Kürze auf mich zukommen könnte.

Es ist mir nie richtig aufgefallen, aber unter ihrer taffen Schale ist sie eine wirklich schöne Frau. Sie hat das perfekte ovale Gesicht und Wangenknochen wie eine Filmdiva aus Hollywoods goldener Zeit. Auch wenn sie abgetragene Jeans und die Lederjacke trägt, kann man sehen, dass sie eine tolle Figur hat.

»Hier!«, sagt sie und stellt die Tassen auf die Zuckerkörner. »Für jeden eine Tasse Tee. Genau das, was du nach einem langen, anstrengenden Tag brauchst.«

»Wer sagt, dass mein Tag anstrengend war?« Ich sehe sie aus verengten Augen an und wundere mich, was sie gehört haben will ... oder spürt. Ich könnte schwören, dass das, was sich zwischen Stone und mir abgespielt hat, nicht nach außen gedrungen ist, aber in Borough Hall kann man ja nie wissen. Jeden Tag kommt mir der Ort absurder vor.

»Oh, das weiß ich eben.« Sie zieht die Lederjacke aus und hängt sie über die Rückenlehne. Und ich bin wie betäubt!

Mel hat ein einfaches weißes T-Shirt an, das ihre beachtlichen Brüste zur Geltung bringt. Sie sind beneidenswert straff und rund, und ich weiß nicht, ob Lesben das immer so machen, oder ob es der Beweis einer besonderen Freizügigkeit ist, aber es ist offensichtlich, dass sie keinen BH trägt. Vielleicht braucht sie auch keinen.

Wieder habe ich das Gefühl, Stielaugen zu bekommen.

Mel fängt meinen Blick ein und lacht. Dann zuckt sie die Schultern. Ich spüre, wie sie darüber nachdenkt, ob sie irgendeine Bemerkung loslassen soll, weil ich so deutlich auf ihre Spitzen gegafft habe. Aber wie es scheint, versteht sie sich wie Stone aufs Taktieren und hebt sich einen Spruch für später auf.

»Als ich dich bei der Stechuhr sah, sahst du so aus, als wärst du gerade zurück von einer Entführung durch Aliens, Süße.« Sie pustet auf ihren Tee, nimmt dann einen kleinen Schluck und leckt sich mit ihrer rosafarbenen Zunge über die Lippen. »Irgendetwas ist heute vorgefallen. Und jetzt versuche ja nicht, es zu leugnen.« Ohne Vorankündigung streckt sie plötzlich die Hand nach mir aus und berührt mich sanft an der Wange. »Du hattest diesen Blick. Eine Mischung aus purem Entsetzen und

Selbstgefälligkeit. Dann war da noch dieses Leuchten in deinen Augen. Und das lag bestimmt nicht an mir, auch wenn ich mir wünschen würde, dass dich allein meine Gegenwart erfreut.«

Ich verspüre ein überwältigendes Gefühl, mich an ihre Hand zu schmiegen, aber das ist Sekunden später auch schon wieder abgeflaut. Stattdessen zeige ich mich übertrieben empört.

»Aber ich bin gern mit dir zusammen, Mel!« Ich fahre mir wieder durchs Haar, setze mich gerade hin und ziehe auch meine Jacke aus. Ich trage einen BH, und meine Brüste sind nicht so perfekt geformt wie Mels, aber sie sind auch nicht schlecht. Es ist sowieso Zeit, endlich zu zeigen, was man hat, um das Selbstvertrauen zu stärken.

»Netter Versuch, Süße, aber du kannst mich nicht auf eine falsche Fährte locken«, sagt Mel mit einem Grinsen, denn ihr scheint der Anblick meiner Brüste zu gefallen. »Irgendetwas ist heute gewesen, oder? Mein Sexradar sagt mir das. Jetzt erzähl schon! War es Stone?«

Woher weiß sie das bloß? Hat denn jeder in Borough Hall eine besondere Wahrnehmung, was Sex anbelangt?

»Ja okay, da war was. Und es war mit Stone.« Ich nehme einen Schluck Tee und fühle mich gleich belebt. Er ist heiß und stark. Stone in einer Teetasse, denke ich sofort und mache mir langsam echt Sorgen, ob ich nicht doch den Verstand verliere. »Aber warum fragst du? Hat irgendjemand was gesagt? Ich weiß nicht, wer davon wissen könnte.«

»War nur so ins Blaue hinein geraten, Süße, keine Panik«, erwidert Mel und legt ihre Hand auf meine. »Es gibt keine bösen Gerüchte oder so etwas. Mir ist bloß aufgefallen, wie du ihn vor kurzem angesehen hast. Du schienst ganz hingerissen zu sein, weißt du. Und er erwiderte den Blick, und ich sah, wie es in seinem Kopf arbeitete. Er ist ziemlich sexy, und das weiß er auch.« Ich mache mir bewusst, dass ihre Hand auf meiner liegt, was mir nicht gerade einen klaren Kopf verschafft. Ich hätte nicht gedacht, dass sie einem Mann vorwerfen würde, dass er sich sexy findet, zumal sie immer durchblicken lässt, wie sexy sie *mich* findet. Aber vielleicht ist sie einfach komplizierter, als ich dachte.

»*Du* findest Stone sexy?«

»Klar finde ich den sexy. Ich würde lieber mit dir bumsen als mit ihm, aber wenn ich allein auf einer Insel wäre und die Wahl hätte zwischen ihm und ewiger Selbstbefriedigung, würde ich mich wahrscheinlich dem Mainstream anpassen und es mit ihm versuchen.«

Plötzlich hüstelt jemand übertrieben hinter mir, und als ich mich erschrocken umdrehe, steht die Frau von der Theke hinter mir. Sie bringt zwei Teller mit Spiegelei und Pommes frites, dazu noch einen Berg Brot und Butter. Sie hat ein breites Lächeln aufgesetzt.

»Danke, Alice! Sieht toll aus. Wie immer«, sagt Mel beschwingt. Sie zieht ihre Hand zurück, ohne in irgendeiner Weise betreten zu sein, und lehnt sich zurück, damit Alice die Teller vor uns auf den Tisch stellen kann.

Das Essen sieht wirklich super aus. Ein Berg Pommes, die Eier schön knusprig am Rand, das Eigelb leicht glasig. Komischerweise habe ich trotz der etwas bizarren Situation immer noch einen Mordshunger. Und als Alice sich mit einem Grinsen zur Theke aufmacht, stürze ich mich auf die Pommes.

Ich verschlinge die ersten Fritten förmlich, dippe sie in das Eigelb und merke, dass Mel mich erwartungsvoll beobachtet, obwohl auch sie angefangen hat zu essen.

»Na los, komm schon! Spann mich nicht länger auf die Folter«, meint sie schließlich, als mein Teller schon halb leer ist.

Und so kommt es, dass ich von dieser bizarren ›Sache‹ erzähle, während ich mich über das fettigste, aber absolut leckerste Essen hermache, das ich seit langem hatte. Obwohl ich keine Ahnung habe, warum ich in Gegenwart dieser lesbischen Frau, die ich kaum kenne, so offen bin.

»Nun, das fing letzte Woche an, eigentlich ... ich sah Stone wieder auf dem Gang, und er machte das, was er immer tut, weißt du? Er sah mich einfach nur an, als wüsste er genau, was ich gerade gedacht und getan habe.«

»Was hattest du denn gerade getan?«

Mein Gesicht läuft rot an. »Ich war auf der Toilette. Ließ meiner Fantasie freien Lauf. Und dann kam eins zum anderen.«

Mel strahlt mich an. »Du meinst, du hast es dir selbst besorgt?«

»Wirst du wohl leiser sprechen!«, zische ich sie an. Wir sind schon die Hauptattraktion in diesem Laden, da braucht Mel nicht auch noch meine sexuellen Gewohnheiten herauszuposaunen.

»Also, hast du oder hast du nicht?«, bedrängt sie mich etwas leiser weiter.

»Ja doch.«

»Und was hat er gesagt? Hat er dich darauf angesprochen?«

»Nein, nicht direkt. Er machte bloß eine Bemerkung, ob ich etwas ausbrüte und dass ich mich hinlegen müsse.«

»Und was noch? Wie kam es dann zu den Ereignissen von heute?«

Ich beschreibe ihr meinen Ausflug in den Keller und was ich dort entdeckt habe.

Mel lacht laut auf, und es hat sowieso keinen Zweck mehr, sie zu ermahnen, leise zu sein. Die Kerle beobachten uns ohnehin schon die ganze Zeit.

»Nicht zu fassen! Sandy und die blonde Bombe, wer hätte das gedacht? Aber was hat das mit der Geschichte zwischen dir und Stone zu tun?«

»Eine Menge«, wispere ich. »Ich habe die beiden beobachtet und fand es ›anregend‹, wenn du weißt, was ich meine.« Mel verdreht die Augen. Natürlich weiß sie, wovon ich rede. »Und plötzlich war Stone da! Eben war ich noch allein in dieser kleinen Nische und schaue Sandy und Youngblood beim Vögeln zu, und im nächsten Moment ist er neben mir und beobachtet *mich!*«

Mels Gabel verharrt auf halber Strecke zum Mund.

»Er war gar nicht an den beiden interessiert. Nur an mir. Er hockte da in dem engen Raum und sah mir zu, wie ich ... wie ich ...«

Mel hat den Anstand, die Worte nur mit den Lippen zu formen, und ich nicke.

»Und als ich fertig war, ist er einfach verschwunden.«

»Wie meinst du das, verschwunden? Bist du sicher, dass du dir das nicht bloß eingebildet hast? Oder einen erotischen Traum hattest?«

»Nein, das war alles real. Und ich nehme an, dass er mich deshalb heute zu sich beordert hat.«

»Großer Gott, es geht noch weiter?«

Ich greife nach der tomatenförmigen Ketchupflasche, spritze etwas von dem roten Zeug auf meinen Teller und gönne mir eine kurze Pause, um dann in die nächste Phase einzusteigen.

»Ja, ich sollte heute in sein Büro kommen ...« Ich esse noch ein paar Pommes. Ich brauche das jetzt, um meine Nerven zu beruhigen. Mel sagt zwar nichts, aber sie gibt mir mit jeder noch so kleinen Bewegung zu verstehen, dass sie wissen muss, wie es weitergeht.

»Erst war alles ganz normal, als wäre nichts gewesen. Er erkundigte sich, wie ich mich eingelebt hätte und so weiter, und alles war so langweilig, dass ich davon überzeugt war, dass ich mir die Sache im Keller doch nur eingebildet hatte. Aber dann änderte sich die Atmosphäre, und ich hatte das Gefühl, dass wir eine Art Spiel spielten. Ich weiß nicht, wie ich dir das beschreiben soll.«

Ich schaue aus dem Fenster, und mir ist so, als würde ich seine braunen Augen sehen, sein Gesicht, seinen Körper, der vor mir aufragt.

»Er sitzt hinter seinem riesigen Schreibtisch und zieht das übliche Spielchen Direktor-trifft-kleine-Angestellte mit mir ab ... aber dann steht er plötzlich vor mir, berührt mich, und dann küssen wir uns.«

»Ihr habt euch geküsst?«

»Ja. Und er fasste mich an.« Ich verspüre das Verlangen, auf meinem Stuhl herumzurutschen. Mir ist, als würden seine verführerischen Finger mich wieder streicheln. »Und dann habe ich mich selbst berührt, weil ich kommen wollte. Und er sagte, wenn ich es täte, würde ich dafür bezahlen müssen ...«

Mel scheint ihr Essen ganz vergessen zu haben. Sie legt Messer und Gabel zur Seite und starrt mich verblüfft an. »Hast du es dann getan?«

»Ja, habe ich, und dann ... hat er mich verhauen. Und es tat höllisch weh. Aber es war die erotischste Sache, die ich je in meinem Leben erlebt habe.«

Ich schließe die Augen. Nicht weil es mir peinlich ist, auch wenn mir mein Geständnis ein wenig unangenehm ist. Nein, ich mache das, weil ich hinter meinen geschlossenen Lidern wieder in seinem Büro bin, über seinen Knien liege und ein tolles Gefühl habe.

Als ich die Augen wieder öffne, sehe ich, dass mein Teller fast ganz leer ist. Dabei kann ich mich kaum erinnern, schon so viel gegessen zu haben. »Und als es dann vorbei war und ich *ihn* anfassen wollte, klingelte das Telefon. Es war seine Sekretärin, die ihn an ein Meeting erinnern musste. Und das war's dann. Wir sagten nicht mehr viel, und ich ging.«

Mels Teller ist noch halb voll, und sie sitzt mir mit geweiteten Augen gegenüber, als könne sie das alles nicht glauben. Ich hätte gewettet, dass sie mehr Erfahrungen mit Sex hat als ich, aber ich habe das Gefühl, ihr einiges vorauszuhaben.

»Nicht zu fassen!«, sagt sie und schiebt ihren Teller zur Seite. »Ich meine, ich habe schon von mehreren gehört, dass da eine Menge abgeht in Borough Hall. Insbesondere über Stone kursieren Gerüchte, aber du bist die Erste, die mir von einer echten ›Begegnung‹ erzählt. Ich habe das immer für das übliche Gerede gehalten, und jetzt kommst du und erzählst mir, dass der Director of Finance ein Spanker ist und dass du gesehen hast, wie der Personalchef die prüde Sandy unten im Keller bumst!« Sie nimmt einen Schluck Tee und schneidet eine Grimasse, weil er inzwischen kalt geworden ist. »Gott, ich bin echt eifersüchtig!«

»Wieso? Doch nicht auf Sandy und Youngblood?«

Sie verzieht angewidert das Gesicht. »Nein, doch nicht auf diese kleinen Wichte!«

»Auf mich?« Dies ist doch keine einsame Insel, oder?

»Nein, Dummerchen, auf *Stone!*« Ihre Augen haben mit einem Mal dieses intensive Leuchten. Erschreckend hell. Ich weiß, dass sie auf mich steht, aber jetzt hat ihr Gesicht diesen harten, fast kriegerischen Ausdruck angenommen. Und plötzlich ahne ich, was diese Miene bedeutet: Mel wird sich nicht mit einem Nein zufriedengeben, ohne vorher ein Machtspielchen mit mir zu spielen.

Und ich weiß nicht so recht, ob ich nein sagen möchte. Wenn man so eine Story erzählt, erlebt man sie aufs Neue, und daher spüre ich, dass mein Slip wieder getränkt ist und ich echt Lust habe zu kommen. Mich erfasst ein scharfes, drängendes Bedürfnis. Es scheint nicht in diesen Laden zu passen, zumal wir noch am Tisch sitzen. Aber ich kann das Gefühl nicht leugnen.

Ich bin in der Zwickmühle und frage mich, wen ich im Augenblick haben will: Stone oder Mel?

Mel trommelt mit den Fingern auf den Tisch und schaut sich um. Sie ist wirklich aufgeregt. Sie holt tief Luft und lässt den Atem wieder hörbar heraus.

»Wenn Stone jetzt hier wäre, würdest du dann mit ihm vögeln?«

Ja, das würde ich tun! Da ich seine schroffe, besitzergreifende Berührung wieder durchlebt habe und die Hitze seiner großen Hand auf meinen Backen zu spüren glaube, gibt es nichts, was ich lieber tun würde, als mich auf ihn einzulassen.

Aber er ist nun mal nicht da. Dafür sitzt Mel mir gegenüber. Und ich weiß, dass ich gleich ja sagen werde, wenn Mel die Frage stellen wird, und ich weiß, dass sie es tun wird. Bin auch ich jetzt Gedankenleser geworden? Ja, es ist nicht nur mein Wille, sondern auch Stones.

Ich werde ja sagen, obwohl ich nicht genau weiß, auf was sich meine Zustimmung bezieht.

»Ja, natürlich würde ich das tun!«, sage ich mutig. »Ich denke, er ist toll!«

»Oh, Gott, wie gerne wäre ich doch Stone!« Sie klingt so leidenschaftlich, und da ist der Hunger in ihren Augen und ein Anflug von Traurigkeit, der mich völlig aus der Fassung bringt. Mutig nehme ich ihre Hand in meine und bin gleichzeitig ängstlich.

»Aber er ist nicht der Einzige, auf den ich stehe, weißt du.«

»Wirklich?«

»Ja, wirklich.«

Ich erlebe einen dieser Momente völliger Klarheit, wenn die Welt sich langsamer zu drehen scheint. Das war bei Stone so und geschieht auch jetzt wieder bei Mels Worten.

Plötzlich weiß ich ganz genau, was ich tun muss.

»Ich muss mal kurz zur Toilette.« Ich bin schon aufgesprungen und halte auf die Tür mit dem WC Zeichen zu.

»Ich auch.« Mels Grinsen ist so breit, dass man meinen könnte, sie könnte gleich vor Vorfreude platzen.

Wir rennen beinahe zur Toilette. Uns ist klar, dass uns tausend Augen folgen, aber das kümmert uns nicht.

Sowie wir in der überraschend sauberen Damentoilette sind, werde ich ein bisschen nervös. Und ich muss wirklich nötig.

»Ich ... lass mich zuerst, ja?«, stottere ich.

»Okay, ich helfe dir.« Ehe ich zum Nachdenken komme, schiebt Mel mich bereits in die Kabine, macht sich mit großem Geschick an Knöpfen und Reißverschluss zu schaffen und zieht mir die Jeans nach unten.

Obwohl ich Unbehagen verspüre, steigt meine Aufregungskurve steil nach oben. Das ist so absurd! Abgedrehter noch als die ›Maßnahme‹ von Stone.

In wenigen Augenblicken stehe ich nackt in der Toilette eines Bikercafés und lasse mich von einer Frau begaffen! Und dabei muss ich doch so nötig!

Mel vergeudet keine Sekunde. Sie zieht mich an sich, und meine Haut drückt gegen ihre Kleidung. Mit der Hand zielt sie direkt auf meinen Schritt ab und drückt mich gleichzeitig mit dem Rücken gegen die Wand.

Die Aktionen zwischen Frauen habe ich mir eigentlich immer verträumt-romantisch, überzärtlich und flauschig vorgestellt. So, als ob zwei Göttinnen sich gegenseitig ehren würden. Aber da habe ich wohl vollkommen falsch gelegen. Zumindest was Mels Stil anbelangt. Sie geht viel forscher ran als Stone, drückt mich hart zwischen den Schenkeln und bearbeitet meinen Kitzler fast grob. Meine Blase protestiert, und ich auch.

»Ich muss wirklich pinkeln, Mel«, winsele ich und stelle mich auf die Zehenspitzen, um den Druck meiner Blase abzumildern. In meinem Kopf dreht sich alles, und ich schlinge die Arme um Mels Schultern, um nicht den Halt zu verlieren.

»Ich weiß«, schnurrt sie, hört aber nicht auf. Sie dreht ihre Hand ein wenig, massiert meinen Unterleib mit dem Daumen und bringt ihre kräftigen Finger zwischen meinen Schenkeln zum Einsatz.

Es fühlt sich schrecklich und fantastisch zugleich an, und

Mel bleibt unnachgiebig. Ich seufze und stöhne viel zu laut. Ich wetze meine Hüften hin und her, aber Mel verliert ihr Ziel nie aus den Augen und bearbeitet mich weiter. Langsam komme ich rein, lasse mich voll auf ihren drängenden Rhythmus ein, und während ich mich fast schon verzweifelt an sie klammere, massiere ich mit der freien Hand meine Knospen.

In einem plötzlichen Augenblick völliger Klarheit schießt mir durch den Kopf, dass Mr. Stone bestimmt stolz auf mich wäre, denn in meinen Gedanken ist er jetzt bei uns in der Kabine und sieht uns zu. Ich sehe, wie er sich mit der Hand über die stoppelige Wange streicht und uns mit beinahe nachdenklicher Miene beobachtet. Er findet den Anblick, den ich im Augenblick biete, sehr unterhaltsam.

Ich fange an zu keuchen. Ich bin fast auf dem Gipfel. Alles zieht sich schon zusammen, schreit nach Erlösung.

»Oh, ich muss pinkeln, ich muss gleich pinkeln!«, wimmere ich und vergesse dabei ganz, dass ich jeden Moment einen Orgasmus habe. So viel steht fest.

Mit einer Kraft, die ich ihr nicht zugetraut hätte, schlingt Mel einen Arm um meine Hüfte, schwingt mich herum und setzt mich auf die Kloschüssel. Dann kniet sie neben mir und fängt wieder an, meinen Kitzler zu reiben.

Ich kann es nicht mehr aufhalten und lasse mein Wasser losrauschen. Aber ich weiß nicht mehr, wo das eine aufhört und das andere beginnt. Ich strulle wie ein Pferd, und die ganze Zeit bearbeitet Mel meinen Kitzler, bis ich komme. Ihre Hand ist nass.

Als ich fertig bin, nimmt sie eine Hand voll Toilettenpapier und macht mich trocken, während ich einfach nur mit gespreizten Beinen dasitze und nach Luft ringe.

Ich versuche, mir jedes kleine Detail zu merken, jedes unverschämte Gefühl.

Falls ich meine Erlebnisse später einem gewissen Herrn erzählen muss ...

Danach sind Mels Bedürfnisse simpel. Ich frage sie, was sie will, aber da packt sie schon meine Hand und führt sie in ihre offene Hose, geradewegs in ihren Slip. Ihr Höschen ist richtig feucht, und sie drückt sich einfach nur an mich, zuckt mit den Hüften vor und zurück und ist ganz schnell auf dem Gipfel. Leise und unaufdringlich. Mir kommt das komisch vor nach all dem Gestöhne und Gekeuche, das ich von mir gegeben habe. Aber sie bewegt nur leise die Lippen wie bei einem Gebet, ihre Lider flattern, und das war's. Ich weiß nur, dass sie gekommen ist, weil ich es an meinen Fingern spüre.

»War's das dann?«, frage ich, als ich mich wieder in meine Sachen zwänge.

Mel wäscht sich die Hände und glättet hier und da ihr Haar. Sie wirkt beinahe unbeteiligt. »Ja, meine Freundin, ich denke, das war's«, erwidert sie leichthin, als ich die Kabine verlasse und zum Waschbecken gehe. »Trinken wir noch ein bisschen Tee, oder? Bei der ganzen Aufregung habe ich wieder Durst.«

Ich folge ihr in das Café, und obwohl mir klar ist, dass die Kerle uns wahrscheinlich mit geilen Blicken mustern, nehme ich die Umgebung kaum wahr.

Ich bin durcheinander. Und ein bisschen down.

Mir hat das Spaß gemacht. Glaube ich zumindest. Aber ich halte mich deswegen nicht für eine echte Lesbe. Vielleicht würde ich mich noch mal auf Mel einlassen, obwohl ich mir noch immer nicht so sicher bin, ob ich sie wirklich mag. Sie ist sexy und voller Tatendrang und lustig, aber ich habe das Gefühl, dass sie der Nutznießer ihrer Beziehungen mit Frauen ist. Vielleicht hat sie noch nicht die Richtige getroffen? Ich weiß, dass ich das nicht bin, obwohl ich nicht leugnen kann, ab und an zu einem Ja bereit zu sein.

»Hey! Dazu kommt es vielleicht nie!«, sagt Mel und berührt meine Hand. Erst da merke ich, dass ich wer weiß wie lange geistesabwesend war. »Oder ist es vielleicht doch passiert?«

Sie wirft mir einen langen, intensiven Blick zu, der plötzlich viel sanfter wirkt.

»Bereust du es?« Sie nickt Richtung Toilette.

Ich denke nach. Bereue ich es?

Nein. Nicht ganz. Ich bereue nicht, was wir gemacht haben, aber ich weiß, dass ich mich auf keine echte Affäre mit Mel einlassen werde.

»Nein«, sage ich, »ich hab's genossen.« Ich grinse und fühle mich schon besser. »Das tat gut. Aber ich glaube nicht, dass ich eine richtige Lesbe werden könnte.« Ich zucke die Schultern und warte ihre Reaktion ab. »Stört dich das?«

»Überhaupt nicht, Baby. Kein Problem. Aber wenn dir je danach ist, ab und zu auf der weiblichen Seite zu streunen, dann komm doch zu mir, okay?«

»Mach ich«, antworte ich und habe das Gefühl, reinen Tisch gemacht zu haben. Ich hebe meine Teetasse und stoße mit Mel an. »Auf die weibliche Seite!«

»Auf die weibliche Seite!«

Aber als ich wieder hinter ihr auf dem Bike sitze und mich diesmal in einer unverfänglichen Weise an ihr festhalten kann, merke ich, dass trotzdem ein klein wenig Bedauern an mir nagt.

Es war wild, was Mel und ich gemacht haben. Das ungezogene Toilettenspielchen war eine echte Offenbarung.

Aber ich wünschte, ich hätte mir das für Robert Stone aufheben können.

7. Kapitel

Genau hier, genau jetzt

Am nächsten Morgen grübele ich immer noch.

Als Mel und ich gestern Abend zu Hause ankamen, ist jeder in sein Apartment gegangen. Sie hat mich nicht weiter bedrängt, und ich hätte wahrscheinlich auch nicht zugestimmt, wenn sie mich noch in ihre Wohnung eingeladen hätte. Nach meinem kurzen Ausflug in die wilde Frauenwelt gerate ich umso tiefer in meine Obsession mit Robert Stone.

Und hoffe natürlich, dass ich nicht allzu lange warten muss, bis meine Fantasien neue Nahrung bekommen.

»Tut mir leid wegen gestern«, sagt Greg auf dem Weg zur Arbeit, »war ein bisschen kurzfristig, nicht?«

»Kein Problem. Ich habe gleich die Gelegenheit genutzt, zum ersten Mal auf einem Motorrad zu sitzen. Beifahrer, versteht sich. Und jetzt kenne ich auch das Essen in einem echten Bikercafé.« Er begegnet meinen Worten mit einem überraschten Seitenblick. »Das hat Spaß gemacht«, füge ich hinzu und untertreibe natürlich maßlos.

»Ah, tatsächlich?«

Ich kann förmlich hören, was er gerade denkt. Typische Männergedanken – Mel ist eine Lesbe, sie lädt ein hübsches Mädchen zum Essen ein, ob da was gelaufen ist?

Aber ich befriedige seine Neugier nicht weiter. Geschickt wechsle ich das Thema und fange von einer Meldung an, die eben im Frühstücksfernsehen lief. Soll er doch spekulieren. Tut ihm mal ganz gut. Als wir die Stechuhr in dem düsteren Eingangsbereich erreichen, zieht er seine Karte schnell durch, gibt vor, einen harten Tag vor sich zu haben, und eilt mit leicht missmutiger Miene davon.

Ich stehe wieder einmal da und hampele mit dem Login herum, aber noch bevor Greg über die Treppe in der IT-Abteilung verschwunden ist, schwingt die Eingangstür auf und eine hochgewachsene Gestalt hält auf mich zu. Mit wehendem Mantel.

»Sie! Ich muss Sie sprechen!«

Stones Miene ist hart und angespannt. So habe ich ihn noch nie gesehen. Sein Blick jagt mir Angst ein, aber irgendwie ist es auch aufregend. Ein großer Mann, der wütend ist, entwickelt ein Kraftpotenzial, das man nicht unterschätzen sollte. Eine echte Naturgewalt.

In meinem Kopf beginnt es zu pochen.

Er nimmt meine Hand, und ich falle fast in Ohnmacht, weil ich mich so nach seiner Berührung gesehnt habe. Da ist dieses dunkle Funkeln in seinen Augen, und eine Wolke seines Aftershaves umweht meine Nase. Kinn und Wangen sind glatt rasiert, aber ich habe den Eindruck, dass sich sein Bartschatten schon wieder andeutet. Ich ertappe mich bei dem Wunsch, seinen stoppeligen Bart auf meiner Haut zu spüren.

Schon hält er auf die Treppe zu und zieht mich hinter sich her.

»Ich habe mich noch gar nicht angemeldet!«

Tiefe Furchen zeichnen sich auf seiner breiten Stirn ab. Voller Ungeduld lässt er meine Hand los, entreißt mir die ID-Karte, zieht sie durch das Gerät, ohne richtig hinzuschauen, und stopft sie dann wieder in meine Handtasche.

»Kommen Sie«, grummelt er und zieht mich fort. Mir bleibt kaum Zeit zum Luftholen, und so versuche ich, mit ihm Schritt zu halten, was kaum möglich ist, weil er gebieterisch den Gang abschreitet.

Wir biegen in einen anderen Korridor und nehmen eine kleine Treppe, die unten zu einem Notausgang führt. Stone verlangsamt seine Schritte kaum, drückt den Griff nach unten, und schon stehen wir in einem Hinterhof mit großen

Mülltonnen. Ich reime mir zusammen, dass wir in einem der vielen kleinen Nischen sind, die dieser Turm zu Babel besitzt. Die Fläche ist wie ein L geformt, und als Stone mich weiterzerrt, kann ich am anderen Ende ein hohes, gesichertes Tor entdecken. Er drängt mich grob in eine Ecke zwischen zwei große Müllcontainer, sodass uns niemand von irgendeinem der Fenster sehen kann. Vielleicht könnte jemand einen Blick auf uns erhaschen, wenn er im dritten oder vierten Stock seine Nase an die Fensterscheibe presst und auf Müllcontainer steht.

Stone drückt mich mit dem Rücken gegen die Mauer, lässt mich los und ragt drohend vor mir auf. Dann weicht er ein bisschen zurück, wirft mir einen Blick aus verengten Augen zu und beginnt, vor mir auf und ab zu gehen. Wie ein hyperaktiver Detective Sergeant, der einen Tatverdächtigen verhört.

»Wohin sind Sie gestern nach Feierabend mit dieser Lesbe gefahren?«, bedrängt er mich unvermutet und schlägt sich mit der ledernen Aktenmappe auf den Oberschenkel. Er wirbelt auf dem Absatz herum und stürmt dann wie ein wild gewordenes Nashorn auf mich zu, baut sich vor mir auf und mustert mich mit strenger Miene.

Zumindest wirkt seine Miene streng. Einen Moment lang nehme ich ihn ernst und staune, dass er weiß, dass ich mit Mel weggefahren bin. Noch erstaunlicher finde ich es allerdings, dass er eifersüchtig zu sein scheint. Dann erst glaube ich, den Anflug eines lustigen Funkelns in seinen braunen Augen zu entdecken. Sein kämpferisch verspannter Mund verdeckt ein heimliches Lächeln, da bin ich mir sicher.

Oh mein Gott, erst halb neun am Morgen, und wir sind schon wieder mitten in unserem Spielchen.

»Wo waren Sie gestern Abend mit Melanie Harper, Miss Lewis?«, will er wissen und bestätigt seine Spielabsicht mit nur zwei Worten.

Miss Lewis.

»Woher wissen Sie, dass ich gestern mit Mel zusammen war?«, entgegne ich und lege den Kopf leicht zurück, um mich seinem forschenden Blick zu stellen. Ich lasse mich auf das Spielchen ein, werde mich aber nicht unterwürfig geben. Ich habe Lust auf einen Schlagabtausch.

Seine Augen verengen sich zu schmalen Schlitzen. Er taxiert mich mit kritischen Blicken. Es ist wie bei einer Schachpartie, und er arbeitet gerade eine neue Strategie aus. Bestimmt der beste Weg, das zu bekommen, was er haben will. Und obendrein noch Spaß zu haben.

»Ich habe gesehen, wie Sie zusammen mit Miss Harper das Gebäude verließen«, sagt er mit samtener Stimme. Ein Lächeln umspielt jetzt seine Lippen. Ein selbstgefälliges, schönes, verspieltes Lächeln. Neckend, und irgendwie auch gütig.

Meine Knie werden weich, aber ich recke das Kinn empor.

»Sind Sie ein Stalker, Mr. Stone? Na, na!«

Wäre das wirklich ein amerikanischer Polizeistreifen, würde er jetzt so etwas sagen wie: »Pass auf, was du sagst, du kleines Flittchen!« Aber wir sind in Borough Hall und spielen das Spielchen ›strenger Chef stellt flittchenhafte Angestellte zur Rede‹ oder so etwas in der Art.

»Natürlich nicht, Sie kleines dummes Mädchen«, zischt er und steht nun noch dichter vor mir. Zwar berührt er mich noch nicht, ragt aber unmittelbar vor mir wie eine düstere Schicksalserscheinung auf. »Warum sollte ich das tun?«

Weil Sie mich anfassen möchten und mich haben wollen, sage ich, allerdings nur mit meinen Augen. Der Ausdruck, der jetzt seine Miene beherrscht, ist so intensiv und so vielschichtig und verleiht seinem festen, gewöhnlichen Gesicht so etwas wie Schönheit. Seine Lippen zucken ein wenig – und auch das ist schwer zu deuten. Entdecke ich da wieder einen Anflug von Eifersucht? Aber eigentlich möchte er sich amüsieren und hat alle Mühe, ein Lachen zu unterdrücken.

Ich zucke zusammen, als er sich ruckartig abwendet. Sein dunkler Mantel bauscht sich im leichten Wind, als wäre er ein dunkler Rächer mit langem Umhang. Er wirft mir einen Blick über die Schulter zu – ein langer, nachdenklicher Blick unter halb gesenkten Lidern –, ehe er sich mir wieder ganz zuwendet.

Er schlüpft wieder in eine seiner Rollen und amüsiert sich königlich.

Willkommen zur Show des cleveren Bobby, denke ich und gebe mir Mühe, nicht in Lachen auszubrechen.

Seine Aktenmappe landet mit einem lauten Geräusch auf dem Boden, was mich zusammenfahren lässt. Sich mit beiden Händen seitlich von meinem Kopf gegen die Wand stützend, sieht er mich streng an. Sein Gesicht ist nur noch wenige Zentimeter von meinem entfernt. Sein Aftershave ist wie ein Wahrheitsserum, das in meine Sinne dringt, aber der süßliche Minzgeruch der Zahnpasta ist seltsam anrührend. Mag sein, dass er ein Perverser und ein Machtmensch ist, der Sexspiele mit mir im Sinn hat, aber er ist auch ein Mensch mit normalen Hoffnungen und Ängsten.

Plötzlich will ich ihn küssen, aber im Augenblick liegt die Initiative nicht bei mir. Ich habe sogar die Frage vergessen, die er mir gerade gestellt hat.

»Also, Sie und Mel, was ist da passiert?« Sein Mund ist dicht vor mir, und seine Zähne sind sehr weiß. Damit ich dich besser fressen kann, kleines Mädchen, denke ich. »Und bitte beleidigen Sie mich nicht, indem Sie mir weismachen wollen, dass da nichts war.«

Würde mir nicht im Traum einfallen. Jetzt würde ich diesem Mann alles erzählen.

»Sie ... eh ... hat mich auf ihrem Motorrad mitgenommen. Wir fuhren zu einem Café und hatten ein fettiges Menü. Und dann haben wir über eine paar Dinge gesprochen.«

»Ah ... über ›ein paar Dinge‹«, ahmt er mich nach und

bringt sein Gesicht unmittelbar vor meins. Ich spüre seinen heißen Atem, als er mit seinen Lippen über meine streicht. Mit einem Mal befinde ich mich in einem Film, und das Verhör verblasst. Das ist wie in der Szene in *Alien*, in der das Untier seinen Furcht erregenden Kopf unmittelbar an Ripleys Wange bringt – nur dass hier natürlich das Geifern, der gepanzerte Schädel und der schreckliche Kiefer fehlen.

Dennoch, ich habe Körperkontakt zu dem wohl gefährlichsten Wesen, das mir je begegnet ist.

Immer noch drückt er mich mit seinem Körper an die Wand, zieht eine Hand zurück, betrachtet seine Fingerspitzen und reibt die Finger aneinander, um den Schmutz loszuwerden. Dann streicht er zärtlich mein Haar zurück.

»Ging es bei ›den paar Dingen‹ auch um mich?«, flüstert er. »Haben Sie Ihrer kleinen lesbischen Freundin erzählt, was ich mit Ihnen gemacht habe?« Mit dem Handrücken streichelt er über mein Gesicht, und ich fühle seine Fingernägel an meinen Wangenknochen. »Haben Sie unsere kleinen Geheimnisse einem anderen anvertraut?« Er schiebt sein Becken vor, und sein Penis drückt wie ein riesiger, harter Stab gegen meinen Bauch.

Ich kann den Blick nicht von ihm wenden. Ich kenne den Ausdruck ›sich in dem Blick eines anderen verlieren‹, und jetzt weiß ich, was das bedeutet. Ich frage mich, ob er mich wieder bestrafen wird. Mich züchtigen will, da ich ihn verraten habe. Und das womöglich hier zwischen den nicht sonderlich angenehm duftenden Mülltonnen? Auch auf die Gefahr hin, dass doch jemand weiter oben einen Blick in den kleinen Hof wirft und eine echte Show geboten bekommt?

»Ja, Mr. Stone, das habe ich.« Ich nage am Winkel der Unterlippe, und seine alles sehenden, mich ganz vereinnahmenden Augen registrieren jede kleine Bewegung. Meine Lippe ist immer noch ein bisschen wund, weil ich mich unabsichtlich gebissen habe, als Stone mich gestern auf den Gipfel brachte. Seine Finger wandern weiter nach unten und verharren auf meinem Mund. Unwillkürlich sauge ich an seinem Ring- und Zeigefinger, verliere mich in dem Augenblick der Sinnlichkeit und der Unterwerfung. Ich versuche nicht mehr, provokant zu sein, ich möchte einfach nur den Geschmack von Stone auf meiner Zunge spüren.

Er lacht leise, und da ist wieder der Minzduft, weil sein Mund so dicht vor mir ist. Er könnte jetzt beinahe seine eigenen Finger küssen, und als ich mir das vorstelle, verspannt sich mein ganzer Körper vor Verlangen.

Mit funkelnden Augen schaut er zu, wie ich an seinen Fingern sauge. Der nervöse, lebhafte Mann steht jetzt so still vor mir, dass es schon fast unheimlich ist, aber in den Tiefen seiner Augen flammt der alte Tatendrang auf. Er denkt, schätzt ab, lebt Fantasien aus. Kein Zweifel, er fragt sich bestimmt, wie sich meine Lippen anfühlen, wenn sie sich um seinen Schwanz schließen, der unaufhörlich gegen meinen Bauch drückt.

Als er schließlich wieder etwas sagt, hat er keine Drohungen mehr auf den Lippen und wirft mir auch nicht mehr vor, zu indiskret gewesen zu sein.

Er sagt einfach nur: »Ich will dich. Hier und jetzt.«

Und dann schiebt er meine Hand beiseite, beugt den Kopf zu mir herab und küsst mich, wobei seine Zunge das vorwegnimmt, was sein Schwanz gleich weiter unten tun wird.

Ich lasse meine Tasche fallen, schlinge die Arme um ihn und schlüpfe mit meinen Händen unter seinen Mantel, um seinen Körper besser fühlen zu können. Ich liebe es, dass er so groß und gut gebaut ist.

Er küsst mich eine ganze Weile, erkundet mit seiner Zunge meinen Mund, während ich eher passiv bleibe, weiterhin an der Wand lehne, ihn umarme und die Hitze aufsauge, die von seinem Körper ausgeht. Allein der Druck, den er mit den Hüftbewegungen ausübt, weckt meinen Hunger auf mehr und lässt mich ganz feucht werden.

Als er den Kuss unterbricht, sagt er wieder: »Ich will dich.« Dann legt er seinen Kopf ein wenig schief, wie er es immer tut, als bitte er mich um Erlaubnis, und ich zerfließe förmlich. Er lächelt, als sei er sich der Wirkung bewusst, die er bei mir erzielt.

Jetzt bin ich nicht mehr passiv. Ich umarme ihn fester. Ich vergrabe eine Hand in den kleinen Locken an seinem Hinterkopf. Ich reibe meine Hüften an ihm und küsse ihn so fordernd, wie ich noch nie jemanden in meinem Leben geküsst habe. Er lacht leise an meinem Mund, aber mir kommt es so vor, als lache nicht er, sondern irgendein Wesen, das wir beide durch unsere verschmolzenen Münder erschaffen haben.

Aber dann begnügen wir uns nicht mehr mit Küssen allein. Stone scheint mich überall zugleich zu berühren, seine cleveren Hände fahren über meinen Körper, erst noch über meine Kleidung, dann aber darunter. Ich fühle, wie er an meinem Slip zupft, aber als er meinen bloßen Po spürt, verliert er die Geduld: Plötzlich reißt er regelrecht an dem Bündchen, bis der Stoff nachgibt und das Höschen fort ist. Ich lasse mich gegen die Wand sinken und verliere noch den Verstand.

Gott, immer schon habe ich mir gewünscht, dass ein Mann das bei mir macht!

Und dann berührt er mich, befingert mich, streichelt mich dort unten mit der Präzision eines Chirurgen oder eines Uhrmachers. Es ist so, als würde er meine Lieblingsstelle kennen, obwohl ich sie ihm nie verraten habe, und ich fange an zu stöhnen und schiebe mich seiner kundigen Hand entgegen. Sosehr ich mich auch vor ihm winde, nicht ein einziges Mal rutscht er von der Stelle ab und massiert mich, dass mir Hören und Sehen vergeht.

Als ich komme, schnell und heftig, verschluckt er mein Stöhnen mit einem Kuss und dringt mit der Zunge in meinen Mund. Ob er doch Bedenken hat, dass uns jemand sehen könnte? Langsam schwebe ich wieder hinab und mache mir klar, dass Stone sich über mögliche Spanner bestimmt keine Gedanken macht. Es scheint ihn vielmehr anzuspornen, dass es heimliche Beobachter geben könnte. Er genießt regelrecht die Gefahr, entdeckt zu werden. Und ich frage mich natürlich, ob er sich überhaupt mit normalem Sex in einem Bett zufriedengibt.

Augenblicke später streichelt er mit der rechten Hand wieder zärtlich über meine Wange, während die linke sich an seiner Kleidung zu schaffen macht. Ich höre den Reißverschluss und merke, wie seine Hand ungeduldig in seine Hose hinabtaucht.

Ich begehre gegen seine Umarmung auf, möchte mich bewegen, weil ich ihn sehen will, aber er raunt nur: »Oh, oh!« an meinem Ohr und schenkt mir dann wieder dieses ungezogene, etwas schiefe Lächeln.

»Aber ich will ihn sehen!«, protestiere ich mutig.

»Alles zu seiner Zeit«, antwortet er, hebt mein Kinn mit dem Daumen an und hält meinen Kopf so, dass ich nicht mehr nach unten gucken kann. Nur nach oben in seine Augen. »Jetzt ist nicht die Zeit, um Kunstwerke zu bewundern, Miss Lewis.«

Ich erwidere sein Grinsen, und plötzlich müssen wir beide lachen.

Typisch Mann! Er hält sein Ding für ein verdammtes Kunstwerk, der arrogante Kerl!

Aber mein Rock hat sich nach oben verschoben, hängt mir jetzt auf den Hüften, und meine Schenkel und mein Bauch sind frei. Also kann ich fühlen, was ich nicht sehen darf.

Und habe einen Kloß im Hals.

Er ist riesig!

Ich habe eigentlich nie sehr viel Wert auf die Länge gegeben, aber plötzlich bin ich total happy, dass Mr. Stone so einen großen Penis hat.

Wieder fummelt er an seiner Kleidung herum, nimmt meine

Hand und drückt mir eine Kondompackung in die Handfläche.

»Machen Sie sich nützlich«, fordert er mich auf. »Ziehen Sie mir das drüber.«

Ich versuche wieder nach unten zu schielen, aber er hat mein Kinn fest im Griff.

»Nein, das ist ein Test. Machen Sie das ohne hinzugucken.«

Ich fummele zwischen uns herum, reiße die Packung auf, und die ganze Zeit prallt meine Hand gegen sein großes, heißes Teil, das ich bald mit Latex einkleiden werde. Das ist ganz schön aufwühlend. Beinahe lasse ich das Kondom fallen, und er stößt einen ermahnenden, zischenden Laut zwischen die Zähne hindurch. Um Himmels willen, beeil dich, Maria, tadele ich mich, konzentriere mich wieder und bringe das Gummi in Position.

Er ist so warm, so seidig. Eine Schande, diese Haut zu bedecken, aber ich weiß, dass es nicht anders geht. Keiner von uns hat auch nur die leiseste Idee, wie das Sexleben des jeweils anderen bislang aussah.

Ich entrolle das Gummi und halte seinen Schwanz so, als wäre er ein Heiligtum aus Glas. Und die ganze Zeit schaue ich Stone in die Augen, und diesmal ist er es, der am Winkel der Unterlippe nagt. Seine Augen leuchten.

»Ausgezeichnet, Miss Lewis«, raunt er, als ich fertig bin, und überprüft dann meine Arbeit mit einem kundigen Griff. Mir verschlägt es den Atem, als ich mir bewusst mache, dass er seinen Schwanz berührt. Gestern hat er sich bestimmt noch einen runtergeholt, ehe er zu seinem Meeting ging. Ich stelle mir vor, wie er in der Toilettenkabine steht und dieses riesige Teil bearbeitet, das jetzt zwischen uns pulsiert.

Ehrfurcht gebietend! Ich hoffe inständig, dass er mich eines Tages dabei zuschauen lässt.

»Also gut, wie wollen wir's machen?«, sagt er beinahe im Plauderton, als er darüber nachdenkt, wie ein fast 1,90 Meter großer Mann mit einer knapp 1,70 Meter großen Frau stehend an einer Wand vögeln kann. »Brauchen wir da eine Kiste, auf die Sie sich stellen?«

Ich kichere. Nicht weil ich die Bemerkung so lustig finde, sondern weil ich nervös bin und schon Ohrensausen von meinem Verlangen habe.

»Na, na, das ist nicht zum Lachen«, weist er mich zurecht, obwohl er wie ein Honigkuchenpferd grinst.

Ich höre auf zu lachen, als seine Hand kurz wieder zwischen meine Schenkel fährt, in meine feuchte Stelle taucht, als wolle er mich testen. Aber die Berührung war auch zärtlich, denn er streichelt mich leicht.

Und dann hat er mich gepackt, schließt seine Pranken um meine Schenkel, hebt mich hoch und bringt mich vorsichtig in Position. Ich habe das Gefühl, irgendeine übermächtige Kraft von außen bereitet das Andockmanöver eines Spacelabmoduls vor.

Aber eine allmächtige Gottheit würde nicht sagen: »Ich glaube, ich brauche hier Ihre Hilfe, Miss Lewis«, oder?

Ich winde mich. Ich fasse nach unten. Ich führe ihn.

Dann schlinge ich die Arme um seinen Nacken, und mit einem kräftigen Stoß seiner Hüften und mit meiner Unterstützung sind wir verbunden.

Und mir gehen beinahe die Augen über, so gut fühlt es sich an! Ich rechne schon damit, dass er gleich stoßen will, und habe einen Moment Angst, aber Stone ist Stone, und daher passiert genau das Gegenteil: Er verhält sich vollkommen ruhig, während ich mich von ihm aufspießen lasse.

»Also, was hast du sonst noch mit Melanie gemacht?«, fragt er und legt den Kopf ein wenig schief. Wir sind jetzt auf gleicher Kopfhöhe, und sein Blick ist so durchdringend, dass ich ihn kaum ertragen kann.

»Nichts«, keuche ich. Ich kann es nicht glauben, dass er mich jetzt über Mel ausfragt, aber ich denke, ich hätte damit rechnen sollen. Dass er mich ausfragen wird, wenn ich verwundbarer nicht sein könnte, meine ich.

»Lügnerin.«

Seine braunen Augen verengen sich. Sein Blick unter halb gesenkten Lidern hat etwas Bedrohliches. Ich fühle, wie ich erzittere, so sehr bin ich seinem Fragespiel und den kleinen Änderungen in seinem Mienenspiel ausgeliefert.

»Wir ... eh ... haben ein bisschen herumgespielt.«

»Ach, wirklich?« Er ist so durchtrieben, so gerissen. Ich kann mir lebhaft vorstellen, dass er eine Kamera im Blue Plate installiert oder durch ein Guckloch gespäht hat und sowieso weiß, wie wir's getrieben haben. »Und wo genau fand dieses ›Herumspielen‹ statt?«

Oh, verdammt, wir sind wieder im Verhörzimmer! Nur dass kein Detective Sergeant je einen Tatverdächtigen so in die Mangel genommen hat. Ich habe keine Möglichkeit, mich den Fragen zu entziehen.

»Im Café. In der Toilette.«

»Du meinst, in einer Toilettenkabine, nicht wahr?«, drängt er weiter und schüttelt leicht den Kopf. Die kleine Bewegung setzt sich durch seinen großen Körper fort bis zu seinem Schaft und dann zu mir, und ich muss mir wieder auf die Lippe beißen. »Sie haben es in der Toilettenkabine getrieben, nicht wahr, Miss Lewis? Ist das nicht ein bisschen obszön?«

Ich nicke. Heftig. Um es ihm heimzuzahlen. Und es wirkt, denn jetzt zieht er zischend die Luft ein und nagt auf seiner Unterlippe. Er ist ein Mann mit unbeschreiblicher Selbstkontrolle, aber ich spüre, dass er super erregt ist.

»Hat sie dich angefasst? Hier?« Er drückt mich härter gegen die Wand, fährt mit der freien Linken zwischen uns und ertastet meinen Kitzler. Ich fange an mich zu winden, aber er presst mich weiter gegen die Backsteinmauer und dringt leicht mit den Fingern in mich ein.

»Antworte mir«, befiehlt er, bewegt ruckartig seine Hüften und lässt seine Fingerspitze um meine Perle kreisen.

»Ja! Ja! Sie hat meinen Kitzler befummelt, und ich wollte pinkeln. Und das war furchtbar ... aber irgendwie auch erregend.«

»Fahren Sie fort.« Seine Stimme kommt nicht über ein raues Flüstern hinaus.

»Ich musste so nötig, aber sie hörte nicht auf, mich zu befingern. Das war wie Schmerzen und Lust zugleich.« Stones Finger kreist weiter, genau wie Mels, aber diesmal verschafft mir das Reiben nichts als Lust. »Ich sagte ihr, dass ich pinkeln müsse, und dann setzte sie mich einfach auf die Toilette und rieb immer heftiger, bis ich kam und gleichzeitig über ihre Hand pinkelte.«

Kaum dass das Geständnis heraus ist, zieht sich bei mir alles zusammen, weil ich jedes ungehörige Detail aufs Neue durchlebe. Zuerst drehe ich den Kopf zur Seite, starre auf die Mülltonnen, die Mauern, den Himmel, irgendwohin, nur nicht in sein Gesicht, aber das halte ich nicht lange durch und wende mich ihm wieder zu. Ein Leuchten geht von seinen dunklen Augen aus.

Offenbar amüsiert er sich, aber er scheint auch in ehrfürchtiges Schweigen verfallen zu sein. Und das erregt mich so stark, dass ich ihn wieder küssen möchte.

Aber ehe ich den Versuch starten kann, streichen seine Lippen über meine Schläfe, und ich spüre seine Zungenspitze.

»Sie meinen, es kam zu Urinierspielchen mit ihr, die Sie sich nicht für uns aufgehoben haben?« Er füllt mich ganz aus, und doch scheint er noch weiter anzuschwellen.

»Ja! Ja, habe ich gemacht! Tut mir leid! Oh Gott!« Ich schreie, als sein Finger weiter und weiter um meinen geschwollenen Knopf kreist und ich meinen Gipfelpunkt anstrebe.

»Wie unklug, Miss Lewis, wie unklug«, meint er, aber seine Bemühungen, einen belehrenden Ton anzuschlagen, werden von seinem keuchenden Atem zunichte gemacht. Seine große Brust hebt und senkt sich an meinen Brüsten. Er verwöhnt meinen Kitzler mit einer letzten kreisenden Bewegung, packt mich dann mit beiden Händen und fängt an, sich richtig zwischen meine Schenkel zu treiben.

Ich verliere den Halt. Ich stoße heisere Laute aus. Verkrampfe um ihn, und Funken scheinen dort zu sprühen, wo unsere Körper miteinander verbunden sind. Seine Hüften arbeiten in drängendem Rhythmus und stoßen seinen ungezähmten, riesigen, schönen Schwanz in mich hinein, wieder und immer wieder. Ich spüre, wie sein weicher Mund sich an meiner Wange öffnet und sein Stöhnen mit heißem Atem über meine Haut streicht.

Für einen kurzen Moment taumeln wir, als er kommt, da seine Knie nachzugeben drohen, und beinahe wären wir gegen die großen Mülltonnen gefallen. Aber dann hat er sich wieder im Griff, sodass wir stehen bleiben, obwohl mir wieder die Luft wegbleibt, als er mich mit seinem ganzen Gewicht gegen die Wand drückt.

Ich ringe nach Atem, und da rückt er ein bisschen von mir ab und lässt mich wieder sanft auf die Füße sinken. Seine Arme legen sich um meinen Körper, und dann hält er mich eine Weile so. Ich spüre sein Kinn auf meinem Haar, sein Brustkorb hebt und senkt sich, und sein Schwanz – der kleiner wird und immer noch in der klebrigen Hülle steckt – liegt an meinem bloßen Bauch unter dem hochgeschobenen Rock.

Wenn ich es mir aussuchen könnte, würde ich für immer so stehen wollen.

Schließlich driften wir wieder ins Leben zurück, und passend dazu schlägt die Uhr von Borough Hall zur Viertelstunde. Stone schaut über meine Schulter auf seine Uhr.

»Mist! Ich habe eine Besprechung!«

Er gibt mich frei, macht einen Schritt zurück, zieht das Gummi ab und macht schnell den Reißverschluss zu. Dann wirft er das Gummi in eine der Tonnen, hebt noch schnell meinen zerrissenen Slip auf und wirft mir einen fast entschuldigenden Blick zu. Mit fragend hochgezogenen Brauen deutet er auf die Mülltonne.

Mein Slip ist hoffnungslos zerrissen, und da ich weder Nähzeug noch Sicherheitsnadeln bei mir habe, zucke ich gleichgültig die Schultern. Er schmeißt den Stofffetzen in die Tonne.

Ich fühle mich verloren und so schlaff wie sein Schwanz. Ich hatte gerade einen geilen Quickie mit meinem Chef, aber ich hatte das Gefühl, dass noch viel mehr zwischen uns war. Ich habe nicht dauernd andere Sexpartner, aber ich hatte schon einige Männer, und nie habe ich den Akt so intensiv und als gemeinsames Erlebnis empfunden wie gerade mit Stone an der schmutzigen Mauer und bei den Mülltonnen.

Zu meinem Schreck füllen sich meine Augen mit Tränen, und um mich seinem Blick zu entziehen, hebe ich meine Handtasche auf, weil ich ein Taschentuch brauche. Es grenzt an ein Wunder, dass keiner von uns auf die Tasche getreten ist und mein Handy kaputt gemacht hat.

Aber nichts entgeht den Augen des cleveren Bobby.

»Hey, was ist das? Wieder Tränen?«, sagt er und streichelt mit seinen großen Händen über meine Schultern. Mit krauser Stirn berührt er mich zart an der Wange und fängt eine salzige Träne auf. Für einen Moment schaut er auf meine Träne, als wäre sie ein Juwel und nimmt sie dann mit der Zungenspitze auf.

»Arme Kleine«, murmelt er, und im nächsten Moment schließt er mich wieder in die Arme. Er tätschelt meinen Rücken, streichelt über mein Haar und raunt leise, beruhigende Worte an meinem Ohr, die zwar keinen Sinn ergeben, mich aber trotzdem beruhigen.

»Was ist mit Ihrem Meeting?«, frage ich, als er mich wieder aus seinen Armen lässt, eher widerwillig, wie ich mir einbilde. Und eben, als er mich an sich drückte, hatte ich das Gefühl, dass er wieder hart wurde.

»Zur Hölle mit dem Meeting«, meint er. Seine Stimme klingt fröhlich, aber er spitzt die Lippen für einen Moment. Und runzelt die Stirn. »Die werden warten.« Dennoch bückt er sich und hebt seine Aktenmappe auf. Die Pflicht ruft eben, auch wenn ich mir wünsche, dass wir uns beide den Tag freinehmen könnten. Wir könnten im Park herumlungern. Oder an die Küste fahren. Oder einfach ins Bett gehen.

»Geht es Ihnen jetzt besser?«, erkundigt er sich ernst und mustert mich. Mir sinkt das Herz. Ich spüre, dass er sich emotional von mir entfernt, wie er sich auch kurz vorher von meinem Körper löste.

»Ja, bestens.« Ich klammere mich an meine Handtasche und versuche, ihn mit seiner Aktenmappe zu imitieren. In unausgesprochenem Einverständnis gehen wir zurück zum Notausgang. Leider ist er verschlossen, aber Stone gibt einen Code ein, und sowie die Tür nachgibt, schiebt er mich sanft ins Haus. Schweigend nehmen wir den Weg, den wir gekommen sind, und als wir die Treppe erreichen, an der sich unsere Wege trennen müssen, streckt er die Hand nach mir aus und streichelt meine Wange. Und er hat sich nicht mal umgesehen, ob uns vielleicht jemand beobachtet.

Er wirft mir einen langen, merkwürdigen Blick zu, der mir vertraut zu sein scheint. Diesmal ist es nicht ein Stirnrunzeln, seine breite Stirn ist aber trotzdem leicht zerfurcht.

»Bis später dann!« Der sonderbare Ausdruck ist verflogen, als wäre er nie da gewesen, und er zwinkert mir zu und wendet sich zum Gehen. »Und wenn Allsopp Sie fragt, wo Sie waren, dann sagen Sie ihm einfach, dass Sie ...« Mit den Lippen formt er die Worte *mit Direktor Stone im Hinterhof* gevögelt haben, und schenkt mir sein durchtriebenes, jungenhaftes Lächeln, das seine weißen Zähne aufblitzen lässt. »Ach, sagen Sie ihm einfach, Sie hätten noch eine Besorgung für mich machen müssen.«

Mit diesen Worten erobert er die Treppe, nimmt zwei Stufen auf einmal und schaut sich nicht mehr um.

Und ich stehe da im Gang, fühle mich verloren und stecke in Schwierigkeiten.

Stone ist gefährlich. Nicht wegen der Risiken, die er eingeht, sondern wegen der Wirkung, die er auf mich ausüben könnte, wenn ich es dazu kommen lasse. Ich glaube zu wissen, was dieser eigenartige Ausdruck zu bedeuten hat, der gerade sein Gesicht beherrscht hat. Und ich sollte besser vorsichtig sein, denn diesen Ausdruck habe ich schon einmal gesehen. Das ist dieser »Mist!-Ich-stecke-zu-tief-drin.-Jetzt kühlen-Kopf-bewahren-Blick.

8. Kapitel

Show and Tell

Es werden keine Fragen gestellt, als ich mit Verspätung das Büro erreiche.

Der Morgen verläuft eigentlich ganz normal. Abgesehen davon, dass ich mir total unnormal vorkomme.

Mit Männern hatte ich immer Glück. Wenn ich den »Ich-stecke-zu-tief-drin-Blick vorher gesehen habe, hatte ich immer das Gefühl, dass ich tiefer drin steckte, als mir lieb war. Und deshalb ist die Beziehung dann auch kurz darauf ohne großen Stress zu Ende gewesen.

Aber jetzt ist nichts Normales oder Gewöhnliches an der Beziehung, in der ich stecke. Mit Stone. Wenn man das überhaupt Beziehung nennen darf.

Könnte es nicht sein, dass wir zwei Leute sind, die einfach nur Spaß an Spielchen haben? Er ist offensichtlich ein Meister seines Fachs, und ich bin der Grünschnabel, aber dennoch. Besser wäre es, sich emotional nicht zu sehr darauf einzulassen, oder? Stone ist hinter dem sexuellen Kick her, und ich sollte das auch so sehen. Wenn dann nämlich die Spielchen weitergehen, könnte ich einfach mein Leben leben und meinen Job machen, ohne den lästigen Beziehungsstress am Hals zu haben.

Das ist theoretisch ja alles brillant, aber tatsächlich sitze ich an meinem Schreibtisch, erledige die Routinesachen per Autopilot und kann über nichts richtig nachdenken, denn meine Gedanken kreisen immer wieder nur um Stone.

Und in diesem Zusammenhang hilft mir auch nicht die Tatsache weiter, dass ich keinen Slip mehr trage. Ich fühle mich offen und bloß dort unten, wie auch mein Herz mit einem Mal so gefährlich offen ist für Gefühle. Ich glaube, noch die Nachwirkung von Stones Eindringen zu spüren, aber irgendwie hat er mich mit mehr als nur mit seinem Penis ausgefüllt.

Ach was. So weit lasse ich das erst gar nicht an mich herankommen. Ich werde auf Nummer sicher gehen, wie ich es immer getan habe. Das schmerzt nicht so stark.

Ich werde einfach den Sex mitnehmen, den er mir bietet, aber sonst nichts.

Als Sandy anbietet, Kuchen für das Büro zu organisieren, weil die Bürogemeinschaft einen kleinen Betrag beim Wettspiel gewonnen hat, bin ich sofort bereit, den Kuchen zu holen. Ich bin darauf vorbereitet, ein bisschen Zugluft in den unteren Regionen zu riskieren, aber bei der frischen Luft draußen bekomme ich wieder einen klaren Kopf.

Es ist ein schöner, sonniger Tag, und als ich die Wood Street in Richtung Bäckerei hinuntergehe, vorbei an dem Bürobedarfgeschäft, den Zeitungshändlern und Friseurläden, merke ich, dass ich wieder besser drauf bin. Die Leute, die sich auf den Gehwegen tummeln, wirken alle entspannt. Die Sonne heitert die Gemüter auf, und alle denken nur an die Besorgung im nächsten Geschäft, an die nächste Verabredung, aber an nichts Ernstes.

Ich überlege, ob ich kurz bei Marks & Spencer reinspringen soll, um mir einen neuen Slip zu kaufen, aber als ich über Leute nachdenke, die eine Verabredung haben – Leute, die einmal *nicht* Stone sind! –, fällt mir ein, dass ich ja selbst gleich eine Verabredung habe.

Mit William Youngblood.

Noch so ein Vögelmeister in Borough Hall. Als ich mit den kleinen Sahnestückchen wieder in das kühle Gebäude zurückkomme, frage ich mich, ob die gute Sandy ihm wohl einen Eclair oder ein Vanillestückchen gekauft hätte, falls sie sich das überhaupt getraut hätte – es könnte Verdacht erregen.

Oder hat sie noch andere Zuckerstückchen auf Lager, die sie ihm heute noch verabreichen will?

Die erste Person, die ich im Gebäude treffe, ist Mel.

Oh Gott, ich habe heute gar nicht an sie gedacht. Nach dem Zwischenspiel mit Robert Stone im Hinterhof kommt es mir so vor, als ob die Aktion zwischen Mel und mir schon Jahre her ist.

Sie empfängt mich mit einem wissenden Lächeln, und seltsamerweise fühle ich mich fast entspannt.

»Kuchen?«, fragt sie, beäugt die Schachteln und fährt sich mit der Zunge über die Lippe. Sieht eigentlich sexy aus, aber es könnte auch sein, dass da nur jemand Appetit auf Sahnestückchen hat. »Ist eins übrig?«

»Nein, tut mir leid. Sandy ist ein bisschen penibel, auch wenn sie etwas fürs Büro organisiert.«

»Kein Problem.«

Wir stehen voreinander, und ich weiß nicht recht, was ich sagen soll, aber schließlich meint Mel: »Keine Sorge, wir sind nicht verlobt oder so was.« Sie hält inne. »Wir können einfach Freunde sein. Wenn du magst.« Sie neigt ihren blonden Kopf zur Seite, und für den Bruchteil einer Sekunde muss ich wieder an Stone denken.

Meine Gedanken scheinen sich auf meiner Miene widerzuspiegeln, denn Mel runzelt die Stirn.

»Bist du okay, Maria? Wegen gestern, meine ich. Ich wollte dich nicht übertölpeln. Ich dachte, du wolltest das auch.«

»Ich wollte es ja auch.« Ich muss mich zusammenreißen, dass ich mich nicht verspanne, die Konditorschachteln an mich drücke und die Sahnestückchen ruiniere. »Es geht nicht um dich. Überhaupt nicht. Es ist was anderes.«

»Oder *jemand* anders«, sagt Mel weise und klemmt sich die aufgerollten Poster, die sie bei sich hat, unter den anderen Arm. Ich fühle mich immer noch ein bisschen benommen, und daher gibt sie mir die Antwort vor.

»Wieder Stone?«

Ich nicke.

»Willst du darüber sprechen?«

Möchte ich, kann ich aber nicht.

»Gerne, aber ich muss den Kuchen ins Büro bringen.«

»Lass uns später einen Kaffee trinken«, sagt sie und tätschelt mir mit der freien Hand den Arm. »Und es wird dabei bleiben. Wir trinken Kaffee, und du kannst mir alles erzählen. Sag mir nur kurz Bescheid, wann du Zeit hast.«

Kurz darauf bin ich wieder im Büro, verteile die Kuchenstückchen und wünschte, ich könnte mit meinen Gefühlen für unseren geschätzten Finanzdirektor genauso haushalten wie mit den Gefühlen für Mel.

Ich gehe zum Aufzug, als es Zeit für das Treffen mit William Youngblood ist. Für gewöhnlich nehme ich die Treppe – hält fit –, aber ich kann es mir im Augenblick nicht leisten, dass jemand hinter mir die Treppe hinaufgeht, weil ich ja keinen Slip trage. Mein Rock ist zwar nicht super kurz, aber trotzdem will ich es nicht darauf ankommen lassen.

Oben wird mir klar, dass ich erst an Stones Bürotür vorbei muss, wenn ich zu Youngblood will. Die Tür steht auf, und mein Herz setzt einen Schlag aus, als ich Stimmen im Vorzimmer höre.

Natürlich ist es Stones Stimme, und obwohl ich nicht verstehen kann, was gesprochen wird, wird mir bei dem leisen, vertraulichen Lachen die Luft knapp. Mrs. Sheldon erwidert das Lachen, und ich spüre, wie die Eifersucht an mir zu nagen beginnt. Ich kann mir nicht vorstellen, dass dort irgendetwas vor sich geht – sie ist eine stille, gebildete Frau kurz vor der Rente, der Inbegriff von Geradlinigkeit –, aber wer weiß, wie verdorben man womöglich wird, wenn man tagein, tagaus für Stone arbeitet.

Genug davon! Bloß kein Neid! Es geht nur um Sex, rufe ich mir in Erinnerung und marschiere weiter.

Selbst wenn man die ehrwürdige Holzvertäfelung und die mit Mauerwerk eingefasste Fensterfront vergisst, sind William Youngbloods Büroräume Lichtjahre entfernt von Stones eleganter, fast altbackener Einrichtung. Selbst seine Sekretärin sieht wie ein Hightech Klon aus.

»Gehen Sie ruhig hinein!«, sagt sie und vergeudet ihre Zeit offenbar nicht mit überflüssigen Worten. Sie guckt mich nicht unbedingt von oben herab an, aber ich spüre, dass sie mich für ein Flittchen hält.

Bin ich vielleicht sogar eins? Aber ich lächele in mich hinein, als ich an ihr vorbeigehe, denn ich würde zu gerne wissen, ob sie weiß, dass ihr cooler Chef ein Rammler ist.

»Hi, Maria! Schön, Sie zu sehen«, begrüßt er mich und steht auf, als ich eintrete.

Youngblood ist nicht sehr groß, und er hat auch nicht diese physische Präsenz wie Stone, aber auf seine Art ist er eine echte Augenweide. Er ist schlank, gut aussehend, immer gepflegt, und seine Augen haben einen unbeschreiblichen Blauton. Dazu noch das unnatürlich blonde Haar, und man ahnt gleich, warum Sandy – und andere – seinem Charme erliegen.

Er schenkt mir ein strahlendes Lächeln, das mich für einen Moment verblüfft, wenn ich daran denke, dass er mich bislang weitgehend ignoriert hat. Dann kommt er hinter seinem Schreibtisch hervor und reicht mir die Hand.

»Hallo«, erwidere ich ein bisschen verunsichert. Für einen Moment entschwindet das Bild, wie er Sandy vögelt, aus meiner Erinnerung, und ich muss zugeben, dass ich ihn beeindruckend finde. Ich schüttele seine Hand und merke, dass sie unerwartet kühl ist.

»Setzen wir uns doch dort drüben«, schlägt er vor und weiß sein einnehmendes Lächeln noch zu verstärken. Er deutet auf eine Sitzgruppe am anderen Ende des Büros vor dem Fenster. Alles ist schick und modern, und einen Moment lang frage ich mich, wo er die Einrichtung gefunden hat. Stones Büro ist zwar auch geräumig, steht aber voller schwerer, klobiger Möbel, die schon einige Jahre hinter sich haben.

Aber als ich mich hinsetze, wird mir sofort klar, dass ich ein großes Problem habe.

Youngblood hat mir eine niedrige Couch angeboten und will sich, wie es aussieht, mir gegenüber in einen Sessel setzen. Wenn ich nicht genau auf meine Sitzhaltung achte, wird er wahrscheinlich meine Muschi sehen.

Oh, tausend Dank, Mr. Stone!, denke ich, presse meine Knie fest zusammen und nehme nur den Rand der Sitzfläche ein.

»Also, Maria, wie gefällt Ihnen das Leben hier in Borough Hall?«, erkundigt Youngblood sich leutselig und lehnt sich mit eleganter Bewegung in seinem Sessel zurück. Das macht er so vollendet, dass ich mir fast vorstellen kann, dass er so etwas heimlich übt. Und da ich mich nicht von seinen geschmeidigen Bewegungen blenden lassen will, rufe ich mir wieder in Erinnerung, wie er Sandy bumst.

So, schon besser.

»Bestens. Mir gefällt es hier richtig gut«, erwidere ich und schaue auf seinen Mund, als er sich etwas weitschweifig auslässt über die Belegschaft, Einführungskurse und das soziale Miteinander. Es scheint das übliche »Wie-haben-Sie-sich-eingelebt«-Spiel zu sein, und eigentlich höre ich gar nicht richtig zu, denn ich sehe die ganze Zeit nur, wie er sein Gesicht zwischen Sandys Schenkel drückt, und frage mich, wie diese vollen, erotischen Lippen sich wohl an meiner Pussy anfühlen würden. Er scheint nicht mitzukriegen, dass ich mit meinen Gedanken woanders bin, denn er ist offenbar ganz in seine tiefe, einschmeichelnde Stimme verliebt.

Dann lenkt er meine Aufmerksamkeit auf meine Arbeitskollegen, und in besonders koboldhafter Laune lasse ich die Bemerkung fallen, wie sehr ich Sandy mag und wie ›großzügig‹ sie doch sei. Youngblood, das muss ich ihm zugutehalten, lässt sich nichts anmerken und antwortet, ohne mit der Wimper zu zucken.

»Ja, sie ist eine nette Kollegin, nicht wahr?«, merkt er unverfänglich an, als wäre Sandy eine von vielen Angestellten, die er höchstens vom Sehen kennt. Vielleicht kennt er sie ja auch gar nicht richtig. Bumst er vielleicht sogar alle Frauen hier im Haus, die ihm gerade über den Weg laufen und sich auf einen Quickie einlassen?

Scheint hier ja gang und gäbe zu sein, denke ich leicht angesäuert und schaue unwillkürlich in die Richtung, in der Stones Büro liegen müsste. Plötzlich habe ich das Gefühl, als ob mir eine Brise unter den Rock fährt.

Gerade überlege ich angestrengt, was ich noch über Sandy sagen könnte, um ihn aus der Reserve zu locken, als aus dem Vorzimmer Stimmen zu hören sind. Laute Stimmen. Youngbloods Sekretärin und eine tiefere Stimme, die mir nur allzu vertraut ist. Die Zwischentür erzittert zwar nicht in den Angeln, aber sie geht ziemlich forsch auf, als Stone hereinplatzt, einen Ordner in der Hand.

»Er ist in einem Gespräch!«, höre ich noch Youngbloods Sekretärin von draußen rufen, aber nur halbherzig. Sie hat es aufgegeben.

Stone sieht mich zunächst nicht einmal an, obwohl sich mir alle Nackenhaare sträuben und ein siebter Sinn mir sagt, dass er mich sehr wohl gewittert hat.

»Ich muss Sie kurz sprechen, William«, sagt er geschäftsmännisch, und sein Auftreten ist brüsk und anmaßend. »Diese Zahlen hier, die stimmen nicht. Sie geben die letzten Neuverteilungen nicht wieder.« Mit Nachdruck tippt er auf die Unterlagen in dem Aktenordner.

Die Atmosphäre im Raum ist plötzlich aufgeladen, und

mein Wahrnehmungsdetektor spielt verrückt. Youngblood verzieht keine Miene, aber ich kann seine Abneigung deutlich spüren.

»Ich bin gerade mitten in einem Gespräch, Robert.« Er spricht betont ruhig, aber ich sehe, dass er sich Mühe geben muss. Ein leichtes nervöses Zucken macht sich an seinem linken Mundwinkel bemerkbar. Seine Lippen werden schmal.

Stone scheint mich erst jetzt wahrzunehmen und begrüßt mich mit einem höflichen Lächeln. »Oh, hallo, Maria, wie geht es Ihnen?« Er hebt die Brauen, und mit einem Mal ist die Höflichkeit fort, denn der alte Dämon, den ich heute Morgen kennengelernt habe, funkelt wieder in seinen Augen. »Sie sehen gut aus. Sie haben doch nichts dagegen, wenn ich einen Moment Mr. Youngbloods Aufmerksamkeit in Anspruch nehme, oder?«

»Nein, natürlich nicht.« Ich bereite mich darauf vor, ganz vorsichtig aufzustehen und das Büro zu verlassen, merke aber genau, dass Stones Blick für eine Sekunde auf meinem Schoß verharrt. »Soll ich später wiederkommen?«, frage ich und wende mich dabei an Youngblood.

Aber stattdessen antwortet Stone.

»Nein, Sie können ruhig bleiben. Das dauert nur zwei Minuten«, lässt er mich wissen und deutet gönnerhaft mit einem Blatt auf mich, das voller Zahlen ist. »Machen Sie es sich bequem, dann hat er gleich wieder für Sie Zeit.«

Er betont das Wort ›bequem‹ ein wenig auffällig, und es ist schwer zu sagen, ob Youngblood nun darüber verblüfft ist oder über die Tatsache, dass Stone sich in einem fremden Büro wie ein freundlicher Gastgeber gebärdet. An Youngbloods Stelle würde ich Stone einen verpassen.

Unser Personalchef ist inzwischen aufgestanden, aber ich bleibe da, wo ich bin. Die beiden fangen eine erhitzte Diskussion an, in der es hauptsächlich darum zu gehen scheint, dass Youngblood im laufenden Geschäftsjahr zu viel Geld für Weiterbildungsmaßnahmen bei den Angestellten ausgegeben hat. Youngblood beharrt aber darauf, den Rahmen des Budgets nicht gesprengt zu haben. Stone hält dagegen, Youngblood sei von falschen Zahlen ausgegangen. Oder so etwas in der Art.

Mich interessiert das nicht. Vielmehr sind es die beiden Männer, die mich in ihren Bann geschlagen haben.

Es ist kurz nach elf Uhr morgens, und Youngblood sieht immer noch so aus, als hätte er gerade sein Haus verlassen. Sein dunkler Anzug und das Hemd wirken wie frisch gebügelt und, wie ich schon sagte, ein Haar liegt wie das andere.

Stone hingegen sieht man an, dass er schon ein paar Stunden hinter sich hat. Wieder trägt er ein teures blaues Hemd, und die Farbe steht ihm, aber es ist schon ein wenig zerknittert, und der Kragen sieht so aus, als habe Stone des Öfteren daran gezogen. Der Bartschatten tritt nun deutlicher zutage, und seiner Frisur sieht man an, dass er sich wohl schon mehrmals mit den Fingern durchs Haar gefahren ist.

Man könnte meinen, er habe einen anstrengenden Morgen gehabt, und nicht nur wegen der Begegnung unten im Hinterhof.

Aber der augenfälligste Unterschied zwischen den beiden ist die Größe, und ich vermute, dass das den guten Youngblood am meisten ärgern dürfte.

Er ist nämlich nicht groß. Ich bin knapp 1,70 Meter groß, und er ist kaum größer als ich. Vielleicht ein paar Zentimeter, mehr aber auch nicht. Stone dagegen ragt wie ein Riese vor ihm auf. Und wenn sie sich unterhalten oder sogar streiten, muss Youngblood immer nach oben gucken.

»Aber diese Zahlen hier.« Stone zeigt auf eins der Dokumente und läuft mit seinem kleinen Finger eine Tabelle entlang. »Wie sind Sie zu dem Ergebnis gekommen? Das sind nicht die Berechnungen, die wir im Vorfeld gemacht haben.«

Tiefe Falten zerfurchen Youngbloods Stirn, und er sieht verwirrt aus. »Ich weiß nicht, was Sie meinen«, sagt er leicht nervös. Mit einem Ausdruck von Wut auf seinem elegant geschnittenen Gesicht hält er auf seinen Schreibtisch zu.

Sowie er Stone den Rücken zukehrt, setzt auch Stone sich in Bewegung. Mit dieser Behändigkeit, die man einem Mann seiner Statur nicht zutrauen würde, eilt er zu meiner Couch und setzt sich neben mich, wobei ich leicht auf der Sitzfläche nach oben federe. Ich sehe seine weißen Zähne aufblitzen, als er mit einem beinahe teuflischen Seitenblick in meine Richtung seine Papiere auf dem niedrigen Couchtisch ausbreitet und sich dann mit einem zufriedenen Seufzer zurücklehnt. Er zwinkert mir gerissen zu, überlegt offenbar kurz, ob er den Arm hinter mir auf die Sofalehne legen soll, lässt es dann aber sein und sieht mich mit zuckenden Augenbrauen an.

Was, zum Teufel, hat er jetzt wieder vor?

Youngblood ist noch an seinem Schreibtisch, geht seine Unterlagen durch, und Stone nickt in seine Richtung. Er formt Worte mit den Lippen, aber ehe ich die Gelegenheit habe, die Botschaft zu entziffern, dreht Youngblood sich wieder um und kehrt mit langen, wütenden Schritten zur Sitzgruppe zurück. Als er seine Unterlagen neben Stones Papiere legt und uns beide mit einem etwas verunsicherten und argwöhnischen Seitenblick mustert, reime ich mir zusammen, dass mein lieber Herr Direktor seinen Kollegen gerade heimlich einen pampigen kleinen Schwanz genannt hat.

Ich fühle mich fehl am Platz und bin trotzdem aufgeregt. Eigentlich würde ich nichts lieber tun, als das Büro zu verlassen, aber gleichzeitig möchte ich bleiben. Ich bin Zeugin eines großen Testosteron-Duells, und wenn ich daran denke, was ich von diesen beiden Männern schon zu sehen bekommen habe (beziehungsweise in Stones Fall berührt habe), komme ich nicht umhin, die beiden als Sexspielzeuge zu betrachten.

Ich melde mich noch einmal zu Wort.

»Sind Sie sicher, dass ich nicht später wiederkommen soll?«

Youngblood öffnet den Mund, aber wieder kommt Stone ihm zuvor, was den Personalchef zur Weißglut bringt.

»Nein, nicht nötig. Ich bin gleich fort. Bleiben Sie schön sitzen.« Er wendet sich mir zu und wirft mir einen viel sagenden Blick unter halb gesenkten Lidern zu, aber das kann Youngblood von seinem Platz aus nicht sehen.

Wäre ich nicht hier, könnte ich mir sehr gut vorstellen, dass unser Personalchef sich mit einem Satz auf Stone stürzen würde, aber da ich anwesend bin, reißt Youngblood sich zusammen und gibt sich Mühe, weiterhin cool und unbeeindruckt zu wirken. Er nickt mir etwas verkrampft zu und sagt: »Schon okay, Maria. Dauert nur einen Moment.«

Er macht sich daran, die ausgebreiteten Papiere zu begutachten, obwohl es offensichtlich ist, dass es ihn immer noch wütend macht, in was für eine Situation Stone ihn gebracht hat. Stone hingegen scheint sich wieder einmal prächtig zu amüsieren und lehnt sich entspannt auf dem Sofa zurück. Zwischen seinen langen Fingern dreht er einen Kugelschreiber, den er gerade aus seiner Hemdtasche hervorgezaubert hat.

Ich drücke meine Knie noch fester zusammen und schlage dann ein Bein eng über das andere. Stone scheint diese Bewegung nicht entgangen zu sein. Er wirft mir ein verstohlenes Grinsen zu, nachdem er sich vergewissert hat, dass Youngblood noch mit den Zahlen zu tun hat, und deutet dann mit einem Kopfnicken auf meine Oberschenkel. Er nickt wieder, schaut dann auf Youngbloods blonden, nach vorn gebeugten Kopf und nickt in dessen Richtung.

Was hat er jetzt wieder ausgeheckt?

Stone wiederholt das Ganze, nimmt dann langsam das Bein, das er über das andere geschlagen hatte, hinunter und spreizt für ein paar Sekunden die Beine, ehe er seine ursprüngliche Haltung wieder einnimmt.

Endlich fällt der Groschen bei mir, und die Kinnlade klappt mir herunter.

Er will, dass ich *die Szene* aus *Basic Instinct* nachspiele!

Kein Stück!, formuliere ich mit den Lippen und schaue ihn entgeistert an.

Feigling, lese ich von seinem Mund ab, und dann leckt er sich verführerisch langsam über die Lippen.

Oh Gott, die Saat ist ausgebracht. Es ist zu spät. Mir wird schwindelig, und ich bin in dieser seltsamen hypersexuellen Parallelwelt, in der ich immer zu leben scheine, sobald Stone in der Nähe ist. Ich habe keine Zweifel, dass ich seine unverschämte Aufforderung befolgen werde.

»Das stimmt alles nicht, Robert«, meint Youngblood schließlich und runzelt die Stirn. »Das sind nicht die Zahlen, die ich bekommen habe. Da bin ich mir sicher.«

»Ich versichere Ihnen, dass es die Zahlen sind«, erwidert Stone lässig. Er schlägt sich jetzt mit dem Kugelschreiber in die Handfläche, auch noch, als er sich vorbeugt, um einen Blick auf die angebliche Diskrepanz zu werfen, die Youngblood ihm glaubhaft machen will. Dann lässt er den Stift auf den Tisch plumpsen, als er eine Seite umdreht.

Während sich beide Männer vorbeugen, um die umstrittenen Papiere zu studieren, setze ich Stones Plan in die Tat um.

Ich rutsche auf meinem Platz herum und hoffe, dass das Manöver nicht zu aufdringlich ist, aber wahrgenommen wird. Dann, nicht zu langsam und nicht zu schnell, nehme ich die übereinandergeschlagenen Beine wieder nebeneinander.

Ich bin mir nicht mal sicher, ob Youngblood von seinem Platz aus meine Pussy sehen kann, aber mit etwas Glück erzielt allein der Anblick meiner bloßen Schenkel den Effekt, den Stone sich erhofft hat.

Und jetzt sind wir wieder im Zeitlupenland, wie es oft der Fall ist, wenn wieder so eine von diesen bizarren Sachen läuft, die ich seit meinem ersten Arbeitstag hier erlebe.

Ich sitze nun mit leicht gespreizten Beinen da, und das

spannt den Rock um meine Oberschenkel und hebt den Stoff ein wenig an. Nach schier endlosem Warten bewegt Youngblood seinen perfekt gestylten Blondschopf und richtet seinen Blick genau auf meinen Rock – und auf das, was darunter ist.

Bingo!

Jetzt haben wir die Zeitlupe eines Zeichentrickfilms. Die recht ansehnlichen blauen Augen des Personalchefs weiten sich, und ihm bleibt der Mund offen stehen. Der Kugelschreiber, mit dem er eine Zahlenspalte entlanggefahren ist, fällt wie ein Miniaturbaum auf das Papier. Für bestimmt drei Sekunden ist Youngblood nicht in der Lage, den Blick von meinen unteren Regionen zu wenden – dann schaut er zwangsläufig auf und löst sich vom Anblick meiner Pussy.

Unsere Blicke begegnen sich, und ich kann die Tatsache nicht leugnen, dass ich weiß, dass er weiß, dass ich es weiß ...

Genug. So beiläufig, wie ich es zustande bringe, schlage ich wieder ein Bein über das andere und verberge meine Muschi. Youngblood blinzelt wie wild, starrt dann ungläubig auf die Papiere auf dem Tisch, als habe er sie noch nie gesehen, und bläst die Backen ein wenig auf, als ob er einen Schlag in die Magengrube bekommen hätte.

Das alles hat nur Sekunden gedauert, und in der Zwischenzeit hat Stone, wie ich feststelle, seine eigene bravouröse Performance abgeliefert. Ich werfe ihm einen Seitenblick zu, aber er sieht weder zu Youngblood noch zu mir. Er brütet mit gerunzelter Stirn über den Bilanzen und hat die Lippen aufeinandergepresst, als ärgere es ihn, dass sein Gegenüber nicht konzentriert bei der Sache ist.

Aber ich weiß, dass er sich im Stillen amüsiert. Das fühle ich wie eine Welle, die über mir zusammenbricht. Und genau jetzt will ich ihn. Und wie ich ihn will!

»Was, zum Teufel, ist mit Ihnen los, Mann?«, wirft Stone ein und verleiht seiner Stimme einen gereizten Unterton. Er lehnt sich zurück und bringt mit wohl dosierten Gesten zum Ausdruck, dass er sich ärgert.

»Nichts!«, protestiert Youngblood, aber seine Stimme klingt ein bisschen heiser, doch schon im nächsten Augenblick hat er sich wieder gefangen und wirft Stone einen wütenden Blick zu. »Abgesehen davon, dass diese Zahlen hier Unsinn sind, Robert, und das wissen Sie.«

Er sammelt die einzelnen Blätter ein. »Wenn Sie mir die hier lassen, gehe ich die Berechnungen noch einmal durch und komme dann zu Ihnen!« Mit diesen Worten springt er förmlich auf. Offenbar ein Versuch, die für ihn verfahrene Situation wieder unter Kontrolle zu bekommen und seinen verhassten Rivalen endlich loszuwerden.

Wodurch ich wieder mit ihm allein wäre. Oh Gott, was habe ich getan? Wird er darauf Bezug nehmen? Verfügt er über mehr Selbstbeherrschung, als Stone vermutet? Immerhin ist er ein Mann in einer Topposition und ist bekannt für seine coole, selbstsichere Art.

Aber der reuelose Initiator dieser verrückten Situation ist auch selbstsicher. Als wäre nichts gewesen, steht er auf, nimmt seine Unterlagen und strebt der Tür zu.

»Ich lasse Ihnen eine Kopie zukommen, William.«

Youngblood wirft ihm einen hasserfüllten Blick zu, hat sich aber überraschend schnell wieder im Griff. Allmählich habe ich Respekt vor ihm, denn er muss sich mit einem Mann abgeben, der ein wahres Monster sein kann, ganz gleich, wie gut der Sex mit ihm ist.

»Ja, machen Sie das, Robert«, sagt Youngblood schroff, »ich komme dann am späten Nachmittag noch mal zu Ihnen.«

Stone nickt seinem Gegner kurz zu, doch seine Miene wird sehr viel freundlicher, als er mich ansieht. Freundlich und zweifellos lüstern. Ich schaue im Augenblick nicht Youngblood an, aber ich möchte wetten, dass er argwöhnisch die Augen zusammenkneift.

»Maria«, murmelt Stone beim Hinausgehen. Die Hand schon am Türknauf, dreht er sich kurz um und fügt hinzu: »Oh, Sie haben doch vorige Tage für mich die Akten weggebracht, nicht wahr? Sorry, dass ich Sie damit belasten musste, aber es war niemand da, der das für mich hätte tun können.«

Du Arsch, du weißt, dass ich das nicht getan habe!

»Kein Problem. Ja, ich habe sie weggebracht«, lüge ich.

»Ausgezeichnet«, meint er, und da schleicht sich wieder dieses verheißungsvolle Leuchten in seine Augen, das meinen Slip wieder feucht werden lassen könnte, wenn ich einen anhätte. »Bis später dann.«

Und dann ist er weg.

Und ich bin mit Youngblood allein im Büro. Der jetzt auch weiß, dass ich aus irgendeinem Grund keine Unterwäsche trage.

Wir starren beide einen Moment lang auf die Tür, als würden wir ihn uns beide zurückwünschen, was absurd ist.

Dann wendet er sich mir zu. »Tut mir leid, dass wir unterbrochen wurden, Maria.«

Wobei genau? Will er jetzt etwa direkt auf mein kleines Manöver zu sprechen kommen? Das wäre dreist.

Aber es kommt anders.

»Ich fürchte, unser guter Director of Finance glaubt, dass er in allen Belangen ein Mitspracherecht hat. Wo waren wir noch gleich, als wir so rüde unterbrochen wurden?«

Aha, wir spielen also jetzt das Spiel »Tun-wir-einfach-so,-als-wäre-nichts-passiert«. Ich bin ein bisschen enttäuscht von Youngblood. Ich dachte, ich hätte da eine Andeutung eines Stone'schen Wagemuts in ihm entdeckt, aber da muss ich mich wohl geirrt haben. Und da Stone wieder einmal einer Situation seinen Stempel aufgedrückt hat, habe ich überhaupt keinen blassen Schimmer, was Youngblood zu mir gesagt hat, ehe Stone hereinplatzte.

Ich schwafele etwas davon, dass er mich gefragt hat, wie

ich mich eingelebt habe, und das scheint er mir abzukaufen.

»Ja, genau, da waren wir«, sagt er immer noch nervös. Sein ganzes cooles Gehabe von vorhin ist wie weggeblasen. Liegt das nun daran, dass Stone ihn aus dem Gleichgewicht gebracht hat, oder eher daran, dass er etwas unter meinem Rock sah, das er für bedeckt hielt? Wie dem auch sei, scheinbar will er dieses Gespräch jetzt so schnell wie möglich hinter sich bringen. »Ich will Sie dann nicht länger aufhalten, Maria.«

Seine Bewegungen sind angespannt und wirken marionettenhaft, als er mich zur Tür bringt, aber dann schüttelt er mir plötzlich auffallend förmlich die Hand.

»Und vergessen Sie nicht, Maria, wenn Sie Probleme haben, können Sie immer zu mir kommen. Jederzeit. Meine Tür ist immer für Sie offen.«

Ich bin verblüfft, und als ich genauer hinsehe, entdecke ich Entschlossenheit in diesen außergewöhnlich blauen Augen.

»Eh, danke.« Einen Moment lang bin ich ganz verwirrt, wie ich es sonst nur in Stones Gegenwart bin, und ich weiß wirklich nicht, wie ich ihn anreden soll. Doch ehe ich richtig darüber nachdenke, rutscht mir heraus: »Danke, William.«

Triumph blitzt in seinen Augen auf. Glaubt er, dass er jetzt irgendwie gepunktet hat? Stone einiges voraus hat?

Scheinbar, denn ich habe den Eindruck, dass sein Selbstvertrauen wieder voll da ist.

»Ja. Insbesondere wenn Sie Schwierigkeiten mit Direktor Stone haben sollten. Er ...« Immer noch hält er meine Hand, wie ich feststelle, und seine Finger verspannen sich. »Nun, sagen wir's so, er hat die Angewohnheit, manchmal die Angestellten auszunutzen. Wenn Sie also das Gefühl haben, dass er Ihnen Aufgaben zuweist, die eigentlich nicht in Ihren Aufgabenbereich fallen, dann kommen Sie bitte zu mir. Ich werde mich dann für Sie starkmachen.«

Ausnutzen? Gott, William, Sie kennen ja nicht mal das halbe Ausmaß von Stones Wirkung, denke ich. Aber vielleicht weiß er es ja doch? Womöglich ahnt er etwas. Das ist alles sehr interessant.

»Danke«, wiederhole ich höflich, und dann gibt er meine Hand frei. Mit einem Grinsen strecke ich die Hand nach dem Türknauf aus und möchte jetzt schnell sein Büro verlassen, um meine Gedanken zu ordnen. Aber da schießt seine Hand vor und legt sich auf meinen Arm.

»Und Maria, wenn Sie einmal auf einen ... Drink vorbeikommen möchten, oder, sagen wir, einen Kaffee trinken möchten?«

Er macht eine gewichtige Pause, und plötzlich dämmert es mir, dass er auf dem besten Weg ist, mich zu fragen, ob ich mit ihm ausgehen möchte. Du meine Güte!

»Denken Sie darüber nach«, meint er und wirkt jetzt viel sicherer. »Keine Eile. Nichts Verbindliches, versteht sich. Ganz zwanglos.«

Und dann finde ich mich mit einem Mal auf dem Gang wieder, weiß aber gar nicht, wie ich dorthin gekommen bin. Verdutzt frage ich mich, wer jetzt eigentlich den Trumpf ausgespielt hat.

Ich staune, wie schnell Youngblood sich wieder gefangen hat. Er hat gerade ein Machtspiel mit Stone hinter sich und wurde von einer unteren Angestellten ›angeblitzt‹, und trotzdem hat er noch die Geistesgegenwart, mir ein Date anzubieten.

Ob Stone hier einen würdigen Gegner gefunden hat?

Am oberen Treppenabsatz bleibe ich stehen, weil ich merke, dass es nicht so klug ist, ohne Unterwäsche die Stufen hinunterzugehen. Aber ehe ich zum Aufzug gehen kann, ist plötzlich Stone neben mir; ist wie aus dem Nichts aufgetaucht. Er hat wieder sein Jackett an, seine Krawatte ist gerichtet, und es sieht so aus, als habe er sich das Haar gekämmt. Er ist auf dem Weg zu einem der vielen Meetings, hat aber offensichtlich noch Zeit auf einen Flirt.

»Das hat Spaß gemacht«, sagt er leise, als wir gemeinsam die breite Treppe hinuntergehen. Stones große Hand ruht leicht auf meiner Rückenbeuge.

»Das war verrückt!«, gebe ich zurück und konzentriere mich auf meine Füße.

»Genau wie ich es mag. Hat Blondchen nachher etwas zu Ihnen gesagt?«

»Nein. Nur dass ich mich vor Ihnen in Acht nehmen soll, da Sie die Angewohnheit haben, Leute auszunutzen.«

Stone lacht nur, doch plötzlich eilt er einige Stufen hinunter und bleibt auf dem mittleren Treppenabsatz stehen, wo die Treppe eine Biegung macht.

»Zeigen Sie mir, was Sie ihm gezeigt haben«, befiehlt er mit gefährlich lauter Stimme. In meiner Panik schaue ich mich um, aber im Augenblick ist niemand zu sehen.

»Aber ...«

»Tun Sie mir den Gefallen, Miss Lewis«, schnurrt er. »Es gab keine Gelegenheit für mich hinzusehen. Sie können mir doch zumindest das zeigen, was Sie eben diesem kleinen Mistkerl gezeigt haben.«

Ich öffne den Mund, um energisch zu protestieren, aber Stone kommt mir zuvor.

»Eine Sekunde.« Er hält den Zeigefinger hoch. »Nur eine Sekunde.«

Ich kann kaum noch atmen. Er ist wirklich unglaublich. Wie es scheint, setzt er sich über jedes zivilisierte Benehmen hinweg – oder manchmal auch über den gesunden Menschenverstand –, und doch ist er unwiderstehlich, sodass ich gezwungen bin, alles zu tun, was er von mir verlangt.

Als Stone seinen großen Oberkörper zur Seite neigt und mit leuchtenden Augen den Kopf schief legt, setze ich elegant meinen Fuß auf eine höhere Stufe und spreize leicht die Beine.

Seine schönen braunen Augen weiten sich, und er beißt sich auf die Unterlippe. Und stößt ein leises, beinahe schmerzvolles Stöhnen aus.

Plötzlich sind Stimmen im Treppenaufgang zu hören.

Ich zucke zusammen, verliere den Halt und stolpere die Stufen hinunter, doch Stone hat sich im selben Moment aufgerichtet und fängt mich rechtzeitig auf, denn sonst wäre ich kopfüber die Treppe hinuntergefallen.

Er gibt mir Halt, und ich fühle mich augenblicklich sicher. Dann stützt er mich leicht am Ellbogen und führt mich die Treppe hinunter.

9. Kapitel

Aus zum Mittagessen

Zwei Stunden später stehe ich in einer Schlange und fühle immer noch seine Hand an meinem Ellbogen.

Ich habe mich nach all den unglaublichen Vorfällen des Vormittags zum Essen davongemacht und beschließe, mir im Café Mario ein riesiges Sandwich und einen köstlichen, aber überteuerten italienischen Kaffee zu gönnen. Wenn ich über meinen Kontostand oder meine Kreditrückzahlungen nachdenke, sollte ich das wohl eher nicht machen. Aber was soll's! Man gönnt sich ja sonst nichts.

Einige Einkaufstüten baumeln von meiner Hand, als ich das Tablett halte.

Ich habe ein Sandwich und einen Muffin ausgesucht, dazu einen Orangensaft. Der Barista bereitet gerade meinen Latte macchiato. Ich will gar nicht erst darüber nachdenken, was das alles kosten mag, aber ich bin so in meine Gedanken vertieft, dass es zu spät ist, etwas vom Tablett zurückzustellen.

Die Bedienung tippt mit einem Lächeln die Preise ein, nennt die Summe, und ich zucke zusammen. Aber bevor ich in meinem Portmonee nach dem Betrag suchen kann, schiebt sich ein Arm an mir vorbei und reicht der Bedienung eine Zwangzigpfundnote.

Ich schließe die Augen und halte den Atem an, als mein Herz zu hämmern anfängt. »Danke, aber das war nicht nötig«, sage ich und wundere mich, warum ich überhaupt darüber nachdenke, dass es jemand anders als Stone sein könnte. Aber woher weiß er wieder, wo ich gerade bin?

»Das lasse ich mir nicht nehmen«, murmelt Stone bedeutungsvoll, als ich mich zu ihm umdrehe. Ich habe keine

Ahnung, wie lange er schon hier im Café ist, ob er mir nachgegangen ist oder rein zufällig vorbeikam. Denn eigentlich hätte ich ihn auf meinem inneren Radarschirm sehen müssen, als er das Café betreten hat. Aber hier ist er, steht unmittelbar neben mir, das dicke Portmonee noch in der Hand.

Das Mädchen hinter der Theke spürt, dass sie es mit einer Autoritätsperson zu tun hat, und nimmt die zwanzig Pfund, und als der Barista mir den Kaffee reicht, höre ich Stone sagen: »Suchen Sie sich einen Tisch, Maria, ich bin gleich bei Ihnen.«

In dieses Café kommen viele Leute zur Mittagszeit, aber vielleicht hat Stone spezielle magische Kräfte, denn auf wundersame Weise ist noch genau ein Tisch am Fenster frei, von wo aus man die Fußgängerzone beobachten kann. Die Sonne scheint, die Leute schlendern mit ihren Einkaufstaschen vorbei oder hasten zurück zur Arbeit, aber plötzlich kommen mir weder die sonnendurchfluteten Einkaufspassagen noch die Fußgänger real vor.

Ich bin gefangen in einem Paralleluniversum namens *Stones Welt*. Als ich mein Mittagessen sehe, kann ich mir nicht vorstellen, jemals wieder Appetit zu haben. Solange es nicht um meinen Appetit nach diesem Mann geht ...

Augenblicke später nimmt sein großer Körper den Platz gegenüber von mir ein. Stone stellt sein Essen auf den Tisch und schiebt sein Tablett zur Seite.

»So sieht man sich wieder«, meint er und ist offenbar in bester Stimmung.

Ich weiß nicht, was ich sagen soll. Ich brauche ihn nur vor mir zu sehen, und schon habe ich das Gefühl, nicht mehr richtig Luft zu bekommen. Ich muss wieder Bodenhaftung kriegen! Aber wie soll das gehen, wenn mir das Leben so surreal vorkommt, sobald es um diesen Mann geht? Das, was sich heute an einem einzigen Vormittag abgespielt hat, erleben manche Leute in ihrem Sexleben vielleicht in einem ganzen Jahr nicht.

Ich schaue ihn nur stumm an, während er mit seiner Papierserviette herumfummelt und kritisch die Füllung seines Sandwiches beäugt, ehe er herzhaft hineinbeißt.

»Wollen Sie gar nicht Ihr Sandwich probieren?«, erkundigt er sich kauend.

Mein Ciabattasandwich mit Schinken sah toll aus, als ich es mir ausgesucht habe, aber jetzt will ich es nicht mehr.

»Kommen Sie, Maria, Sie müssen doch bei Kräften bleiben!«

Er greift über den Tisch, faltet meine Serviette auseinander und wirft sie mir mit beachtlicher Präzision auf meinen Schoß. Dann nimmt er mein Sandwich und führt es an meine Lippen.

»Was machen Sie da, zum Teufel?«, sage ich und will mich eigentlich umgucken, ob uns jemand beobachtet, aber dann füge ich mich, beuge mich vor und beiße von dem Sandwich ab.

Was, zum Teufel, mache *ich* da eigentlich?

Ich nehme ihm das Sandwich ab und lege es wieder auf meinen Teller.

»Ich sorge nur dafür, dass Sie etwas Ordentliches zu essen bekommen.« Er stochert in der Schachtel mit Salat herum, die er sich gekauft hat, und steckt sich eine Cherrytomate nach der anderen ganz in den Mund.

»Ich brauche kein Kindermädchen, das mir beim Essen hilft«, entgegne ich sauer und nehme hastig einen Schluck von meinem Saft.

Stone scheint einen Moment seinen Gedanken nachzuhängen, und ein gerissener, leicht verträumter Ausdruck schleicht sich in sein breites Gesicht. »Das wäre doch eine Idee.«

»Hören Sie, was Sie da auch immer denken, vergessen Sie's!« Meine Wut gibt mir Kraft. Dieser Mann ist mein Chef, zumindest einer aus der Chefetage, aber plötzlich habe ich das Gefühl, mich behaupten zu müssen. Zumindest hier. Ich brauche eine Auszeit. Ich muss zurück in die Normalität finden.

Sein Lächeln vertieft sich, und ganz bedächtig leckt er sich ein bisschen Senf von der Fingerspitze. »Ja, natürlich, *Herrin*.« Er verleiht dem absolut unnötigen Wort einen lüsternen Nachdruck.

»Hören Sie damit auf!«

Zu meinem Schreck ist meine Stimme viel zu laut geworden, und obwohl ich versucht habe, keine Aufmerksamkeit auf mich zu ziehen, drehen sich jetzt ein paar Leute nach uns um. Und genau das wollte ich vermeiden.

»Tut mir leid, Maria«, murmelt er zerknirscht, aber ich weiß, dass er den Reumütigen nur spielt. Ich weiß das, weil ich wieder dieses Glitzern in seinen Augen sehe. »Aber das ist Ihre Schuld. Sie bringen mich eben immer auf diese durchtriebenen Gedanken.« Er deutet mit einem Kopfnicken auf mein Essen. »Aber ich werde mich beherrschen. Kommen Sie, essen Sie Ihr Sandwich.«

Ich versuche es, aber es fällt mir schwer. Ich weiß nicht, wo ich hingucken soll. Wenn ich Stone ansehe, wird er es ausnutzen und seine Spielchen mit mir spielen, schau ich zur Seite, sieht es aus, als ob ich schmolle und zickig bin.

Aber wie es scheint, lässt er mich vom Haken. Er kaut genüsslich, nimmt ab und an einen Schluck Kaffee und gewährt mir endlich die Atempause, die ich brauche, indem er entspannt aus dem Fenster guckt. In aller Ruhe lässt er die wogende Menschenmenge auf sich wirken und genießt es, die Leute auf der Straße zu beobachten. Dabei wollte ich ursprünglich genau das tun, um mich zu entspannen.

Für einen Moment bin ich so frei, ihn etwas genauer unter die Lupe zu nehmen.

Wenn ich ihn nicht kennen würde, käme mir sein großes Gesicht im Profil ganz gewöhnlich vor. Wäre ich ihm noch nie begegnet und würde ihn zufällig in der Einkaufspassage sehen, würde ich mich bestimmt nicht nach ihm umdrehen, obwohl er überdurchschnittlich groß ist.

Wer käme auf die Idee, dass er ein verrückter, sexbesessener Typ ist, der die Gefahr liebt und seit kurzem mein Leben und auch mein Denken bestimmt?

Ich schaue zur Seite. Es wird mir zu viel. Ich weiß nicht, was ich machen soll.

Die Wände des Cafés sind dunkel gehalten und erfreuen das Auge mit Drucken, die alte italienische Stadtansichten zeigen. Ein bisschen klischeehaft, wie ich finde, aber das Ambiente stimmt. Nicht zu *trendy*, nicht zu exklusiv, gerade individuell genug. Die meisten Gäste sind jüngere Büroangestellte. Stone dürfte einer der ältesten Leute hier sein. Gerade frage ich mich, ob ich wieder einen Blick in seine Richtung wagen kann, da steht eine junge Frau am Nebentisch auf und geht in den hinteren Bereich in Richtung Toiletten.

Sekunden später geht ihr ein junger Mann von einem anderen Tisch nach.

Und ›Action!‹ Vor meinem geistigen Auge läuft ein Film ab.

Ich stelle mir vor, wie die beiden sich in einer Toilettenkabine die Kleider vom Leib reißen, wie Mel und ich es im Blue Plate gemacht haben. Ich male mir aus, wie er sie gegen die dünne Wand drückt und sie im Stehen bumst, genau wie Stone und ich heute Morgen im Hinterhof.

»Was ist los? Lust auf einen Quickie?«

Mein Kopf fährt herum, und ich sehe in Stones breites Grinsen. »Ich bin dabei, wenn Sie Lust haben«, fügt er hinzu und spricht lauter, als es in dieser Situation angemessen ist. Aus den Augenwinkeln sehe ich, dass eine blonde Frau an einem der Nachbartische interessiert den Kopf hebt.

»Werden Sie wohl den Mund halten!«, zische ich, aber da schenkt er mir wieder dieses unnachahmliche, durchtriebene Grinsen, als er sich in seinem Stuhl zurücklehnt und wie ein

Zauberkünstler den unbenutzten Teelöffel zwischen den Fingern dreht. Der Anblick seiner cleveren Fingerspitzen, die so geschickte Bewegungen vollführen können, macht die Sache nur noch schlimmer. Ich kann förmlich spüren, wie diese Finger sich zwischen meinen Beinen zu schaffen machen.

»Warum diese Entrüstung, Maria?«, sagt er in die Pause seiner psychologischen Kriegsführung hinein. Ich kann mir nicht vorstellen, dass er nicht genau weiß, was für eine Wirkung er auf mich ausübt, wenn er den Löffel zwischen den Fingern jongliert. »Sie haben mir doch selbst von Ihrem kleinen Ausflug mit Mel in eine Toilettenkabine erzählt. Warum können Sie das dann nicht mit mir machen? Wenn Sie sich auf ein Rohr einlassen wollen.« Er zuckt mit einer dunklen Augenbraue, und seine ganze Körpersprache ist eine Zumutung.

»Sie sind ein unersättlicher Bastard, M ...«

Ich unterbreche mich. Wie soll ich ihn bloß nennen? Ich habe keinen Schimmer. ›Robert‹ erscheint mir zu vertraulich, ungeachtet der Dinge, die zwischen uns gelaufen sind. Denn mir würde im Traum nicht einfallen, uns als Freunde zu bezeichnen. Und wenn ich ihn ›Mr. Stone‹ nenne, könnte er das als Hinweis deuten, dass ich wieder bereit bin, das alte Spielchen mit ihm zu spielen. Und das will ich im Augenblick nicht. Oder doch?

Er wartet, und ich merke, dass er genau weiß, in was für einem Dilemma ich stecke. Vermutlich lacht er im Stillen über meine Versuche, mich aus dieser Sackgasse zu befreien.

»Sie sind ein unersättlicher Bastard, *Stone*«, wiederhole ich möglichst leise, aber so, dass er mich hören kann. Mir ist vollkommen klar, dass die Blondine nebenan die Ohren spitzt, um ja kein Detail unseres pikanten Gesprächs zu verpassen. »Sie hatten Ihren Anteil heute Morgen.«

»Oh, sagen Sie doch bitte Robert zu mir«, meint er mit einem verschmitzten Lächeln und schiebt seinen Salat zur Seite. »Wir sind doch Freunde, oder nicht?«

»Schauen Sie, ich weiß nicht, wie ich das beschreiben soll, was uns vielleicht verbindet. Aber wir sind bestimmt keine Freunde, so viel steht fest.«

Ruckartig beugt er sich über den Tisch und ist plötzlich ganz dicht vor mir. »Was mich betrifft, so zähle ich Sie zu meinen Freunden, Maria«, sagt er und mustert mich ausgiebig mit seinen sinnlichen braunen Augen. »Als ich heute Morgen in Ihnen war, selbst da habe ich einen Freund in Ihnen gesehen.« Er fährt sich mit der Zungenspitze über die obere Zahnreihe, fast wie ein Raubtier, das sich jeden Moment auf seine Beute stürzen wird.

Ich kann ihm nicht glauben! Ich spüre, dass er jede Sekunde die Hand blitzschnell nach mir ausstreckt und mich zu einem Kuss an sich zieht.

Aber ich kann nicht zurückweichen. Ich bin wie gelähmt.

Für bestimmt drei oder vier Sekunden nimmt er mich allein mit seinem Blick gefangen, dann schüttelt er leicht den Kopf, lehnt sich genüsslich zurück und setzt ein arrogantes, fast unverschämtes Lächeln auf. Wieder ganz die Siegerpose!

Fuck you!, forme ich mit den Lippen und starre dann grimmig auf meinen Teller, während ich mein unschuldiges Sandwich, das ich sowieso nicht mehr wollte, zerpflücke.

Der Bastard!

Er ist mein Abteilungsleiter. Er ist ein wahrer Ochse von einem Mann in mittleren Jahren. Er treibt mich in den Wahnsinn. Und trotzdem würde ich jetzt alles geben, um wieder mit ihm in diesem Hinterhof zu stehen. Ich spüre, wie er mich im Rhythmus gegen die Mauer stößt.

Aber während ich das denke, greift er über den Tisch, schiebt den Teller mit meinen Sandwichresten zur Seite und stellt stattdessen den Muffin vor mich. Aber dann bricht er ein Stück davon ab und fordert meinen Protest heraus, als er sich den Bissen in den Mund steckt.

»Das ist verrückt. Was machen Sie da?« Unwillkürlich

ahme ich ihn nach und stelle fest, dass der Muffin köstlich schmeckt – trotz alledem.

»Nun, ich dachte, ich esse mal mit einer meiner Angestellten zu Mittag. Was ist daran so seltsam?«, meint Stone verbindlich und schielt wieder auf meinen Muffin. Ich verspüre das Verlangen, ihm das Ding zu überlassen – wie manches andere auch –, aber ich bleibe starrköpfig.

»Nein, ich spreche nicht vom Mittagessen. Mir geht es um ... alles andere. Ist das nicht gefährlich für Sie? Die Risiken, die Sie in Kauf nehmen, meine ich. Ein Mann in Ihrer Position muss doch einen untadeligen Charakter haben, oder etwa nicht?«

Er sieht mich nur an, lächelt leise, ganz das Abbild perfekt kontrollierter Freude.

»Haben Sie keine Angst, erwischt zu werden?«

»Doch, natürlich. Aber genau deswegen mache ich das ja. Das ist meine ›psychische Störung‹, wie es immer in den Polizeifilmen heißt.« Er tut seine Worte mit einem Schulterzucken ab, als läge sein riskantes Verhalten nicht in seinen Händen. Als wäre er ein Opfer seines Schicksals und seiner eigenen Bedürfnisse. »Wenn ich auf Nummer sicher gehen würde, könnte ich es gleich bleiben lassen. Gibt man auf, kostet man das Leben nur halb aus.«

Einen Moment lang kommt mir die Stimmung düster vor, und ich spüre etwas Tiefes und beinahe Trauriges an diesem erstaunlichen Mann, aber dann kommt es zu einem telepathischen Klick, und er weiß, diesen Eindruck zu zerstreuen, ohne etwas getan zu haben.

Er greift über den Tisch und nimmt wieder ein Stück des Muffins. Dann, immer noch kauend, fasst er unter den Tisch, macht sich an meinen Einkaufstaschen zu schaffen und holt meine M&S Tüte hervor.

Was sonst?

»Aha, was haben wir denn hier?«

Ich springe halb über den Tisch, um ihm die Tasche aus der Hand zu reißen. Ich traue ihm glatt zu, dass er den Inhalt herausholt und vor aller Augen kommentiert. Aber er ist schneller als ich. Er nimmt die Tasche zur Seite und gibt sich zum Glück damit zufrieden, nur hineinzusehen.

Seine dunklen Brauen zucken. »Baumwolle und Lycra. Fünferpack. Weiß. Größe 12–14.« Er wirft mir einen spöttischen Blick zu. »Die sind strapazierfähig, nicht wahr?«

»Ja, das sind sie. Und ich wollte auch strapazierfähige Dinger haben.« Ich überlege, ob ich noch einen Versuch unternehmen soll, ihm die Slips zu entreißen, aber ich male mir aus, was er damit anstellen könnte, wenn ich keinen Erfolg habe. »Ich konnte keine mit Aramidfaserverstärkung finden. Also musste ich mich mit denen begnügen.«

»Das tut mir leid.« Endlich überlässt er mir die Tasche und fasst in seine Jacketttasche. Dann zieht er weitere Zwanzigpfundnoten aus seinem Portmonee und legt sie vor mir auf den Tisch. »Besorgen Sie sich ein paar hübschere, und ich verspreche Ihnen, sie beim nächsten Mal nicht zu zerreißen.«

Ein Teil meines Wesens flüstert mir zu, mich aufzuregen und ihm zu sagen, dass er sich sein verdammtes Geld sonst wo hinstecken soll und dass ich keine Nutte bin. Aber da ist noch die andere Stimme in mir, mein verborgenes Ich, das immer genau auf Stones Wellenlänge ist und das, ganz gleich, wie sehr ich protestiere, es vor Aufregung kaum aushält, dass er mich ›kauft‹. Es juckt mir in den Fingern, die Banknoten zu nehmen und in mein Portmonee zu stecken (ich brauche das Geld, weiß Gott!), aber ich gebe mich damit zufrieden, sie vorerst auf dem Tisch liegen zu lassen.

Mit leiser Stimme drängt Stone sich wieder in meine Gedanken. »Nun, wenn Sie sich im Augenblick etwas zu *zugänglich* finden, Miss Lewis, dann könnten Sie sich doch kurz aufmachen und einen dieser köstlichen, strapazierfähigen Slips anziehen.« Er deutet mit einem Nicken in Richtung Toiletten.

Mein Herz beginnt zu hämmern, und dieser *zugängliche* Bereich zwischen meinen Beinen fängt an, vor Sehnsucht zu flirren.

Ich bin wieder ›Miss Lewis‹ und habe keine Chance, mich der Aufforderung zu widersetzen.

Ich bin ein bisschen wackelig auf den Beinen, als ich in die Damentoilette stolpere und in eine freie Kabine gehe.

Ob er mir wohl folgt?

Unwahrscheinlich, da dauernd Frauen hinein- und hinausgehen, und das wird auch ihm nicht entgangen sein. Er liebt das Risiko, aber er ist kein Vollidiot.

Ich versuche zu pinkeln, aber ich bin da unten so verspannt, dass ich eine Weile brauche. Ich weiß genau, dass er jetzt dasitzt und spekuliert, was ich hier mache, und weil ich ihn nicht enttäuschen will, reibe ich mich ein bisschen.

Und etwas mehr.

Und etwas stärker.

Das wird langsam zur Gewohnheit, dass ich auf der Toilette hocke und an Stone denke. Aber ich bringe mich in Spitzengeschwindigkeit auf den Gipfel, weil ich weiß, dass er das von mir erwartet.

Die Blondine kommt herein, als ich die Kabine verlasse, sieht mich aber nicht komisch an, also vermute ich, dass sie nichts von unserem Gespräch verstanden hat. Als sie in die Kabine geht, aus der ich gerade gekommen bin, fange ich an, mir die Hände zu waschen.

Dann halte ich inne.

Das ist nicht das, was er wirklich wollte, oder?

Vor mir blitzt das Bild auf, wie er meine Hand dicht an sein Gesicht führt.

Ich trockne mir rasch die Hände, schlage meinen Rock hoch, fasse in meinen brandneuen Slip aus Baumwolle und Lycra (weiß, Größe 12–14) und salbe meine Fingerspitze mit der zähen Feuchtigkeit dort unten.

Keuchend wie ein Boxer, der gleich in den Ring steigt, gehe ich schnell den kleinen Gang entlang und betrete wieder das Café.

Und stelle fest, dass sich jemand auf meinen Platz gesetzt hat: Greg.

Oh, was jetzt?

Als ich mich dem Tisch nähere, schnappe ich ein paar Gesprächsfetzen auf und merke zu meiner Erleichterung, dass die beiden sich über *Workstations* und Zugangsbeschränkungen unterhalten und über den anderen Kram, der mit dem notorisch anfälligen Computernetzwerk in Borough Hall zu tun hat, in das schon jede Menge Gelder geflossen sind. Aber als ich den Tisch erreiche, fallen dem armen Greg beinahe seine treuen Hundeaugen aus dem Kopf. Ich habe keine Ahnung, wen er auf dem freien Stuhl gegenüber von Stone vermutet hat, aber mein Gefühl sagt mir, dass er am allerwenigsten mit mir gerechnet hat.

Er läuft rot an und stammelt: »Tut mir leid, ich wollte nicht … eh … mir war nicht klar, dass du hier sitzt.« Wie betäubt bleibt er noch einen Moment sitzen und springt dann wie von der Tarantel gestochen auf. Stone ist, wie ich sehe, längst höflichkeitshalber aufgestanden und gefällt sich in der Rolle ›Schau, was für gute Manieren ich habe‹. Trotzdem hält er es nicht für nötig, Greg zu erzählen, warum wir hier zusammen zu Mittag gegessen haben, und mir fällt auf die Schnelle auch nicht ein, was ich meinem Nachbarn sagen soll.

»Setzen Sie sich doch zu uns, Greg«, sagt Stone gönnerhaft und deutet auf einen freien Stuhl am Nachbartisch.

»Eh … nein … trotzdem danke.« Greg ist noch ganz durcheinander, und seine Augen huschen von Stone zu mir und wieder zu Stone. Dann starrt er mit offenem Mund auf das Geld, das immer noch auf dem Tisch liegt. Weiß Gott, was ihm in diesem Augenblick alles durch den Kopf schießt. Ich weiß ja selber nicht genau, was eigentlich los ist.

»Ich wollte mir nur schnell etwas zum Mitnehmen holen«, plappert er weiter. »Wollte noch in den PC Laden und ein paar Teile besorgen.«

»Wie schade. Dann vielleicht ein andermal.« Stone hat wieder Platz genommen, und da wissen wir alle, dass Greg sich nun verabschieden darf. Augenblicke später hat er das Café verlassen, aber draußen wirft er noch einen letzten Blick durchs Fenster auf unseren Tisch. Seine Stirn ist gerunzelt, die Lippen bilden einen dünnen Strich.

»Hatten Sie den schon?«, erkundigt Stone sich wie beiläufig, als Greg im Gewimmel der Einkaufspassage verschwindet.

»Nein, natürlich nicht. Er ist nur ein Freund.« Was wahrscheinlich nicht die klügste Antwort war, wenn ich darüber nachdenke, was für eine bizarre Theorie Stone vorhin über Freundschaft entworfen hat.

»Sie sollten es mal mit ihm versuchen«, fährt er fort und streckt die Hand nach der Marks and Spencer Tüte aus, um den Inhalt zu überprüfen.

Stattdessen packt er mein Handgelenk und betrachtet meine Hand einen Augenblick lang. Dann zieht er sie an sein Gesicht, genau wie ich es mir gedacht habe. Sowie seine empfindliche Nase meinen Duft wahrnimmt, flirren die Nasenflügel, und pure Freude zeichnet sich in seinen schelmischen Zügen ab, die er mit einem breiten Grinsen zu unterstreichen weiß.

»Oh, Maria, Maria«, gluckst er, »Sie sind genau mein Mädchen.« Und damit haucht er einen Kuss auf meine Finger.

Ich befürchte, gleich in Ohnmacht zu fallen, aber da ist die Liebkosung auch schon verflogen. Plötzlich kommen wir wieder auf Greg zu sprechen.

»Er ist jung, steht noch voll im Saft und hat sich in Sie verknallt. Ich denke, Sie sollten wirklich mit ihm vögeln.«

Ich hatte schon ein paar Freunde in meinem Leben. Nicht allzu viele, und Stone zähle ich sowieso nicht dazu, aber ich kann mir nicht vorstellen, dass die Männer, mit denen ich geschlafen habe, auch nur ansatzweise von der Idee angetan gewesen wären, dass ich mit einem anderen ins Bett gehe. Normalerweise halten Männer das für die ultimative Beleidigung ihrer Männlichkeit.

Stone natürlich nicht. Er ist eben kein normaler Mann.

Er hat eine strahlende Miene aufgesetzt, gibt sich seinen Fantasien hin und sieht richtig begeistert aus.

»Und das würde Sie nicht stören?«

Er spielt wieder mit dem Löffel herum und schenkt mir einen eigenartigen, verstohlenen Blick, während er den Löffel durch seine Finger gleiten lässt.

»Nein, ich fände das aufregend.« Er zwinkert mir zu. »Jetzt, da ich es vorgeschlagen habe, werden Sie das für mich tun, nicht wahr?«

Ohne Zweifel. Jetzt. Seitdem er mich dabei erwischt hat, wie ich Sandy und Youngblood im Keller zugesehen habe, scheint mein ganzes Sexleben darauf ausgerichtet zu sein, diesem Mann zu gefallen, ihn zu amüsieren und zu unterhalten.

»Aber vielleicht will er mich gar nicht.«

»Seien Sie nicht dumm, Maria.« Seine Stimme klingt scharf, fast verärgert. »Er ist verrückt nach Ihnen, und das wissen Sie. Sie müssten nur einen Finger krumm machen, und er würde wie ein kleines Hündchen zu ihren Füßen winseln.«

Ich nehme das Bild gleich auf und sehe, dass es sich laufend verändert. Zuerst sehe ich Greg nackt vor mir am Boden kauern, dann William Youngblood, dann Stone selbst. Männer, die sich vor mir erniedrigen. Darüber habe ich bislang nicht nachgedacht, aber jetzt erregt mich die Vorstellung. Ich bezweifele, ob Greg oder Youngblood mit dieser Situation glücklich wären, aber Stone ist so pervers und begierig, dass ihm das wahrscheinlich Spaß machen würde.

»Wie steht's mit anderen Kerlen? Youngblood zum Beispiel«, frage ich, obwohl ich weder an Youngblood noch an Greg noch an sonst einem Mann interessiert bin. Ich schwelge in meiner Fantasie und stelle mir vor, wie ich meinen Fuß, der in einem hochhackigen Schuh steckt, auf Stones Nacken platziere.

»Ja, natürlich, unser kleiner blonder Freund.« Sein Tonfall ist beschwingt, unbefangen.

»Er hat mich gefragt, ob ich mal mit ihm ausgehe, wissen Sie?« Stones Augen verengen sich. »Sozusagen. Er meinte, ob ich nicht mal Lust auf einen Drink hätte.«

»Ja, dann machen Sie das«, empfiehlt er mir mit echter Begeisterung in der Stimme. »Holen Sie den kleinen geilen Kerl aus seiner Misere heraus. Wahrscheinlich holt er sich gerade jetzt, während wir hier sitzen, einen runter, weil Sie sich so gut aufs Blitzen verstehen.«

Sein Mund verzieht sich zu diesem weißen, hoch erfreuten Lächeln.

»Ich habe das jedenfalls schon getan.«

10. Kapitel

Schwärmerei

Die Vorstellung, dass ein Mann sich wegen mir einen runterholt, belebt meine Fantasie und auch gewisse Körperbereiche.

Ich muss immer wieder daran denken, obwohl heute so viel passiert ist. Jetzt ist der Abend angebrochen, und ich bin in meinem Apartment, aber ich werde die Bilder nicht los.

Nachdem Stones Bemerkung über seine Selbstbefriedigung wie eine Bombe bei mir eingeschlagen war, sprang er plötzlich auf, äußerte sich abfällig über noch anstehende Meetings und meinte, er wäre spät dran. Er scheint die Fähigkeit jedes Machtmenschen zu besitzen, von jetzt auf gleich von einer Rolle in die andere zu verfallen, und das nahtlos und ohne erkennbares Bedauern. Und als er mich auf dem Trockenen ließ, und ich echt sauer auf ihn war, gab er sich gleichgültig, fast schon distanziert. Er war nicht länger der lächelnde, unverbesserliche, Spiele liebende Perversling, sondern nur noch der kühle, allmächtige Director of Finance.

Der Mistkerl.

Und doch würde ich zu gerne mit ihm vögeln!

Schon wieder.

Als ich in den Keller ging, um endlich diese vermaledeiten Akten an Ort und Stelle zu bringen, hoffte und betete ich, er möge irgendwo dort unten sein und mich mit einer weiteren Strafmaßnahme empfangen, weil ich die Akten nicht schon längst weggebracht hatte. Natürlich stellte ich mir auch vor, er würde masturbieren, während er auf mich wartete.

Aber ich hatte kein Glück.

Also muss ich mich damit begnügen, mir in meiner Fantasie auszumalen, wie er sich selbst befriedigt.

Ich stelle mir vor, wie er in dem kleinen Bad steht, an der Wand lehnt, den Kopf in den Nacken wirft und den Mund fast unter Schmerzen verzerrt, während er wie wild reibt. Ja, er sieht wirklich mitgenommen aus, beinahe schön, und als er endlich kommt, stöhnt er laut: »Oh, Mann! Oh, ja!« Ich traue mich nicht, ihm meinen Namen in den Mund zu legen, weil das vertraulicher wäre als alles, was wir bislang gemacht haben. Doch dann wünschte ich, er würde es tun. Ich lasse die Szene noch einmal ablaufen, und er keucht »Maria!« und bricht fast zusammen, als er kommt.

Während ich mich meinen Tagträumen hingebe, stiehlt sich meine Hand in die Pyjamahose, aber gerade als ich mich berühren will, klopft es leise an die Tür.

Wer mag das sein? Ein Klopfen kann ja nur heißen, dass es jemand ist, der schon im Haus ist.

Mel?

Greg?

Mel ist vor ungefähr einer halben Stunde mit ihrem Motorrad davongebraust, also wird es Greg sein. Er hat noch spät gearbeitet (sagte er zumindest), und daher habe ich ihn seit der Begegnung im Café Mario nicht gesehen.

Hm ... merkwürdig.

Vorsichtig hülle ich mich in meinen Morgenmantel und öffne die Tür.

Da steht Greg, aber er grinst scheu, als wäre nichts passiert. In der linken Hand balanciert er eine riesige Pizzaschachtel, der göttliche Düfte entströmen, in der anderen hält er einen Sixpack mit belgischem Bier.

Hm, lecker!

»Hab mich gefragt, ob du schon zu Abend gegessen hast.« Er schenkt mir ein gewinnendes Lächeln, und seine großen, treuen Augen lassen mich dahinschmelzen. »Unten an der

Ecke haben sie Family-Pizza im Angebot, und da konnte ich nicht nein sagen.«

Da habe ich schon die Tür weit aufgemacht und bitte ihn herein. »Ich hätte mir eine Dose Bohnen aufgemacht, aber du hast mir gerade ein Angebot gemacht, dem ich nicht widerstehen kann. Sollen wir uns was im Fernsehen angucken oder eine DVD?«

Augenblicke später verfolgen wir wie mündige Bürger die Nachrichten und schaufeln Pizzastücke in uns hinein. Auch das Bier ist klasse, hat aber ziemlich viele Umdrehungen, und das unterstützt mich nicht gerade in meinem Vorhaben, cool, freundlich und brav zu bleiben und ja nichts zu tun, was uns in Schwierigkeiten bringen könnte.

Ich gebe mir wirklich Mühe, nicht an Stone zu denken. Oder Greg als etwas anderes als einen netten Kumpel zu sehen. Aber das fällt mir schwer. Schon wieder bestimmt Stone mein Denken, als wäre er längst fest in meinen Genen verankert. Und Greg ist zweifellos ein heißer Typ.

Er ist jung, sieht gut aus und hat einen tollen Körper. Und unter dem zerzausten Haarschopf ist er ein Genie, und das finde ich genauso attraktiv wie seine körperlichen Vorzüge. Gregs Computerfähigkeiten sind für mich genauso aufregend wie Stones abgedrehte Sexfantasien.

Ich weiß nicht, was Stone für mich empfindet. In Gregs Fall verrät mir schon sein treuer Hundeblick, dass er echt in mich verknallt ist.

Was den Abend ein wenig riskant machen könnte. Zumal ich hier in einer knappen Pyjamahose und einem durchscheinenden Morgenmantel sitze.

Wir essen schweigend, achten aber nicht wirklich auf den einschläfernden Bericht über EU Handelsrichtlinien.

»Also, du und Stone? Habt ihr ... eh ... was miteinander?«

Ich verschlucke mich an einem Stück Pizza, und Greg muss mir auf den Rücken klopfen.

»Tut mir leid«, entschuldigt er sich, als ich wieder zu Atem komme. Ich nehme schnell einen Schluck Bier. »Geht mich ja nichts an. Ich hätte nicht fragen sollen.«

»Ist schon okay, die Frage ist berechtigt.« Ich stelle die Flasche neben mich und weiß nicht recht, was ich sagen soll. Stone und ich haben was miteinander, ja, aber nicht so, dass man sagen könnte, wir wären zusammen oder so. Hätte ich ganz normal mit Stone zu tun, würde ich jetzt vielleicht mit *ihm* und nicht mit Greg Pizza essen.

»Und?«, hakt er nach, da er seine Neugier offenbar nicht für sich behalten kann. Oder ist er eifersüchtig? Ich werfe ihm einen Blick zu und sehe seinen sehnsuchtsvollen Augenausdruck. Ich sollte lügen, um ihn nicht zu verletzen, aber das schaffe ich nicht.

»Ja, da läuft was zwischen uns.«

Er sieht ein bisschen niedergeschlagen aus. »Nur so ... oder läuft da richtig was?«

Was will er mir bloß sagen? »Ich weiß nicht, was du meinst, Greg.«

Er kaut wie verrückt auf seiner Pizza herum, obwohl ich wette, dass er den Geschmack gar nicht wahrnimmt. »Ich habe euch gesehen.«

»Ja ... wir waren im Café Mario. Na und?«

»Nein! Ich habe dich und ihn unten im Hinterhof gesehen. Ich ging die Haupttreppe hinunter, weil ich dich noch fragen wollte, ob wir mittags vielleicht zusammen essen gehen könnten, und da sah ich, wie er dich fortzerrte.« Er beißt wieder in die Pizza und kaut wie mechanisch. »Ich ging euch kurz nach, bis ich merkte, wohin er dich brachte. Also sauste ich nach oben und schaute vom Fenster in den Hof.«

»Oh.«

Greg hat also gesehen, wie Stone mich an der Mauer vögelte. Ich sollte erschrocken und zutiefst zerknirscht sein. Stattdessen bin ich furchtbar aufgeregt. Ich habe es noch nie vor anderen Leuten gemacht, aber wenn ich jetzt daran denke und mir vorstelle, wie Greg mit geweiteten Augen unsere Performance gesehen hat, regt sich tief in mir die Begierde. Gewaltig. Ich kann es nicht leugnen. Und ich will unbedingt was dagegen tun.

Unwillkürlich höre ich Stones Stimme, die mir zuraunt: »Sie sollten wirklich mit ihm vögeln.« Und ich möchte tatsächlich mit Greg bumsen. Er ist jung und frisch und sieht gut aus, und als ich ihm einen verstohlenen Blick zuwerfe, sehe ich, dass er eine beachtliche Erektion in seiner Hose hat.

Aber wäre das ihm gegenüber fair? Ich spüre, dass Gregs Gefühle nicht so oberflächlich und verschlagen sind wie Stones. Mit ihm ist es ›Junge trifft Mädchen‹, ›Junge verknallt sich in Mädchen‹ und ›Junge bumst Mädchen, und sie treibt es mit keinem anderen.‹

Greg zuckt die Schultern und stellt seinen Teller zur Seite. Er hat gesehen, dass ich auf seine Hose geschielt habe. »Was soll ich machen, Maria? Ich mag dich wirklich. Ich finde dich echt toll. Ich sollte höllisch eifersüchtig sein und dich hassen, weil du was mit Stone hast.« Er spitzt die Lippen und ist über seine eigene Reaktion verblüfft. »Aber das war die heißeste Sache, die ich je in meinem Leben gesehen habe!« Mit einem Achselzucken grinst er plötzlich und ist echt niedlich, wie er da verwirrt neben mir sitzt. »Einmal war ich mir nicht sicher, wer ich sein wollte. Stone oder du!«

Gütiger Himmel! Mit einem Mal schießt mein Lustpegel nach oben. Stone und Greg. Wie sexy wäre das?

»Versteh mich nicht falsch!«, protestiert er schnell. »Ich bin nicht schwul! Ist mir nur so in den Sinn gekommen.«

Ich schaue ihn an, und wir müssen beide lachen.

Dann wirkt er wieder ernst. »Schau, ich weiß, dass du ihn magst. Das ist offensichtlich. Aber du passt doch auf dich auf, oder? Er hat einen schlechten Ruf, weißt du? Er … er nutzt die Leute wirklich aus.«

Und ob ich das weiß! Klar weiß ich das, und trotzdem will ich ausgenutzt werden. Aber ich will noch mehr von Greg hören.

»Wie meinst du das, Greg?«

»Da waren andere Frauen, mit denen er sehr wahrscheinlich was hatte. Eine Zeit lang wussten alle, dass da was lief. Doch plötzlich ist die Frau, die er gebumst haben soll, auf und davon.«

Das schockt mich. Ich weiß, dass Stone rücksichtslos ist, aber ich hätte nicht gedacht, dass er so abgebrüht ist und die Frau gleich feuert, mit der er nichts mehr zu tun haben will.

»Du meinst, er hat die Frauen gefeuert?«

»Nein! Da gab es zwei, die tolle neue Jobs bekommen haben. Ein Karrieresprung, verstehst du? Eine andere ging zurück an die Hochschule und hat einen echt exklusiven Kurs bekommen. Ein Unijob, den du nur kriegst, wenn du einen starken Sponsor im Rücken hast.«

Mag ja sein, aber Stone entledigt sich trotzdem der Frauen, die er nicht mehr gebrauchen kann.

Der Bastard!

»Wie eine Abfindung, oder?«

»Könnte man so sagen.« Gregs Mundwinkel zucken. Er sieht wütend aus, was bei jemandem, der so gelassen ist, auffällt. »Mächtige und einflussreiche Männer wie er kriegen jede Frau, die sie wollen. Das ist einfach nicht fair!«

Ich will ihn gerade damit beruhigen, dass niedliche Männer wie er auch eine Frau finden werden, als mein Handy klingelt. Ich überlege, ob ich die Melodie einfach überhören soll, aber dann weiß ich, dass das unmöglich ist. Mein Instinkt sagt mir, wer der Anrufer ist, obwohl ich *ihm* nie meine Nummer gegeben habe.

»Bin gleich wieder da.« Ich nehme das Handy und gehe in mein Schlafzimmer. »Leg dir ruhig eine DVD ein. Ich habe zwar nicht viele, aber die meisten davon sind echt gut.« Dann eile ich ins Schlafzimmer, ehe Greg etwas erwidern kann.

»Guten Abend, Maria.«

Die weiche Stimme an meinem Ohr scheint mein winziges Schlafzimmer zu erfüllen. Wie hat er diese Nummer gefunden? Aber es nutzt sowieso nichts, ihn danach zu fragen.

»Hi!«, sage ich kurz angebunden, weil ich immer noch sauer auf ihn bin. »Was wollen Sie?«

»Nur plaudern. Sind Sie allein?«

»Nein, ich habe Besuch. Ich habe jetzt nicht viel Zeit.«

»Aha, Besuch!«

Oh, oh, da schwingt wieder diese diebische Freude in seiner Stimme mit, als wüsste er, dass ein Mann bei mir ist. Zumindest hofft er das bestimmt ...

»Ja.« Ich schürze die Lippen. Selbst auf die Entfernung besitzt er die Macht, mich dazu zu bringen, jeden einzelnen Gedanken und jedes Gefühl vor ihm auszubreiten. Und nur wegen ihm reagieren manche Bereiche meines Körpers schon wieder höchst empfindlich.

»Ist Melanie bei Ihnen? Habe ich Sie gerade bei einer *girl-on-girl action* gestört? Wenn ja, tut mir das unendlich leid.«

Durchtriebener Bastard! Als ob ihm das leidtäte! Er will doch nur die verdorbenen Details hören.

»Nein, es ist nicht Mel. Und außerdem geht Sie das nichts an.« Ich kann nicht mehr richtig denken. Ich habe das Gefühl, er steht direkt neben mir. Hier im Schlafzimmer. Er streckt die Hand nach mir aus, streift mir den Morgenmantel von den Schultern und bewundert meine Spitzen, die sich unter meinem dünnen Pyjama aufrichten.

»Kommen Sie, wir wissen doch beide, dass mich das was angeht, Maria.« Leise, beinahe zögerlich, erreicht mich seine Stimme, und doch hallt jedes seiner Worte in meinem Kopf nach. »Ich vermute, da ist ein Mann bei Ihnen«, fährt er fort, und ich spüre, wie er lächelt. »Aber jetzt sagen Sie nicht, dass es der Blondschopf ist!« Unwillkürlich muss ich grinsen. »Wenn doch, dann ziehe ich den Hut vor ihm. Er geht ganz schön ran!« Wieder eine Pause, dann höre ich ihn wieder. »Oder haben *Sie* ihn angerufen?«

»Wenn ja, was wäre dann? Sie haben mich doch dazu aufgefordert!«

»Es ist nicht Youngblood, oder?«

Woher weiß er all diese Dinge?

Ich schüttele den Kopf, bis ich merke, dass er mich nicht sehen kann. Obwohl ich ihn förmlich vor mir sehe.

»Nein.«

»Ah, dann wird es unser junger Freund Greg sein.«

Wie selbstgefällig er klingt. Ich wünschte, er wäre hier, damit ich ihm eine runterhauen könnte!

Um dann mit ihm zu vögeln.

»Ja, Greg ist bei mir. Wir essen gerade Pizza und sehen fern. Nichts weiter. Er ist ein lieber Nachbar.«

Lachen am anderen Ende.

Ich klappe mein Display zu, aber das Handy klingelt wieder, und ich bin zu kraftlos, es einfach klingeln zu lassen.

»Na los, gehen Sie mit ihm ins Bett! Das ist es doch, was Sie wollen!«

»Greg ist ein Freund!«

Wieder dieses leise Lachen, und ich erinnere mich an unser Gespräch über Freunde.

»Bumsen Sie ihn, Maria, damit ich mir einen langweiligen Abend mit der Vorstellung vertreiben kann, wie Sie ihn um den Verstand bumsen.«

»Sie können doch stattdessen das Fernsehen einschalten«, schlage ich vor, doch ich spüre, wie ich heißer und heißer werde, denn ich stelle mir schon vor, wie ich mit dem süßen Greg im Bett liege. Er müht sich mit Hingabe zwischen meinen Schenkeln ab, während Robert Stone in der Ecke auf einem Stuhl sitzt, auf dem meine Klamotten liegen. Er schaut uns zu und masturbiert. Langsam.

Plötzlich fällt mir etwas anderes ein, und weil ich selten etwas für mich behalten kann, sprudelt auch das aus mir hervor.

»Er hat uns gesehen. Greg, meine ich. Unten im Hinterhof. Er hat uns von einem der Fenster oben beobachtet.«

Stone stößt einen leisen, zufriedenen Laut aus, und mir kommt gleich der Gedanke, dass er sich womöglich wirklich gerade einen runterholt. Ich keuche und fasse mir in den Schritt.

»Oh, mein süßes Mädchen, das wird ja immer besser und besser.«

Sein Tonfall hat sich ein bisschen verändert, und jetzt bin ich mir absolut sicher, dass er an seinem Teil herumspielt.

»Das lieben Sie, nicht wahr?«, halte ich ihm vor. »Sie kommen erst richtig in Fahrt, wenn einer zusieht. Die Gefahr, erwischt zu werden, turnt Sie an.«

»Wie gut Sie mich doch kennen, Maria«, schnurrt er, »aber Sie stehen auch auf so etwas, oder nicht? Und sagen Sie mir nicht, dass es Sie kalt gelassen hat, als Greg Ihnen sagte, dass er uns gesehen hat. Geben Sie es zu!«

Ja, er hat Recht. Es kribbelt jetzt noch in meinem Bauch. Ich schließe die Augen und lasse die Szene noch einmal in der Erinnerung ablaufen. Aber diesmal sehe ich, wie Greg oben vom Fenster aus zuschaut, wie Stone mich an der Mauer nimmt. Ich suche Halt am Bett, als die Fantasie sich wie eine dunkle Schlange durch meinen erhitzten Körper windet.

»Okay! Ja, gut! Ja!« Ich schreie beinahe in mein Handy. »Ich mag das. Es turnt mich an. Sind Sie nun zufrieden?«

»Noch nicht, aber gleich schon.« Seine Stimme kommt über ein Flüstern nicht hinaus, aber er betont die Wörter so eigenartig. Verzweiflung? Gefühle?

Ein paar Mal stockt sein Atem, und die Laute durchzucken

mich wie ein Stromschlag. Ich würde alles geben, um ihn jetzt bei mir zu haben. In mir. Sein großer nackter Körper schiebt sich zwischen meine Beine, und wir strapazieren mein billiges, schmales Bett, denn Stone bumst mich hart und unnachgiebig.

Eine lange Pause tritt ein. Dann höre ich ihn wieder lachen, und seine Stimme klingt wieder frei, glücklich und ... erleichtert. Er ist gerade gekommen, der Bastard!

»Sie sind widerlich!«, zische ich, aber der Protest ist nur halbherzig. Ich missbillige nicht, was er gemacht hat. Kein Stück. Davon habe ich den halben Tag geträumt!

»Ich weiß«, erwidert er fröhlich und kein bisschen reumütig. »Jetzt sind Sie dran, Maria, meine Süße. Los, vergnügen Sie sich ein bisschen mit Ihrem kleinen Computerfreak. Ich werde in Gedanken bei Ihnen sein. Und zusehen. Jetzt weiß ich ja, dass Sie das mögen.«

»Oh, *fuck off*, Stone!«

»Mit Vergnügen«, höre ich gerade noch, als ich das Display zuklappe.

Das Zimmer scheint immer noch von ihm erfüllt zu sein. Ich schmeiße das Handy aufs Bett. Ich weiß nicht, was ich machen soll. Mein erster Gedanke ist, es ihm gleichzutun und zu masturbieren. Genau das erwartet er bestimmt von mir. Oder dass ich mit Greg vögele.

Und irgendwie bin ich mir nicht sicher, ob ich genau das machen soll, was er mir sagt. Er kontrolliert mich viel zu stark. Ich muss mir zumindest einen Teil meiner Eigenständigkeit bewahren.

Aber als ich auf die Tür starre, kommt es mir gemein vor, den einen auf Kosten des anderen zu hintergehen.

Ich gehe zurück zum Fernseher und sehe, dass Greg sich *Basic Instinct* anschaut.

Verdammt! Musste es ausgerechnet *die* DVD sein? Sofort muss ich wieder daran denken, wie Stone mich aufgefordert hat, seinem Wunsch nachzukommen. Obwohl ich weiß, dass ich es auch wollte.

Aber der arme Greg sieht nicht so aus, als würde er den Film genießen. Immer noch ist seine Erektion unter seiner Hose zu erahnen, aber sein hübsches Gesicht ist verspannt. Er sieht ein wenig traurig aus.

»Das war er, nicht wahr?«

»Wenn du Robert Stone meinst, ja.« Warum sollte ich lügen? Er würde mir sowieso nicht glauben, wenn ich ihm etwas anderes erzählte.

»Der Bastard! Da habe ich dich mal einen Abend für mich, und er muss ihn mir verderben!« Erstaunt sehe ich, dass seine großen Augen leuchten und fast tränenfeucht sind. »Ich meine, ich habe nichts erwartet. Wollte nur ein bisschen mit dir abhängen, mehr nicht. Aber er muss sich immer und überall dazwischendrängen, oder nicht? Er kriegt immer alles ... und ich gehe leer aus!«

Mit einem Mal bin ich noch wütender auf Stone. Und Greg tut mir echt leid.

Mehr als leid. Er ist ein süßer Typ und wirklich niedlich. Er hat ein bisschen Spaß verdient, und ich übrigens auch. Warum sollten wir beide auf das verzichten, was wir brauchen? Muss ich immer nach der Pfeife unseres allmächtigen, perversen Director of Finance tanzen?

Ich kann doch mit Greg vögeln und Stone einfach sagen, es wäre nichts gelaufen.

Jetzt muss ich lächeln.

»Aber du hast doch auch was, Greg«, versuche ich ihn aufzumuntern, setze mich neben ihn auf das Sofa und nehme ihm die fast leere Bierflasche ab. »Vergiss Stone einfach. Er ist doch nicht hier, oder?« Ich berühre seine Wange und spüre, wie er erschauert. »Du und ich, wir sind hier. Wir haben Pizza, genug Bier und einen klasse Film. Und der alte Bastard hockt allein bei sich zu Hause herum. Vergiss ihn!«

Greg blinzelt. Schluckt. Sieht sprachlos aus. Er zittert immer noch ein bisschen, und ich weiß, dass er sich erst ein wenig beruhigen muss, damit der Abend doch noch spaßig werden kann. Ich kuschele mich an ihn und lege ihm einen Arm um die Schulter. »Na, komm schon, wir gucken uns den Film weiter an und schauen, was passiert, okay?« Ich kneife ihn freundschaftlich in die Backe und schenke ihm ein Grinsen, das ihn hoffentlich aufbaut.

»Eh ... okay«, sagt er und lächelt schon wieder zuversichtlich.

Greg startet die DVD neu, und wir machen es uns bequem. Der Film ist klasse, und schon bald haben uns die Musik, die ganze Atmosphäre und die erotischen Szenen ganz vereinnahmt. Wie jedes Mal fließen meine Säfte nicht wegen des Helden, sondern wegen der Heldin, die in der Rolle der verruchten Diva alle männlichen Charaktere um den Finger zu wickeln scheint.

Sie erinnert mich an Stone. Sie manipuliert die Leute mit Sex und Charisma, und genau das tut auch Stone.

Ich weiß zwar nicht, an wen sie Greg erinnert, aber schon bald ist klar, dass sie eine Wirkung auf ihn ausübt. Ein Blick auf ihren nackten Körper, und er kriegt wieder einen Steifen. Ich verhalte mich ruhig in seinem Arm, während Greg anfängt, unruhig hin und her zu rutschen und dann rasch ein Bein über das andere schlägt, um seine Erektion zu verbergen.

Ich warte noch eine Weile, aber dann umfasse ich sein Knie und bringe ihn dazu, die Beine wieder nebeneinander zu stellen. »Okay, du hast einen Steifen. Da brauchst du dich nicht zu schämen. Das ist eben ein sexy Film.« Mit diesen Worten packe ich seine freie Hand und platziere sie auf der Beule seiner Hose. »Genieße es!«

Ich klinge so weise und erfahren, aber im Innern bin ich erstaunt und von mir selbst beeindruckt. Die Zeit in Stones

Nähe hat mich verändert. Ich bin stärker und mutiger geworden. Ob ich auch so eine verruchte Diva bin?

Greg wirft mir ein nervöses Lächeln zu, entspannt sich dann aber. Mit einem Grinsen kommt er langsam in Stimmung und fasst sich in den Schritt. Augenblicke später knetet er sein Teil in einem langsamen, leichten Rhythmus – und ich finde das total sexy.

Als die Heldin sich absichtlich nackt vor ihrem Schlafzimmerspiegel präsentiert, keucht Greg leise und rutscht wieder stärker hin und her.

»Warum holst du ihn nicht raus?«, schlage ich vor, denn ich will zu gerne sehen, wie sein Schwanz aussieht. Stones Teil durfte ich ja bislang nicht sehen, also kann ich einen Blick auf Gregs werfen, oder etwa nicht? »Wir sind keine Kinder mehr.«

Greg wirft mir einen gerissenen Seitenblick zu. »Hey, bis jetzt bin nur ich dabei. Was ist mit dir? Wie wäre es mit einer Gegenleistung?«

Ich spüre ein Flattern im Bauch und bin ganz aufgeregt. Oh, Gott, ja, ich will das. Für mich. Und obwohl ich mich Stone widersetzen will, weiß ich, dass ihm das gefallen würde.

»Also gut.«

Ich hebe meinen Po leicht an, schiebe meine Finger unter den Gummizug meiner Pyjamahose und ehe ich richtig darüber nachdenke, was ich da tue, streife ich die Hose bis zu den Knien.

Im selben Augenblick spüre ich, wie ich feucht werde. Das ist so abgedreht! Ich sitze neben einem Mann, den ich nicht besonders gut kenne, und zeige ihm schamlos meine Pussy. Ich stoße aufgeregt den Atem aus.

Greg lacht. »Cool!« Er schüttelt den Kopf. »Maria, du bist echt klasse! Wirklich!« Sein Blick haftet auf meinem Geschlecht. Greg muss mehrmals schlucken, als könne er dem Speichelfluss nicht Einhalt gebieten. Für den Moment scheint er Catherine Trammell vergessen zu haben.

»Okay, du bist dran«, sage ich schroff und klinge viel gleichgültiger, als ich bin. Die Polsterung meines Sofas fühlt sich eigenartig an meinem bloßen Hintern an. Irgendwie grob. Jetzt möchte ich am liebsten hin und her rutschen, aber ich widerstehe dem Verlangen. Trotzdem verspüre ich diesen verrückten Drang, meinen Po fest nach unten zu drücken, damit mein Anus gegen den rauen Stoff gepresst wird. Ich weiß wirklich nicht, woher dieser Wunsch kommt, aber ich werde das Gefühl nicht los, dass Robert Stone sich wieder irgendwo in meinem Unterbewusstsein eingenistet hat.

Mutig öffnet Greg seinen Reißverschluss und schiebt sich die Hose und die Boxershorts dann ein bisschen umständlich bis zu den Knien. Sein steifer Schwanz schnappt nach oben, und obwohl Greg rot wird, lacht er.

»Runter mit dir, Junge!«, murmelt er, drückt seinen Schwanz leicht nach unten und lässt ihn dann wieder nach oben schnellen.

»Nein, nein, hoch mit dir, Junge!«, ermuntere ich ihn, und wir kichern beide. Es ist wie damals, als wir klein waren und dämliche Doktorspielchen machten. Man zeigte dem anderen das eigene Geschlecht, obwohl keiner wusste, was es damit auf sich hatte.

Wir berühren uns beide unten, jeder für sich, und richten unsere Aufmerksamkeit wieder auf den Film.

Schon bald sind wir bei der berühmten Verhörszene, in der die Antiheldin die Beine zunächst nebeneinanderstellt, um dann das eine Bein über das andere zu schlagen. Und die ganze Zeit weiß sie, dass die geifernden Cops einen Blick auf ihre Pussy erhaschen werden, weil sie keinen Slip trägt. Seit meiner Show am Morgen kann ich viel besser nachvollziehen, wie viel Macht sie dadurch ausübt.

»Oh, Gott, das ist so geil!«, seufzt Greg und fängt jetzt richtig an, sich einen runterzuholen. Langsam und vorsichtig gleitet seine Hand seinen Schaft rauf und runter. Und er hat einen schönen Schwanz – stramm und lang für einen eher schmal gebauten Mann wie ihn. Die Spitze glänzt schon, ist rot und feucht.

Worauf ich schlucken muss. Denn jetzt bin ich es, dem das Wasser im Mund zusammenläuft.

Soll ich ihm einen blasen?

Ich weiß, dass ihm das gefallen würde. Welcher Mann hätte etwas dagegen? Aber wieder spüre ich Stones Gegenwart und rufe mir in Erinnerung, was ich mit ihm gemacht habe und was nicht. Wenn ich an Gregs Schwanz sauge, ehe ich Stone einen geblasen habe, würde ich mich meinem dunklen Lehrmeister widersetzen, oder nicht?

Und trotzdem spüre ich, dass ich es nicht tun kann. Es nicht will. Ich bin irgendwie an ihn gebunden, und dieses unsichtbare Band hindert mich daran, Geschenke zu verteilen, die ich seiner Meinung nach nicht verteilen sollte. Er hat mir gesagt, dass ich mit Greg vögeln soll, aber er hat mir nicht grünes Licht gegeben, ihm einen zu blasen. Und irgendwie muss ich mich an Stones Vorschriften halten.

Plötzlich merke ich, dass Greg nicht den Film guckt, sondern zu mir herübersieht.

»Hey, hier sind wir beide gefragt!«

Ja, klar.

Um noch mehr von dem Sofabezug zu spüren, verändere ich meine Position und spreize meine Beine. Ein kleiner Ruck hier, ein kleiner Ruck da, und meine Backen sind auch gespreizt, sodass mein Anus schön Kontakt hat. Ich weiß nicht, ob Greg merkt, was ich mache, aber ihm entgeht nicht, als ich meine Hand über mein Delta wandern lasse und meine Klitoris ertaste.

»So ist's besser!« Seine Augen sind vor Erregung geweitet. Sein Blick ist heiß. Jetzt bewegt sich seine Hand schneller an seinem Schaft, und ich bin nicht die Einzige, die sich auf dem Sofa windet.

Ich bin total erregt, sowohl im Kopf wie auch unten, wo alles feucht ist. Und trotzdem muss ich leise lachen. Das ist verrückt! Jetzt komme ich mir noch mehr wie ein Kind vor, das kleine verbotene Spiele mit dem eigenen Körper treibt. Greg zieht die Stirn kraus und befürchtet vielleicht, dass ich mich über ihn lustig mache, aber dann lacht auch er, als er sich die irrsinnige Situation klarmacht.

»Ist das ein Wettrennen?«, keuche ich.

»Ich … ich weiß es nicht«, erwidert Greg atemlos und grinst, während sein Blick zwischen Mattscheibe, meiner Pussy und seinem Schwanz hin- und hergleitet.

»Wenn ja, wer gewinnt wohl?« Ich spüre, wie sich mein Orgasmus aufbaut und immer stärker kommt. »Wer als Erster am Ziel ist, oder wer am längsten kann?«

»Was weiß ich!«, meint Greg angestrengt und bearbeitet seinen Schwanz schneller und schneller. »Ist mir eigentlich egal. Dir nicht?«

»Doch!« Und das stimmt. Das ist alles so verdorben und bescheuert und krass. Aber ich hatte schon seit Jahren nicht mehr so viel Spaß. Es ist eher witzig und nicht so abgedreht, wie ich erst dachte, weil Stone derjenige ist, dem der Siegerpreis gebührt.

Sowie Stone sich wieder in die erste Reihe meiner Gedanken schiebt und sich aus den Schatten löst, stelle ich mir vor, wie er neben dem Sofa steht und uns zusieht. Ich wette, auch er würde die witzige Seite dieser Aktion erkennen. Aber wer würde ihn im Augenblick mehr anmachen? Ich oder vielleicht sogar Greg?

»Ich brauche ein Taschentuch!«, ruft Greg plötzlich. Er ist jetzt sehr rot im Gesicht und ist kurz vor dem Gipfel. Ich unterbreche mein Reiben kurz, greife neben das Sofa und reiche ihm schnell die Box mit den Tüchern.

Und sehe fasziniert zu, wie er ein Tuch herausreißt und es um die geschwollene Eichel wickelt.

»Machen das alle Jungs so?«, frage ich und muss albern kichern. Gregs Schwanz ist klasse, aber jetzt sieht er komisch aus.

»Keine Ahnung!« Er beißt sich jetzt auf die Lippe und schließt seine schönen Augen. Er hängt sich wirklich mit allem rein, was er aufzubieten hat. Seine Schenkel bewegen sich, und seine Hand bearbeitet sein Ding.

Es ist einer schöner Anblick. Und ein echtes Privileg. Meine Vagina zuckt vor Anerkennung.

»Oh, oh, oh!«, ruft er und bricht die Handbewegung in dem Moment ab, als er kommt. Ich sehe, wie sein Saft das Taschentuch tränkt, und bin auch am Gipfelpunkt. Aber diesmal bin ich leise, erlebe es mehr innerlich, bleibe stumm. Ich sitze in meinem Wohnzimmer, meine Muskeln verspannen sich, und ich schaue zu, wie Greg wieder runterfährt und sich entspannt.

Aber die ganze Szene beherrscht jemand anders: Robert Stone. Ich sehe, wie er ein unanständiges und triumphierendes Lächeln aufsetzt.

11. Kapitel

Wuff, wuff!

Seit ich Stone das letzte Mal gesehen habe, ist eine ganze Woche vergangen, und ich könnte ihn umbringen!

Kein Wort von ihm, kein Mucks von ihm seit dem Anruf auf meinem Handy. Er hat mich nicht einmal gefragt, ob ich wirklich mit Greg geschlafen habe oder schon mit William Youngblood ausgegangen bin. Es ist so, als würde ich ihn einen Scheißdreck interessieren. Als wäre ich eine kurzweilige Ablenkung gewesen, die er längst vergessen hat.

Gott sei Dank ist seit unserer kleinen Session bei Basic Instinct zwischen Greg und mir alles okay. Ich hatte eine Riesenangst, wir könnten uns nicht mehr in die Augen sehen und uns linkisch benehmen. Unsere Freundschaft stand auf dem Spiel. Aber als wir die Disziplin beendet hatten, die man synchrones Masturbieren nennen könnte, haben wir uns einfach den Film bis zu Ende angesehen, das Bier ausgetrunken und die Pizza aufgegessen, und dann ist Greg gegangen. Seitdem haben wir kein Wort mehr über den Abend verloren. Was nicht heißen soll, dass wir überhaupt keinen Bezug darauf genommen hätten. Ab und zu tauschen wir auf der Fahrt zur Arbeit oder nach Hause Blicke und fangen an zu kichern, aber damit hat es sich dann auch schon.

Allerdings wird es immer ein bisschen seltsam, sobald Stones Name in unseren Gesprächen fällt. Daher versuche ich, seinen Namen zu vermeiden, weil mir klar ist, dass Greg ihn mittlerweile hasst.

Borough Hall wirkt trostlos. Die aufgeladene Atmosphäre, die ich an so vielen Tagen zu spüren glaubte, weil ich jeden Moment damit rechnete, Stone zu begegnen, hat sich verflüchtigt. Ich habe sogar schon daran gedacht, in den Lokalblättern nach Stellenangeboten Ausschau zu halten. Doch andererseits sollte ich das festhalten, was ich habe, denn mit meinem erbärmlichen Lebenslauf werde ich vermutlich nicht weit kommen.

Ich bin so gelangweilt, dass mir die Arbeit fast schon Spaß macht.

Aber jedes Mal setzt mein Herz einen Schlag aus, wenn das Telefon klingelt. Es gibt immer noch einen Hoffnungsschimmer, es könnte Stone sein.

»Maria Lewis, Abteilung für Gewerbeansiedlung«, flöte ich fröhlich.

»Robert Stone, Director of Finance«, schnurrt die Stimme, nach der ich mich die ganze Zeit gesehnt habe. Und jede Nervenfaser in meinem Körper schreit »Bingo!«

Für einen Moment scheint mein Kiefer zu klemmen, und mein Sprachzentrum ist irgendwie nicht besetzt. Schließlich bringe ich heraus: »Ja, Herr Direktor, wie kann ich Ihnen helfen?«

Es sollte kompetent und auch ein bisschen frech klingen, aber meine Stimme kommt nicht über ein atemloses Piepsen hinaus.

Er lacht leise, und ich habe das Gefühl, dass er hier mit mir in einem Raum ist und mich berührt. Ich rutsche auf meinem Stuhl herum, als hätte er seine Hand in meinen Slip geschoben, um mich zu befingern. Alles kommt mir so real vor. Und dann verstärkt er die Empfindungen noch, da er mich mit einer bewusst eingesetzten Pause necken will. Ich bin fast so weit, mich zu berühren, genau hier im Büro. Sandy sitzt nur wenige Schritte von mir entfernt. Doch schließlich lässt er sich dazu herab, das Schweigen zu brechen.

»Haben Sie gestern Abend ferngesehen, Miss Lewis?«

Oh, oh.

»Eh . . . ja, habe ich.«

Das Spiel hat begonnen, aber noch weiß ich nicht, um welches es sich handelt. In meinem Kopf dreht sich wieder alles, und verzweifelt versuche ich, mir die Programme in Erinnerung zu rufen, in die ich reingezappt habe. Ist da etwas im Fernsehen gelaufen, das ich hätte behalten sollen?

Es dauert nicht lange, und da erinnere ich mich. Ich fange an zu zittern. Die ganze Zeit dachte ich, dass es ein Bericht über Stone hätte sein können, und es würde mich jetzt nicht überraschen, wenn er wirklich etwas damit zu tun hätte.

»Hätten Sie dann Lust an einem kleinen Abenteuer?«

Er geht davon aus, dass ich das gleiche Programm gesehen habe. Gott, da ich ihn kenne, hat er wahrscheinlich meine Gedanken gelesen und weiß daher, was ich gesehen habe.

Wir sprechen hier von einer Dokumentation über Sexsüchtige und über durchgeknallte Typen, die abends in den Wald gehen oder verlassene Großparkplätze aufsuchen und Sex haben, während andere dabei zusehen.

»Miss Lewis?«, ruft er sich mit leichtem Nachdruck in der Stimme wieder in Erinnerung. Und da merke ich, dass ich an meinem Platz hocke, mir einige Szenen der Dokumentation vergegenwärtige und denke, wie krank es für einen Mann in seiner Position ist, solche Sachen tun zu wollen.

Doch das ist wahrscheinlich genau der Grund, warum er es so toll findet.

»Hm ... ja, okay«, stottere ich, ohne auch nur einen Moment über die Folgen meiner Einwilligung nachzudenken.

Er liebt es, Risiken einzugehen und spielt mit der Gefahr, bei sexuellen Handlungen erwischt zu werden. Dafür nimmt er sogar die Schande in Kauf, die ihm blühen würde. Aber wie stehe ich zu all diesen Dingen?

Ich weiß es nicht.

Was ich aber genau weiß, ist die Tatsache, dass ich mich seinem Vorschlag nicht entziehen kann. Ich traue mich nicht, nein zu sagen. Ich kann den Gedanken nicht ertragen, dass er mich womöglich fallen lässt, weil ich nicht wagemutig genug bin, und sich deshalb nach einer anderen, frivoleren Frau umsieht.

Oh, Mist, ich bin in der Zwickmühle!

»Ausgezeichnet!«, ruft er und klingt dabei wie ein begeisterter Junge. »Ich werde Sie heute Abend gegen neun Uhr abholen.« Er hält inne, und ich sehe förmlich sein Grinsen – dieses durchtriebene, diabolische Grinsen, das sich langsam in seinem Gesicht ausbreitet. »Und ziehen Sie sich etwas *Liederliches* an.«

»Wie liederlich denn?«

Es ist mir so herausgeplatzt, und als ich eine Millisekunde später über meine Frage nachdenke, werfe ich einen vorsichtigen Seitenblick auf Sandy und sehe, dass ihre Augen ganz groß geworden sind. Sie schenkt den Anträgen, die sie bearbeiten soll, keine Beachtung mehr.

»Oh, keine Ahnung«, sagt Stone und hat wieder jede Menge Spaß. »Keine Unterwäsche. Leichter Zugang. Lassen Sie sich was einfallen. Überraschen Sie mich!«

Ich weiß nicht, welche abgefahrene Idee einen Mann wie Robert Stone noch überraschen könnte, aber ich sage: »Okay, ich weiß Bescheid. Bis später dann«, und lege auf.

Wenn es je ein bedeutungsvolles Schweigen gegeben hat, dann dieses. Sandy starrt mich immer noch sprachlos an und wartet auf eine Erklärung.

Ich bin im Begriff zu antworten, frage mich dann aber, warum ich ihr Rechenschaft schuldig bin. Immerhin bin ich hier nicht die Einzige, die Heimlichkeiten hat, oder? Was war zum Beispiel mit ihr und Youngblood im Keller? Darüber hat sie in meinem Beisein auch nie ein Wort verloren. Hat nie erklärt, warum sie für längere Zeit das Büro verließ. Sie spielt einfach die Unschuld vom Lande, die kein Wässerchen trüben kann.

Warum sollte ich mich dann also zu einem Anruf äußern,

der vollkommen unschuldig sein könnte ... (auch wenn das nicht stimmt)?

Also erwidere ich ihren Blick, lächele freundlich und widme mich dann mit neuem Eifer meiner Arbeit. Aber tief in meinem Innern verspüre ich diese unverschämte, unanständige Lust, für die unser Director of Finance mich bestimmt loben würde.

Gegen neun Uhr stehe ich vor unserem Apartmentblock und trage laut Anweisung etwas *Liederliches*. Ich bin nervös und verletzlich und danke meinem Glücksstern, dass sowohl Mel als auch Greg an diesem Abend ausgegangen sind – denn ich sehe wirklich wie eine Nutte aus, die im Rotlichtbezirk ihrem Gewerbe nachgeht.

Außerdem ist mir ein bisschen kalt. Das liegt vor allem an Stones Vorgabe, keine Unterwäsche zu tragen. Der Wind hat aufgefrischt, und während ich vor dem Haus auf und ab stolziere und nach dem eleganten schwarzen Mercedes Ausschau halte, streicht der Wind um Bereiche, die er lieber in Ruhe lassen sollte.

Ich ziehe an meinem ultrakurzen Jeansrock, den ich noch von irgendeiner *Bad Taste Party* hatte, und wünschte, ich hätte mich nicht sklavisch an Stones Anweisungen gehalten. Zu dem gekürzten Minirock trage ich abgefahrene weiße Stiefel und eine neckische Weste aus Velours. Die man prima am Samstagnachmittag zu einer Jeans oder einem Trainingsanzug anziehen könnte, dann aber über einem T-Shirt, denn die Weste ist verdammt dünn, wenn man nichts darunter trägt.

Um den Hals trage ich noch einen besonderen Leckerbissen, der auch noch von einer wilden Verkleidungsparty stammt; ein feines Accessoire, das Stone gefallen dürfte. Es ist ein rosafarbenes Lederhalsband mit Nieten. Was gut passen dürfte, da die Aktivität, die wir ausleben wollen, für gewöhnlich Dogging genannt wird.

Wuff! Wuff!

Zehn Minuten sind schon vergangen, und ich fühle mich zusehends auffällig. Unser Wohnviertel hat, glaube ich, keinen Rotlichtbezirk, aber jeder, der mich sieht, würde schwören, dass die Straße auf dem besten Weg ist, ein Strich zu werden. Wie bin ich froh, dass es total dunkel ist und in meiner Nähe keine Straßenlaterne brennt, die die ersten Freier anlocken könnte.

Kaum dass ich den Gedanken zu Ende gedacht habe, kommt ein dunkler, nicht näher zu bestimmender Kombi zum Stehen. Und als die elektrische Scheibe mit leisem Sirren herunterfährt, wird mir ganz mulmig zumute. Wo bin ich jetzt nur wieder reingeschlittert?

»Wie viel für einen Blowjob?«, erkundigt sich jemand.

Dann ein Lachen, das mir nur zu vertraut ist.

»Fünfzig, aber weil Sie es sind, einhundert.«

»Steigen Sie schon ein, Sie gerissene Nutte«, sagt Stone freundlich und stößt die Beifahrertür auf.

Sowie ich im Auto sitze, fährt er los und lässt mir keine Zeit, es mir noch einmal anders zu überlegen. Ich kann es kaum fassen, dass ich jetzt bei ihm bin und wir unterwegs sind, wohin auch immer. Ich weiß nicht, was ich sagen soll, und wie es scheint, hält er es nicht für nötig, mir irgendetwas zu erklären, denn er wirft mir nur sein gerissenes, selbstzufriedenes Lächeln zu und konzentriert sich dann auf die Straße.

Was mir Zeit gibt, mich auf ihn zu konzentrieren.

Heute Abend sieht Stone wirklich nicht wie der edel gekleidete höhere Beamte aus Borough Hall aus. Hier habe ich den Stone vor mir, der sich seines Zweireihers entledigt hat, auch wenn die Aura geblieben ist. Das heißt, dass er auch in abgetragenen Jeans, einer schäbigen schwarzen Jeansjacke und einem schwarzen T-Shirt immer noch genauso unverschämt sexy aussieht wie in seinen coolen, maßgeschneiderten Anzügen. In diesem Outfit wirkt sein Körper sogar noch härter und männlicher, und die Luft im Auto scheint vor Testosteron zu flimmern.

Und obwohl er abgerissen aussieht, duftet er köstlich, und selbst sein typisches Aftershave scheint noch stärker als sonst zu sein. Ich traue mich kaum, einen Atemzug zu machen, denn wenn ich einen Slip tragen würde, wäre er jetzt schon feucht.

Schließlich, nach zahllosen schweigenden, nervtötenden Meilen, muss ich endlich etwas sagen.

»Was ist mit dem Mercedes?«

»Der steht zu Hause«, sagt er und schaltet weich, aber aggressiv. »Es wäre keine gute Idee, einen schicken Wagen für diese Art Ausflug zu benutzen. Damit fällt man nur auf.« Seine weißen Zähne blitzen im Dunklen auf. »Außerdem gibt das immer Kratzer am Lack.«

Er schien noch mehr sagen zu wollen, runzelt dann aber plötzlich die Stirn und schaut in den Rückspiegel. Zweimal huschen seine Augen noch zum Spiegel, doch dann zuckt er die Schultern und wirkt wieder entspannt.

Die Fahrt geht weiter. Offenbar verlassen wir nicht nur das Stadtgebiet, sondern auch den Landkreis. Aber ich denke, dass es sowieso keine gute Idee wäre, im eigenen Hinterhof Sex vor Fremden zu haben. Insbesondere wenn man in der Stadt so bekannt ist wie Stone.

»Das Halsband hat etwas.«

Die Bemerkung kommt so unerwartet, dass ich richtig zusammenzucke.

»Sie sagten ja, ich solle mich nuttig zurechtmachen, und das war eben das Nuttigste, was ich finden konnte.«

»Hm ... gute Idee. Gefällt mir«, sagt er leise. Und dann streckt er plötzlich die Hand nach mir aus, stiehlt sich mit einer leichten Drehung des Handgelenks unter meinen Rock, streift kurz meinen Pelz und zieht die Hand rechtzeitig zurück, um wieder schalten zu können.

»Und das gefällt mir auch«, fährt er fort und beschleunigt, als habe die kurze Erkundung ihn erregt.

Was ich auch hoffe.

Inzwischen jagen wir mit hoher Geschwindigkeit über die Landstraßen. Stone scheint sich auf die Straße zu konzentrieren, aber als er wieder etwas sagt, wird mir klar, dass seine Aufmerksamkeit nicht nur dem Lenkrad gehört.

»Ich mag die Vorstellung, dass ich Ihre Pussy berühren kann, wann immer ich Lust dazu habe. Ich mag es, dass ich mit Ihnen spielen kann. Sie errege, bis Sie feucht werden. Immer wenn ich in Borough Hall bin und in einer Besprechung sitze, stelle ich mir vor, dass ich Ihren Kitzler befingere, und dann winden Sie sich und stöhnen und wollen unbedingt kommen.«

Ich kann kaum noch atmen, weil ich mir genau ausmale, was er mir gerade erzählt. Ich habe das Gefühl, dass seine Stimme wie eine Hand ist, die seine Beschreibung in die Tat umsetzt und mich zwischen den Beinen massiert.

Aber seine Hände umschließen das Lenkrad. Große, erfahrene Hände mit gepflegten Nägeln. Gewöhnliche Hände, die jedoch schöne Dinge vollbringen können.

Ich atme wieder aus und merke, dass er mir einen flüchtigen Blick zuwirft.

»Aufregend, finden Sie nicht?« Meine Augen huschen zu seinem Mund, und einen Moment lang nimmt er die Lippe zwischen die Zähne, wie ich es schon öfter bei ihm gesehen habe. »Ich denke an Ihre Muschi, wenn ich eigentlich nicht daran denken sollte. Denken Sie auch manchmal an meinen Schwanz?«

»Ständig«, erwidere ich leichthin. Es ist eine kleine Lüge, aber auch nicht weit von der Wahrheit. »Aber bislang haben

Sie mir ja noch keine Gelegenheit gegeben, ihn richtig zu *sehen*«, füge ich bedeutungsvoll hinzu.

Sein Lächeln vertieft sich und wird zu einem breiten Grinsen.

»Na, dann schauen Sie doch jetzt hin! Worauf warten Sie noch?«

»Aber Sie müssen doch fahren! Und Sie fahren ganz schön schnell!«

Augenblicklich wird der Wagen langsamer.

Das Stichwort für mich.

Ich öffne den Knopf seiner Jeans, fummele an dem Reißverschluss herum, und die ganze Zeit zittern meine Finger so stark, dass ich den Verschluss nicht richtig zu fassen bekomme.

Ich höre wieder diesen ermahnenden Laut, der sich wie ein »Na, na!« anhört, und lasse mich von Stones Hand zu dem Reißverschluss führen. Dann habe ich endlich wieder die Kontrolle über meine motorischen Fähigkeiten und mache seine Hose auf.

Ich brauche nicht viel zu tun, denn sein Penis springt mir regelrecht entgegen. Im Auto ist es nicht besonders hell, aber das Licht vom Armaturenbrett und all den anderen Konsolen zeigt mir, dass sein Ding genau so ist, wie ich es mir immer gewünscht habe.

Natürlich ist er groß. Viel größer als Gregs Teil, und das liegt nicht nur an Stones größerem Körper. Gott, kein Wunder, dass er mich gedehnt hat, als er in mir war!

»Sie dürfen ihn ruhig anfassen. Er wird nicht beißen«, sagt er fröhlich, als wäre es die normalste Sache von der Welt, mit offener Hose und erigiertem Penis in der Nacht durch die Landschaft zu fahren.

Ich berühre ihn zunächst zaghaft und betaste den festen Schaft. Die Haut dort ist gespannt und heiß und besonders seidig. Selbst wenn es kein Penis wäre, würde es sich gut anfühlen.

Plötzlich umspielt ein breites Lächeln meine Lippen. Wie verrückt ist das eigentlich? Ich sitze hier in einem Auto, das durch die Nacht rast, und habe den Schwanz eines Mannes in der Hand.

Ich presse meine Lippen aufeinander, um mir ein Lächeln zu verkneifen.

»Was ist daran so lustig?«, fragt er, und ich sehe, dass auch er grinst. Das ist eine Sache, die mir an Stone richtig gut gefällt. Er nimmt nichts zu ernst, schon gar nicht sich selbst.

»Das Ganze.« Ich deute mit einem Nicken auf seinen Steifen. »Ich. Sie. Das ist doch alles irgendwie verrückt, oder nicht?«

»Das stimmt«, pflichtet er mir bei, aber dann zieht er etwas hastig die Luft ein, und ich merke, dass es ihn schon sehr erregt, wenn ich seinen Schwanz nur in der Hand halte. Ich beobachte ihn – nicht seinen Schwanz, sondern Stones Gesicht – und sehe, dass ein Muskel in seiner Wange zuckt. Offenbar ist Stone darum bemüht, nicht die Kontrolle über seine körperlichen Regungen zu verlieren.

»Also«, fährt er dann mit ruhiger Stimme fort. »Was meinen Sie? Ist er besser als der von unserem jungen Freund Gregory?«

»Wieso glauben Sie, dass ich Gregs Ding gesehen habe?«

»Haben Sie sich etwa nicht an das gehalten, was ich Ihnen neulich sagte?« Seine Stimme hat einen seidigen Klang, aber der Tonfall ist hochnäsig und leicht anmaßend. Ich gehe mit dem Fingernagel leicht über die Eichel, und Stone umklammert mit einem leisen Laut das Lenkrad, dass die Knöchel weiß hervortreten.

»Geben Sie Acht, Miss Lewis«, entfährt es ihm leise und leicht angestrengt.

Ich überlege kurz, ob ich mich über ihn hinwegsetzen soll. Er nennt mich »Miss Lewis«, also spielen wir wieder unser Spielchen, und ich sollte gehorchen. Ich könnte einfach ungehorsam sein. Rein theoretisch. Aber ich stelle fest, dass ich das nicht kann. Es ist so, als ob ich in seinem Kraftfeld gefangen bin, obwohl ich seinen Penis in der Hand habe.

»Also, haben Sie mit Greg geschlafen?«

»Nein ... habe ich nicht.«

Er hört mir genau zu und genießt zweifellos meine Hand an seinem Schaft, aber ich merke, dass seine Augen wieder zum Rückspiegel huschen.

»Was ist los? Werden wir verfolgt?«

»Nein!«, entgegnet er mit einem Anflug von Schärfe in der Stimme. »Und wechseln Sie nicht das Thema. Warum haben Sie nicht mit Greg gebumst?«

»Ich ... äh ... ich weiß nicht so genau. Wir haben stattdessen andere Sachen gemacht.«

»Ach wirklich? Andere Sachen. Klingt interessant. Fahren Sie bitte fort.«

So etwas gefällt ihm, und er lächelt wieder, während ich von dem kleinen Onanierspiel erzähle, das sich zwischen Greg und mir entwickelte.

»Okay, das dürfte reichen«, räumt Stone ein. Ich vermute, er versucht, sich ein wenig weltmüde und enttäuscht zu geben, aber seine steife Erregung spricht eine ganz andere Sprache. Sein Penis jedenfalls ist mit mir äußerst zufrieden.

»Ich denke, wir packen ihn noch eine Weile weg«, meint er plötzlich und biegt in eine Art Feldweg ein, der zu einem Waldgebiet führt. Bei der Dunkelheit kann ich das nicht so genau erkennen und ich habe auch nicht auf die Schilder geachtet, aber wir scheinen uns einem Picknickplatz zu nähern.

Ein klassischer Ort fürs Dogging, wie es in der Doku im Fernsehen hieß.

Ich weiß nicht genau, was ich mit Stones Erektion machen soll, aber da hält er auch schon auf dem Weg an und stopft sein bestes Stück mit großem Geschick zurück in die Jeans.

Als er den Reißverschluss zumacht, verrät mir ein kleiner Unmutslaut, wie eng die Hose jetzt ist.

Wir fahren noch ein Stück weiter und erreichen eine offene Fläche, die ich im Dunkeln für einen Parkplatz halte. Und tatsächlich stehen hier andere Autos. In einem größeren Van ist die Innenbeleuchtung an.

Um dieses Fahrzeug drängen sich bestimmt ein Dutzend Männer, und ich sehe auch ein paar Frauen. Einer leuchtet sogar mit einer kleinen Taschenlampe in die Heckklappe des Kombis, um besser sehen zu können.

Mein Gott, diese Typen denken aber auch an alles!

»Also, wie sieht's aus? Wollen Sie erst anderen Leuten zusehen, oder möchten Sie gleich zur Sache kommen?«

Oh, wie gerissen Stone doch ist!

»Eigentlich müsste ich zuallererst pinkeln«, platzt es aus mir heraus, denn mit einem Mal merke ich, dass meine Blase voll ist.

»Da drüben sind Toiletten.« Er nickt in die Dunkelheit hinein, und ich erahne ein niedriges, aus Backsteinen erbautes Haus am Rande des Parkplatzes. Ich öffne die Beifahrertür, steige aus und bin im Begriff, davonzueilen.

»Warten Sie! Sie werden mich brauchen«, ruft er leise, springt ebenfalls aus dem Auto und ist schnell an meiner Seite.

»Ich komme allein zurecht!«

»Ganz bestimmt. Aber wenn Sie allein zu diesem Häuschen gehen, könnte das jemand als Einladung missdeuten. Kommen Sie schon.«

Als er mit mir zu den Toiletten geht, merke ich, dass sich wirklich einige Männer von dem Van abwenden und uns nachschauen. Ich kann zwar keine Augen erkennen, aber die Körpersprache der Männer sagt alles.

»Ich sagte, dass ich allein zurechtkomme!«, protestiere ich, sowie wir in dem Häuschen sind. Stone ist mir bis zu einer der Kabinen gefolgt, die obendrein keine Tür hat.

Er sagt kein Wort, aber obwohl es hier drin stockdunkel ist, kann ich seine Augen *sehen*. Und sie scheinen zu leuchten.

Er will mir beim Pinkeln zusehen. Offenbar hat er die kleine heiße Anekdote von Mel und mir nicht vergessen.

Mein Unterleib verspannt sich, als ich über der schäbigen Schüssel hocke. Einen Moment lang habe ich das Gefühl, nicht loslassen zu können. Dann schaue ich wieder in Stones Augen, und die Hitze, die von seinem Blick ausgeht – ganz zu schweigen von dem leichten Kopfnicken – öffnet bei mir das Schleusentor, und schon fließt das Wasser.

Die Erleichterung, die ich verspüre, ist herrlich, beinahe so gut wie bei einem Orgasmus, und daher seufze ich leise.

»Braves Mädchen«, murmelt Stone, »braves Mädchen.«

Es gibt natürlich kein Papier, aber ehe ich nach einem Taschentuch kramen kann, hockt Stone schon mit einem von seinen neben mir. Äußerst behutsam tupft er meine Pussy ab, bis ich ganz trocken bin. Er versucht nicht, mich weiter zu berühren, aber als er fertig ist, küsst er mich sanft auf den Mund.

Es ist ein sonderbarer Moment, als wir das Gebäude verlassen, und ich fühle mich merkwürdig beschützt und umsorgt. Was uns nun erwartet, ist eine scharfe Exhibitionisten-Show. Aber da ich Stone an meiner Seite weiß, kann mir keiner etwas anhaben.

Wir treten näher an den Van heran und suchen uns einen guten Platz.

Im hinteren Bereich kniet eine Frau auf allen vieren. Ein Mann stützt sich auf einem Knie ab und besorgt es der Frau in langen Zügen von hinten. Einige Zuschauer haben ihre Erektionen aus der Enge der Hose befreit und onanieren ungeniert, und während wir zuschauen, kommt einer von ihnen mit einem lauten Stöhnen und verspritzt seinen Saft.

Nicht zu fassen!

Während das Paar sich rhythmisch vor und zurückbewegt,

merke ich, dass ich feucht werde. Möchte ich vielleicht sogar diese Frau sein? Ich bin mir nicht sicher, aber ich glaube, dass der Kerl sie anal nimmt.

Erst jetzt merke ich, dass ich Stones Hand halte, als wäre sie ein Talisman. Ich drücke seine Finger.

»Sind Sie okay?«, wispert er. »Wir können auch wieder gehen, wenn Ihnen das nicht gefällt.«

Ich bin erstaunt. Er ist richtig besorgt um mich! Er will mich, das weiß ich, und ist sogar bereit, unverrichteter Dinge wegzufahren, wenn ich unglücklich bin.

»Nein, alles okay, mir geht's gut«, flüstere ich zurück, strecke dann meine Hand aus und betaste die Beule an Stones Jeans. »Machen Sie sich um mich keine Sorgen.«

Na gut, das war gelogen. Ich mag es, wenn er sich um mich Sorgen macht.

»Sie sind ein Schatz, Miss Lewis.« Seine große Hand schließt sich um meine und sorgt dafür, dass meine Finger an Ort und Stelle bleiben.

Ich drücke ein bisschen fester zu. »Ich weiß, Mr. Stone.«

Die Darsteller im Van ziehen weiterhin ihre wilde Show ab und fallen mit lautem Gestöhne übereinander her. Der Anblick ist gewöhnungsbedürftig, aber es ist trotzdem erregend, und ich merke, dass ich in Fahrt komme. Mein eigener Saft benetzt die Innenseite meiner Schenkel, und im selben Moment spüre ich den Druck von Stones Hand, als hätte er gemerkt, dass ich zerfließe. Hat er meinen Duft wahrgenommen? Manchmal kommt er mir wie ein Bluthund vor, dessen Nase besonders empfindlich ist.

Als es dem Paar gekommen ist, geht ein Raunen durch die Zuschauer, und eine neue Erwartungshaltung baut sich auf.

Was nun?

Wer ist jetzt dran?

Als wisse er die Antwort, wirbelt Stone mich zu sich herum und küsst mich theatralisch. Er schiebt mir seine Zunge in den

Mund und berührt mich überall gleichzeitig. Ehe ich mich versehe, hat er schon meine Weste aufgemacht und verwöhnt begeistert meine Brüste.

Ich muss unweigerlich reagieren. Und ziehe auch eine Show ab, denn die Vorstellung, dass die Leute jetzt *uns* zusehen, verblüfft mich.

Ich reibe mein Becken an Stones Hosenbund. Küsse ihn genauso fordernd, wie er mich küsst. Das ist herrlich, und ich will ihn in mir spüren.

Aber nur ihn.

Ich habe zwar nichts dagegen, für all diese aufgegeilten Typen den Pornostar zu spielen, aber ich will nicht, dass einer von denen mitmacht. Ich will gebumst werden, und zwar hart, aber nur von Stone.

»Nur von Ihnen«, keuche ich, als seine Lippen über mein Gesicht und meinen Hals wandern. »Ich mache alles mit, aber nur mit Ihnen.«

»Keine Sorge.« Sein Atem ist wie Feuer auf meiner Haut, seine Küsse verschlingen mich. »Ich wollte Sie heute Nacht mit niemandem teilen.«

Mir bleibt keine Zeit, über die Andeutungen in den Worten ›heute Nacht‹ nachzudenken, denn genau in diesem Moment schlüpft seine Hand unter meinen Rock, und Stone fängt an, ziemlich forsch mit mir zu spielen. Ich habe die Augen geschlossen, aber ich merke trotzdem, dass die Zuschauer sich jetzt um uns scharen.

Bei anderer Gelegenheit hätte Stone sich einer Frau mit der sanften Präzision eines Mikrobiologen zugewandt, der Zellen trennt, aber heute Nacht geht es nicht um Präzision. Die Zuschauer wollen geilere, besser sichtbare Aktionen sehen. Er befingert mich schnell und hart, und das ist genau das, was ich jetzt brauche. Binnen Sekunden erreiche ich den Gipfelpunkt und klammere mich an Stone.

Ich nehme Stimmen wahr, die uns anfeuern. Wie von Ferne

höre ich durch meinen ekstatischen Rausch Dinge wie »geile kleine Nutte«, »heißes Luder« und »besorg's ihr richtig«. Die Äußerungen der Männer machen mich noch schärfer.

Eigentlich will ich sie gar nicht sehen, aber ich möchte sie hören. Will, dass sie mich sehen.

Als ich wieder von meinem Orgasmus herunterschwebe, kommt es mir so vor, als hätte Stone wieder meine Gedanken gelesen.

»Vertrauen Sie mir«, raunt er mir zu, und ehe ich etwas erwidern kann, hat er einen weichen, schwarzen Schal in der Hand und verbindet mir die Augen.

Oh, Gott, jetzt muss ich ihm wirklich vertrauen! Mir bleibt keine andere Wahl.

Gerade frage ich mich, wie ich mich jetzt zurechtfinden soll, da passiert etwas absolut Prickelndes.

Stone hebt mich auf seine Arme, als wäre ich ein Fliegengewicht.

Ich bin noch nie von einem Mann getragen worden, und das ist so aufregend, als er mich quer über den Parkplatz trägt, dass mein Herz nur so hämmert.

Und trotz der eher wenig einladenden Umgebung kommt in mir ein Gefühl von Romantik auf.

Ich höre, dass die Leute uns über den Platz folgen. Schließlich setzt Stone mich ab, und ich ahne, dass ich auf einem Tisch sitze, der tagsüber den Picknickgästen dient. Schnell schiebt Stone meinen Rock nach oben und zwängt meine Beine auseinander. Ich spüre, dass die Blicke sämtlicher Männer jetzt auf meinem Geschlecht haften. Alles andere dürfte nun unwichtig sein, vor allem dann, wenn meine Vermutung stimmt, dass einer der Typen wieder seine Taschenlampe eingesetzt.

Ich höre, dass Bewegung in die Menge kommt. Vielleicht gibt es sogar Gerangel um die besten Plätze. Aber das alles blende ich aus. Das Gefühl, in dieser Weise im Mittelpunkt zu stehen, ist die bislang schärfste Sache, die ich erlebt habe. Ich bin so erregt, dass ich nicht ruhig sitzen bleiben kann. Und als ich auf dem harten Tisch hin und her rutsche, scheint das Gedränge um die besten Plätze abzuebben, weil ich von den Zuschauern nichts als Begeisterung höre. Zwar merke ich, dass die Menge immer noch hier und da in Bewegung ist, aber das liegt daran, dass Stone einige der Übereifrigen zurückdrängt, um seine Beute zu schützen.

Weil ich nicht anders kann, berühre ich mich selbst zwischen den gespreizten Beinen. Ich muss erneut kommen. Ich brauche Stone. Die begeisterten Stimmen feuern uns jetzt regelrecht an. Ich höre, dass einige Zuschauer mit den Füßen aufstampfen.

Und dann steht Stone ganz dicht vor mir, schiebt sich zwischen meine Beine und zwängt sie mit seinen Hüften noch weiter auseinander. Ich höre das Geräusch des Reißverschlusses und erahne anhand der folgenden Bewegungen, dass er sich ein Kondom überstreift. Sekunden später hebt er meine Schenkel leicht an und positioniert mich so lange, bis meine Haltung seinen Vorstellungen entspricht. Meine Knie ruhen jetzt auf seinen Schultern, und die dicke Spitze seines Schwanzes drängt hart gegen meine Muschi.

Ich habe Schwierigkeiten, Stone richtig zu fassen zu bekommen, und daher klammere ich mich an die Tischplatte und schiebe Stone meine Hüften entgegen.

Endlich Kontakt! Oh Gott! Er rammt mich!

Die Menge johlt, und ich schreie vor Lust.

Oh Gott, ich hatte schon vergessen, wie groß er in mir ist. Und heute Nacht fühlt er sich sogar noch dicker an. Es liegt keine Finesse mehr in der rauen Art und Weise, mit der er sich zwischen meine Schenkel treibt, aber ich will jetzt keine Verführungskünste. Ich bin so kurz vor dem Gipfelpunkt, dass ich keine weitere Stimulierung brauche, und trotzdem hat Stone noch einen Befehl auf den Lippen.

»Befingere dich, du Nutte!«

Seine Stimme klingt fremd und verzerrt und scheint gar nicht zu ihm zu passen. Zumindest gehört sie nicht dem cleveren Stone, den ich kenne.

Ich berühre meine Klitoris, massiere mich dort in einem fort und schiebe mich stöhnend und wimmernd Stones Stößen entgegen. Irgendwo dort oben in den dunklen Baumkronen sitzt ein Teil meines Wesens, beobachtet jede Bewegung, die sich auf und vor diesem Tisch abspielt, und gibt Bewertungen ab.

Zehn von zehn möglichen Punkten, denke ich, als ich mit meinen Schuhen durch die Luft wirbele und bestimmt nur knapp den einen oder anderen Zuschauer verpasse. Ich kann förmlich spüren, wie der heiße Atem der Männer über meine Beine streift. Wie eine Meute übererregter Rüden stehen sie alle geifernd um die eine Hündin.

Und immer noch gibt mein Lover sein Bestes. Ein anderer Mann hätte seine Ladung längst abgefeuert, aber Stone ist aus anderem Holz geschnitzt. Er hat sich vorgenommen, das meiste für sich herauszuholen, und daher wird er richtig artistisch, als er mit kreisenden Hüftbewegungen mahlt.

Was auch mich zu größeren Taten anspornt, obwohl ich nicht mehr klar denken kann und kurz vor meinem Orgasmus bin. Ich stoße Stone meine Hüften mit dem gleichen Schwung entgegen, den er für mich aufbringt. Zwei Kräfte, die hemmungslos aufeinanderprallen. Wenn das noch lange so weitergeht, bläst mir die Show noch den Kopf weg!

Doch schließlich kommt Stone mit einem letzten heftigen Stoß und wirft sich mit einem lauten Schrei auf mich. Mir gelingt es noch, meinen Kitzler zu befingern, und dann komme auch ich und schreie meine Lust in die Nacht.

12. Kapitel

Oh, oh, in der Klemme!

Sandy lässt eine Akte auf meinen Schreibtisch fallen, und ich zucke zusammen, als hätte jemand einen Schuss abgefeuert.

Ich frage mich, ob man mir kündigen kann, wenn ich mit dem Director of Finance bumse? Wäre er derjenige, der die Entscheidung trifft? Oder muss eine solche Personalentscheidung erst durch einen Ausschuss gehen? Bei meiner Position eigentlich undenkbar, aber in diesem Palast wiehert der Amtsschimmel.

Wie man's auch dreht, wahrscheinlich habe ich die Kündigung verdient, weil ich heute schon zweimal fast am Schreibtisch eingeschlafen wäre.

Und das, obwohl ich unter Beobachtung zu stehen scheine. Seit ich heute Morgen zur Arbeit gekommen bin, hat Sandy mich nicht aus den Augen gelassen. Ich glaube, sie spitzt die Ohren, wenn bei mir das Telefon klingelt. Bestimmt wartet sie nur darauf, dass ich etwas sage, das mich verrät. Aber ich erhalte nur Routineanrufe, kein einziger Anruf von Stone. Außerdem bin ich zu kaputt, um jetzt am Telefon mit ihm anzubändeln, wenn er anriefe.

Ich bin erschöpft, habe zu wenig geschlafen und bin zu durcheinander, um klar denken zu können. Aber das hindert mich nicht daran, mich nach ihm zu sehnen.

Mich hat's eben erwischt. Die Sache, die zwischen uns läuft, mag ja abgedreht sein – und ist vielleicht auch gefährlich –, aber sie ist real.

Ich wüsste nur zu gern, was er für mich empfindet.

Als Friedensangebot schlage ich vor, Sandy einen Kaffee zu kochen. Sie beäugt mich misstrauisch, als befürchtete sie, ich würde in die Tasse spucken, nimmt mein Angebot dann aber an. Ich häufele zwei Löffel Kaffeepulver in meine Tasse und hoffe, dass die Extraportion Koffein mich wach hält. Und während ich auf den Wasserkocher warte, wird die Post hereingebracht. Sandy lässt sich dazu herab, die Briefe zu verteilen.

Es ist sogar ein Schreiben für mich dabei.

Ich erschrecke, als ich merke, wie stark mein Kaffee geworden ist, und habe keine große Lust, den unheilvollen braunen Umschlag mit dem Sichtfenster zu öffnen. Mein Name steht fein säuberlich in dem vorgesehenen Kästchen. Ist das etwa schon meine Kündigung? Ich weiß, dass ich ziemlich nutzlos bin, aber es gibt Kanäle, durch die man muss, ehe man gefeuert wird.

In dem großen Umschlag steckt noch ein zweiter. Ein schlichter weißer mit der Aufschrift ›Vertraulich‹. Und da steht ›Miss M. Lewis‹ in der gleichen präzisen Handschrift. In meinem Bauch fängt dieses Kribbeln an.

Sandy beobachtet mich noch immer (hat die denn heute gar nichts zu tun?), und daher lasse ich den Umschlag in meiner Schublade verschwinden und beuge mich über die Formulare, die ich noch bearbeiten muss.

Es dauert nicht lange, da muss Sandy aus dem Büro, und ich taste gleich mit zittrigen Fingern nach dem Brief.

Maria, steht dort ganz unvermittelt; es ist die gleiche Handschrift. *Ich hoffe, Sie sind heute nicht zu müde. Ich hätte Ihnen vorschlagen sollen, den Tag freizunehmen, aber ich war mit meinen Gedanken woanders. Was mich betrifft, so habe ich einen ziemlich beschissenen Tag und würde mich freuen, wenn Sie gegen 17 Uhr in meinem Büro vorbeischauen könnten. Dann gäbe es etwas, auf das ich mich freuen kann.*

Dann folgt die Unterschrift, ohne Grußwort: *Robert Stone.* Aber da kommt noch ein PS.

Wissen Sie noch, dass ich Ihnen gesagt habe, woran ich immer denken muss? Genau daran denke ich im Augenblick.

Was für eine bizarre Kommunikation!

Der Stil ist distanziert und dann auch wieder intim. Das hätte ich nicht von ihm erwartet. Selbst die Handschrift überrascht mich. Bei einem großen Mann wie Stone hätte ich mit einer ausladenden, kühn geschwungenen Handschrift gerechnet und nicht mit diesen kleinen, ordentlichen, fast bescheidenen Buchstaben.

Aber das ist eben Stone, denke ich. Bei ihm muss man immer mit allem rechnen.

Für den Rest des Tages hole ich immer wieder heimlich den Brief hervor und lese die Zeilen. Und stelle mir vor, wie er die Worte zu Papier gebracht hat. Wie er an meine Muschi denkt.

Und je mehr ich an ihn denke, desto mehr stecke ich in Schwierigkeiten.

In der Mittagspause versuche ich Mel zu finden oder Greg, um ein bisschen mit jemandem zu quatschen, der besser drauf ist als die Langeweiler in meinem Büro. Aber ich finde keinen von beiden. Es beunruhigt mich ein wenig, dass ich Greg nirgends sehe. Er ging heute Früh vor mir aus dem Haus und hat nichts zu mir gesagt. Wenn er mich nicht mitnehmen kann, sagt er es mir eigentlich immer rechtzeitig.

Doch endlich ist es nach meinem Arbeitstag, der mindestens so beschissen gewesen ist wie Stones, 17 Uhr. Ich lasse im Büro alles stehen und liegen und ziehe meine Karte durch die Stechuhr.

Als ich die Etage erreiche, auf der sich Stones Büro befindet, sehe ich gerade noch, wie William Youngblood am anderen Ende des Gangs um die Ecke biegt. Mein Körper reagiert ganz eigenartig: Ich kann mir einfach nicht erklären, warum mich dieses warnende Kribbeln durchläuft. Aber ich spüre, dass dieser Mann irgendwie in Schwierigkeiten ist.

Bei Stones Büroräumen ist niemand im Vorzimmer. Mrs. Sheldons Computer ist ausgeschaltet, und ihre Jacke hängt nicht mehr da. Also ist nur Stone hier.

Vor der Tür zögere ich wieder, und mein Atem beschleunigt sich. Ich bin nervöser als sonst, weil ich eben dieses unangenehme Prickeln verspürt habe. Als ich Stone zuletzt sah, brachte er mich zurück in mein Apartment und legte mich auf mein Bett. Ich war zu müde, um mich noch auszuziehen. Und als er mir zum Abschied einen Kuss auf die Stirn gab und eine Decke über mich legte, konnte ich die Augen schon nicht mehr offen halten.

Dieser ganze Prinz Charming Kram erschreckt mich viel mehr als die Aktion auf dem Picknickplatz, als ich halb nackt auf dem Tisch lag und mich vor Zuschauern nehmen ließ.

Ich klopfe an.

»Herein.«

Ich betrachte die polierte Tür.

»Herein!«

Ich umfasse den Türknauf, drehe ihn und stürze beinahe ins Zimmer.

Stone steht auf, als ich hereinkomme, nimmt mich aber nicht in den Arm, wie ich es mir gewünscht hätte. Kein Kuss, keine Vertraulichkeiten. Er legt den Kopf ein wenig schief und mustert mich mit einer seltsam neutralen Miene.

Vielleicht bilde ich mir das auch nur ein, aber ist er genauso verwirrt wie ich?

Zumindest sieht er so müde aus, wie ich mich fühle. Er hat Schatten unter den Augen, und die Bartstoppeln sind deutlicher als sonst zu sehen. Das Hemd, das morgens um acht noch glatt ausgesehen haben mag, ist jetzt ziemlich zerknittert, und er hat die Ärmel aufgerollt. Die Krawatte hängt schief, und der oberste Knopf am Hemd ist offen.

Der erschöpfte Stone. Mein Herz fühlt mit ihm.

»Sie sehen beschissen aus!«

Die Worte sind so aus mir herausgeplatzt, aber Stone fängt an zu lachen und sieht zehn Jahre jünger aus.

»Nun, Maria, ich würde es Ihnen gern mit gleicher Münze heimzahlen und Ihnen sagen, dass Sie auch nicht viel besser aussehen. Aber das wäre gelogen. Denn Sie sehen gut aus.« Er zuckt die Schultern und macht eine hilflose Geste mit beiden Händen. »Sie sehen entzückend aus. Ich wünschte, ich hätte die Energie, es Ihnen hier und jetzt zu besorgen.«

Sieht so aus, als wären wir wieder auf dem altbekannten Weg, ohne sentimentales Zeug. Ich weiß nicht, ob ich nun erleichtert oder niedergeschlagen sein soll.

Ich zaudere und weiß nicht, ob ich zu ihm gehen soll oder besser stehen bleibe. Offensichtlich spielen wir im Augenblick nicht unser Spielchen und haben längst das konventionelle ›Untergebene-wird-zum-Chef-zitiert‹-Level verlassen, wo man sich einen Stuhl zurechtrückt und den Vorgesetzten über die Weiten des Schreibtischs erwartungsvoll anguckt.

»Kommen Sie zu mir«, sagt er mit weicher Stimme. Die Worte injizieren mir die Energie, die ich brauche, um den Raum zu durchqueren.

Stone dreht seinen Stuhl so, bis die Lehne parallel zur Tischplatte steht und schiebt die Unterlagen beiseite, an denen er bis jetzt gearbeitet hat. Dann klopft er auf die Schreibtischunterlage.

Er möchte, dass ich auf dem Schreibtisch sitze?

Ich tue es. Er schaut mich mit einem Grinsen an. Abgearbeitet und erschöpft sieht er aus. Ein Mann in mittleren Jahren, der trotz allem anziehend ist.

»Ich hätte Ihnen sagen sollen, einen Tag freizunehmen.« Seine Hand sucht meinen Oberschenkel. Sie fühlt sich warm, aber merkwürdig asexuell an. »Das wäre das Mindeste, was ich gestern Nacht hätte tun können.« Mit einem Finger wandert er auf meinem Bein ein wenig nach oben, genau bis zum Rocksaum, und plötzlich ist seine Hand alles andere als asexuell. »Wie fühlen Sie sich? Sie waren großartig, wissen Sie das?«

Ich zittere, aber ich weiß, dass es die Wahrheit ist. Ich habe mich gestern Nacht wirklich *toll* gefühlt.

Gut, ich ließ mich mit verbundenen Augen auf einem harten Picknicktisch vögeln, während unbekannte Männer mich begafften und sich einen runterholten, aber das, was mir am meisten im Gedächtnis haften geblieben ist – abgesehen von dem Orgasmus –, war das Gefühl unglaublicher Macht. Für die anderen mag es so ausgesehen haben, dass ich mich unterordnete, aber im Grunde hatte ich die Kontrolle.

Ich wollte alles genau so, wie es sich abspielte, und ich wurde nicht enttäuscht.

»Sie waren aber auch nicht schlecht«, murmele ich und merke, dass sich mein Atem beschleunigt, da Stones Fingerspitze sich unter meinen Rock schiebt und weiter nach oben wandert.

Er zuckt bescheiden die Schultern, obwohl er sich im Stillen bestimmt für den Vögelmeister des Jahrhunderts hält.

»Tragen wir heute Unterwäsche?«, erkundigt er sich, obwohl er sich die Frage jetzt eigentlich selbst beantworten könnte.

»Ja. Aber ich weiß nicht, wie es bei Ihnen aussieht«, erwidere ich, muss mich dann aber an die Unterlage klammern, als er mit dem Finger über meinen Slip streichelt.

Er ist natürlich feucht. Den ganzen Tag habe ich schon an Stone gedacht, aber als ich dann vorhin in sein Büro gekommen bin, sind meine Hormone übergekocht.

Er übt einen sanften Druck mit dem Finger aus, sucht aber nicht speziell nach meiner Klitoris, sondern begrüßt meine Muschi wie eine gute Freundin.

Was sie inzwischen auch sein dürfte, wie ich mir mit einem tiefen Atemzug bewusst mache.

»Ziehen Sie den Slip doch aus«, schlägt er vor, und seine Stimme ist reine Seide. »Ich muss Sie berühren. Es war kein Scherz, als ich sagte, dass ich den ganzen Tag an Ihre Pussy denken muss.«

Etwas umständlich gehorche ich ihm, aber plötzlich dringt von der äußeren Tür ein Geräusch zu uns. Jemand stapft mit lauten Schritten durch das Vorzimmer. Während ich meinen Slip wieder hochziehe, klopft es laut an die Tür. Jemand ruft: »Stone! Sind Sie noch da?«

Es ist William Youngblood.

Stones Lider flattern für einen Moment, und ich habe das Gefühl, dass er nicht weiß, was er jetzt tun soll. Aber dann grinst er, zieht mich vom Schreibtisch und drängt mich in den Knieraum unter seinem riesigen Pult. Da unten wird es ziemlich eng, da Stone den Stuhl nach vorne schiebt, aber als er die Beine leicht spreizt, habe ich mehr Platz.

»Herein!«, ruft er beinahe herrisch, und erst da merke ich, dass ich genau auf seinen Schwanz gucke.

Youngblood kommt herein, und gemessen an der Schrittfolge hält er energisch auf den Schreibtisch zu. Stone hat die Geistesgegenwart, sich höflichkeitshalber kurz zu erheben, und versetzt mir mit seinem Knie fast einen Schlag ans Ohr.

»William, was kann ich für Sie tun?«, fragt er verbindlich, nimmt wieder Platz und presst die Innenseite seines Oberschenkels gegen mein Gesicht.

Ich höre, dass etwas auf dem Schreibtisch landet. Oje, der gute William muss ziemlich wütend sein, wenn er einem Mann wie Stone eine Akte einfach so auf den Tisch schleudert.

»Ich möchte, dass wir diese Berechnungen noch einmal zusammen durchgehen«, erwidert Youngblood. Er hat einen überheblichen Tonfall angeschlagen, als wüsste er genau, dass er Stone in der Hand hat. Die Situation ist unangenehm, und in meinem absurden Versteck, das bestimmte Möglichkeiten offen lässt, spüre ich, wie mir ein Schauer über den Rücken läuft.

Stone seufzt. »Ich denke, wir haben schon letzte Woche eine Lösung gefunden, William. Es ist kein Geld mehr da für Weiterbildungsmaßnahmen der Belegschaft. Die Kassen sind leer, und das wissen Sie.«

»Quatsch! Über alles kann man verhandeln, Robert. Das müssten Sie doch besonders gut wissen. Schauen Sie sich die Berechnungen an.«

»Also gut. Ich werde das mit nach Hause nehmen und gebe Ihnen die Unterlagen dann gleich morgen Früh.« Wieder drückt er mit dem Bein gegen meinen Kopf. Ich fasse es als Aufforderung auf und lege meine Hand auf die dicke Wölbung in seinem Schritt. Stone bleibt reglos in seinem Stuhl sitzen, aber sein Schwanz scheint unter dem Stoff zu vibrieren.

»Nein! Sie sehen sich das jetzt an«, beharrt Youngblood und lässt nicht von diesem selbstzufriedenen Unterton ab. »Sie brauchen nur meine Prognose zu lesen.«

Sturer kleiner Kerl! Was fällt ihm ein, so schroff und überheblich mit meinem lieben Stone zu reden? Ich beschließe, für etwas Trost zu sorgen und taste zögerlich nach Stones Reißverschluss. Er lässt sich leicht und geräuschlos öffnen.

»Wie Sie meinen.« Stone klingt immer noch äußerst gefasst. »Setzen Sie sich doch, William.«

Ich höre, wie ein Stuhl über den Teppich gezogen wird. Dann noch ein Laut: Zwei Erschütterungen auf der Schreibtischplatte!

Großer Gott, der gute Youngblood wird doch nicht etwa seine Füße auf Stones Tisch gelegt haben? Ich ahne, dass Stone genauso erstaunt ist wie ich, aber er ist zu cool, um sich in Gegenwart seines Widersachers etwas anmerken zu lassen. Er lässt Youngbloods anmaßendes Benehmen unkommentiert, und ich höre Papier rascheln.

Fuck you, Youngblood! Ich bin echt sauer und würde ihm am liebsten den Mittelfinger zeigen. Der Reißverschluss öffnet sich weiter, langsam und vorsichtig, damit man nichts hört. Ich lasse meine Finger in den Hosenschlitz gleiten, ziehe das Hemd hoch und finde die Unterhose.

Oh, was für ein tolles Teil!

Vorsichtig fange ich an, den langen Schaft zu streicheln.

Ob man Stone die Erregung wohl anmerkt? Wird er die Stirn in Falten legen und so tun, als grübele er über den Zahlen? Wird er die Freude, dass ich ihm Vergnügen bereite, für sich behalten können, während der ahnungslose Youngblood keinen Meter von ihm entfernt sitzt?

»Das hat alles seine Richtigkeit, Robert. Meine Berechnungen basieren auf den Zahlen, die Sie mir gegeben haben, von denen Sie neuerdings aber nichts mehr wissen wollten«, kommt es höhnisch von unserem Blondschopf.

Du Idiot!, denke ich und berühre Stones Eichel mit der Zungenspitze.

Er seufzt und blättert entschlossen eine Seite weiter. Oh, mein cleverer Bobby! Er weiß genau, wie er die Wirkung meiner Zunge mit vorgetäuschten Unmutslauten überspielen kann.

»Aber ich sagte Ihnen ja, dass die Mittel wahrscheinlich gekürzt werden, William«, sagt er und lässt einen weiteren Seufzer folgen (aus Lust?), »und da haben Sie zugestimmt. Denn wir wissen doch beide, dass sämtliche veranschlagten Ausgaben aufgrund der Kostenverteilung in der Verwaltung noch einmal geprüft werden.«

Ich lasse meine Zunge immer wieder über seine Spitze zucken und nehme ihn dann wie einen Lutscher in den Mund.

»Schauen Sie hier!«, fährt er fort und wendet sich Youngblood wütender zu als unter normalen Umständen. Ich frage mich allmählich, ob meine Bemühungen hier unten sich letzten Endes als kontraproduktiv erweisen, weil die Männer ihren alten Nervenkrieg führen. Aber das hindert mich nicht daran, meinen Spaß zu haben.

»Ich kann mich darauf jetzt nicht konzentrieren«, sagt er mit belegter Stimme. »Ich hatte einen langen Tag. Geben Sie mir die Unterlagen mit. Ich gehe die Zahlen dann noch einmal durch, wenn ich etwas im Magen habe. Ich bin mir sicher, dass wir uns einig werden.«

Youngblood lacht. Es ist kein sarkastisches Lachen oder etwas in der Art. Er lacht wie jemand, der sich auf Kosten eines anderen köstlich amüsiert. Ich halte inne, weil ich echt besorgt bin.

»Na gut, Robert«, sagt der Chef der Personalabteilung, und seine Füße berühren wieder den Boden, als er aufsteht. »Aber vielleicht sollten Sie sich zuerst das hier ansehen und dann sehr genau über die Einigung nachdenken.«

Wieder lacht er, und ich höre ein leises Geräusch, als wieder etwas auf Stones Schreibtisch landet. Sekunden später stampft Youngblood durch den Raum, öffnet die Tür und verlässt ohne ein weiteres Wort das Büro.

Was für einen Trumpf hat er da, zum Teufel, ausgespielt?

Ich gebe Stones Eichel frei und drücke gegen seine Knie, damit er mich herauslässt.

»Oh nein, Sie bleiben schön da.«

Er bleibt einfach sitzen, und ich spüre, wie seine Hände unter den Tisch wandern und mein Gesicht wieder zu seinem Schaft leiten.

»Wenn das hier das ist, was ich vermute, dann sollten Sie zu Ende führen, was Sie begonnen haben. Ich brauche das jetzt!«

Er scheint bei diesen Worten zu lächeln, aber seine Stimme klingt auch ein wenig angespannt. Was Youngblood ihm auch immer für einen Fehdehandschuh hingeworfen hat, Stone macht sich Gedanken. Und da werde ich wieder so richtig wütend auf diesen kleinen blonden Bastard, der meinem lieben Mr. Stone mit irgendeiner Unverschämtheit an den Kragen will.

Gehorsam öffne ich wieder den Mund und schiebe meine Lippen über seine Spitze.

Ich habe mich nie für eine Virtuosin gehalten, was Blowjobs

anbelangt, aber jetzt will ich eine gute Show abliefern, damit Stone für einen Moment seine Probleme vergessen kann. Mit Hingabe lutsche ich, erkunde die Wölbung seiner Eichel und sehe mich in meinen Bemühungen belohnt, als Stone sich entspannt zurücklehnt und einen zufriedenen Seufzer ausstößt.

Ich lächele, weiß ich doch, dass ich einen geilen Punkt bei ihm gefunden habe. Immer und immer wieder lasse ich meine Zunge um seine geschwollene Eichel kreisen, sauge zwischendurch daran, bis Stone stöhnt, sich im Stuhl bewegt, seine Knie an meinen Kopf drückt und seine Finger in meinem Haar vergräbt.

Kurze Zeit später verspannt er sich, stößt so etwas wie einen Fluch aus und sprüht alles in mich hinein.

Ich lehne den Kopf an seinen Schenkel, den heißen Samen noch auf der Zunge, und überlege, was William Youngblood wohl auf Stones Schreibtisch geworfen haben mag.

Es handelt sich um eine gebrannte CD-ROM oder eine DVD, die sich aber wie eine glühende Kohle anfühlt, als ich sie von allen Seiten betrachte. Ich warte auf Stone. Er hat mir gesagt, ich solle auf ihn warten, ehe ich die Scheibe in den Player lege. Im Augenblick besorgt er uns Sandwiches und etwas zu trinken.

Ja, ich kann es kaum glauben, aber ich bin in Stones Haus. Nach dem vollbrachten Blowjob hat er mich mit zu sich nach Hause genommen.

In Stones Wohnzimmer kann man es sich gemütlich machen. Die Einrichtung hat eine unaufdringliche Eleganz. Ich vermute, dass er als alleinstehender Mann eine Putzhilfe hat, weil alles so sauber und aufgeräumt aussieht, es sei denn, Stone hat ungeahnte Fähigkeiten als Hausmann. Was ich ihm tatsächlich zutrauen würde.

An einigen Stellen im Wohnzimmer sieht man, dass hier

doch jemand wohnt. Auf dem Kaffeetisch liegen Zeitschriften. Automagazine, einschlägige Managermagazine, sogar *New Scientist*, *Private Eye* und der *Spectator*. Mein Junge ist also auch sehr belesen. Aber das überrascht mich nicht sonderlich.

Weil ich keine Ruhe finde, stehe ich wieder auf und gehe im Raum auf und ab. An der Wand hängen ein paar elegante japanische Drucke, und in einer Vitrine stehen einige Preise. Leichtathletik. Rugby. Großer Gott, *Gesellschaftstanz?*

Nehmen die Überraschungen denn kein Ende?

Nein, scheinbar nicht, denn ich entdecke seine Hochzeitsbilder.

Ich sehe den jungen Stone. Er ist schmaler im Gesicht, trägt das Haar länger; es hat noch mehr Locken und keine einzige graue Strähne. Und trotzdem ist es Mr. Stone, wie er leibt und lebt, insbesondere wegen des breiten, zufriedenen Lächelns. Er ist ganz oben angekommen, und neben ihm steht der Grund dafür.

Ich runzele die Stirn. Irgendetwas hat diese Frau an sich. Ein kalter Schauer durchläuft mich, während ich herauszufinden versuche, was mich beunruhigt.

Und dann macht es Klick.

Die verstorbene Mrs. Stone und ich könnten Schwestern sein. Die gleiche Größe. Die gleiche Figur. Selbst unsere Züge ähneln einander auf unheimliche Weise.

Hat er mich deshalb aus der Schar Frauen herausgepickt, die in Borough Hall zu haben sind? Wenn die Vermutung stimmt, könnte ich in größeren Schwierigkeiten stecken, als ich anfangs dachte.

Ich höre Stones Schritte im Flur. Schnell stelle ich das Bild zurück und flitze zum Sofa.

»Da bin ich wieder«, meint er, stellt ein Tablett auf die Magazine, während ich noch schnell die CD aus dem Weg räume. »Nichts Besonderes, nur Sandwiches und Wasser. Ich hoffe, das ist okay?«

»Ja, danke.«

Das Hochzeitsfoto wirkt noch ein wenig bei mir nach.

»Na, dann greifen Sie zu!« Er nimmt mir die CD ab und legt sie beiseite. »Das sehen wir uns später an. Schauen wir uns erst die Nachrichten an.«

Es wird immer komischer.

Ein Teil meines Wesens denkt, wir sollten eigentlich die CD erforschen. Ein anderer Teil wünscht sich – und will –, dass wir uns in die nächste abgefahrene Sexaktion stürzen. Bis eben hätte ich nicht gedacht, dass wir hier wie zwei alte Freunde auf dem Sofa sitzen, Nachrichten gucken und Sandwiches futtern.

Dabei bilde ich mir die ganze Zeit ein, noch den Geschmack seines Spermas auf der Zunge zu haben.

Ich nehme ein paar Bissen von dem Chicken Sandwich und trinke einen Schluck Wasser. Dann glotze ich auf die Mattscheibe, schenke dem Bericht über die Friedensverhandlungen im Mittleren Osten aber keine Beachtung. Stone scheint genau hinzuhören (ich vermute, dass er zu einigen tagespolitischen Ereignissen eine ganz dezidierte Meinung hat), aber plötzlich, wie aus heiterem Himmel, nickt er in Richtung meines Tellers, auf dem das halb angebissene Sandwich liegt.

»Ist was? Hat Ihnen etwas den Appetit verdorben?« Seine rosafarbene Zunge schnellt hervor und leckt einen Klecks Mayonnaise von der Unterlippe, aber ich weiß, dass er an eine andere weiße, zähe Flüssigkeit denkt.

»Ja, ich denke die ganze Zeit an die verdammte DVD!«

»Okay, sehen wir nach, was unser Freund Youngblood für uns bereithält.« Er stellt seinen Teller zur Seite, und ich sehe, dass Stone auch nicht besonders viel gegessen hat. Mein Herz beginnt zu pochen, als er die Scheibe in den Player legt.

»Muss das nicht auf einem Rechner abgespielt werden?«

Ich habe von Technik keine Ahnung. Ich schinde bloß Zeit, denn ich will gar nicht sehen, was auf der Scheibe ist.

»Das wird schon gehen. Die Anlage hat bislang noch alles abgespielt, was ich hineingelegt habe.«

Das Menü taucht auf. Nur zwei Optionen.

Film.

Einzelne Bildabfolge.

Mir wird schlecht.

Stone wählt ›Film‹ mit der Fernbedienung.

Und dann kommt genau das, was ich befürchtet habe. Da liegt eine Frau auf einem Picknicktisch und lässt sich von einem Kerl vögeln. Auch die Tonspur funktioniert und gibt das Gestöhne wieder. Der Film hat keine besonders gute Qualität, weil das Licht schlecht ist, aber der Mann, der sich da zwischen den gespreizten Schenkeln austobt, ist zweifelsfrei Stone. Die Stimme und die Größe passen zu ihm. Mich kann man nicht sofort erkennen, weil ich unten liege und die Augen verbunden habe. Aber die Leute, die mich kennen, würden mich auch hierbei identifizieren.

Mir ist immer noch ein wenig übel, aber ich merke, dass ich trotz des Schrecks erregt bin. Ich versuche, ruhig sitzen zu bleiben und starre auf den in Grauschattierungen gehüllten Mann in der dunklen Jeanshose und der dazu passenden Jacke, der eine halbnackte Blondine bumst. Ich traue mich nicht, den Mann anzusehen, der leibhaftig neben mir sitzt.

Der Film will einfach kein Ende nehmen. Als dann doch die Aufnahme abreißt, geht Stone sofort auf die Funktion ›Einzelne Bildabfolge‹, worauf wir Aufnahmen zu sehen bekommen, die aus demselben Film stammen. Diesmal allerdings hat irgendein Experte die Schärfe der Bilder so gut hinbekommen, dass absolut kein Zweifel mehr besteht, wer die beiden Leute sind, die es auf dem Tisch treiben.

Stone betätigt die Fernbedienung, und auf der Mattscheibe taucht wieder das Menü auf.

»Oh, *fuck!*«

Er spricht leise, klingt aber nicht ausgesprochen erschüttert. Als ich mich dann doch traue, ihn anzusehen, entdecke ich ein kleines Lächeln, das seine Mundwinkel umspielt.

Ich weiß nicht, was ich denken oder sagen soll. Trotzdem ergreife ich das Wort.

»Glauben Sie, dass er *dabei* war?«

»Falls ja, habe ich ihn nicht bemerkt.« Stone wendet sich mir zu und berührt meine Wange. »Aber ich hatte ja auch nur Augen für Sie, Miss Lewis.«

Diesmal ist die Anrede kein Stichwort. Er sieht resigniert aus, dennoch liegt Zuneigung in seinem Blick.

»Ich habe nicht gesehen, dass jemand uns gefilmt hat, schon gar nicht Youngblood!«

Stone streichelt meine Wange. »Für gewöhnlich gibt es da eine stillschweigende Vereinbarung unter den Leuten, die sich dort treffen, dass nicht gefilmt werden darf. Man muss zumindest die Akteure vorher um Erlaubnis fragen. Aber wenn einer heimlich eine Kamera hat – und offensichtlich eine sehr gute –, dann lässt sich wohl nichts machen.«

Trotz der beruhigenden Liebkosung arbeitet es die ganze Zeit in meinen grauen Zellen. Alle möglichen Fragen schießen mir durch den Kopf. Als Stone mich in den Arm nimmt, und ich mich automatisch an ihn kuschele, spreche ich meine Gedanken aus.

Möglicherweise ist Youngblood da gewesen, vielleicht in Verkleidung. Oder er hat jemanden bezahlt, der heimlich für ihn gefilmt hat. Ob Youngblood nun selbst da war oder nicht, irgendjemand muss uns zu dem Dogging Event gefolgt sein, denn es ist nicht schwer, in irgendwelchen Chatrooms im Internet die genauen Zeiten der Meetings zu finden.

»Sieht ganz danach aus, als wäre ich ein Risiko zu viel eingegangen, oder?« Er streichelt über mein Haar, und die Zärtlichkeiten beruhigen mich. »Ich wünschte nur, ich hätte dich nicht da mit hineingezogen.«

Ich schaue ihm tief in die Augen.

»Ich weiß, dass das ein Desaster ist, aber ich möchte keinen Augenblick missen!«

Stone gibt mir einen zarten Kuss auf die Lippen. »Du bist ein Juwel, Maria.«

Er sieht entspannt aus. Scheint sich keine Gedanken darüber zu machen, dass seine Zeit als Director of Finance abgelaufen sein könnte.

»Ich wette, da hat ihm jemand geholfen.« Ich nicke in Richtung der Mattscheibe, und ein furchtbarer Verdacht keimt in mir auf. Ich glaube, ich ahne, wer der clevere Experte war, der diese CD gebrannt hat und auch die Hardware zur Verfügung stellte, um die Aufnahmen machen zu können.

Stone nickt. »Kein Zweifel. Der Idiot ist dafür berüchtigt, seine Leute mobil zu machen. Ich habe das Gefühl, dass dein Verehrer Gregory seine Hand mit im Spiel hat. Vielleicht ist das seine Art, es mir heimzuzahlen, weil ich dich vögele.«

Er hat Recht. Das muss ich nicht erst noch bestätigen.

»Was machen wir also jetzt? Glaubst du, Youngblood schickt eine Kopie an den Finanzausschuss, damit die dich feuern? Oder hält er die Aufnahmen zurück und droht dir voller Häme, wenn er merkt, dass du auf seine Forderungen nicht eingehst?«

»Weißt du, im Augenblick interessiert mich das nicht«, wispert Stone und küsst mich wieder zärtlich auf die Wange. »Denn jetzt möchte ich viel lieber mit dir bumsen.«

13. Kapitel

Ein schlauer Plan

Jetzt bin ich in Stones Schlafzimmer, das ich mir ganz anders vorgestellt habe. Es ist ein elegant eingerichteter Raum, der mit seinen blauen und neutralen Farben Ruhe ausstrahlt. An den Wänden hängen keine erotischen Lithografien, an der Decke ist kein Spiegel, und an den Bettpfosten kann ich keine Handschellen für Fesselspielchen entdecken.

Nackt schlüpfe ich unter die Decke und warte auf ihn. Die Laken müssen noch vor ein paar Tagen gewaschen worden sein, dennoch duften sie nach ihm: Ein herrlicher Geruch, den ich sehr sexy finde.

Wie viel Aktionen mag dieses Bett gesehen haben? Haben hier seit dem Tod von Stones Frau noch andere Frauen gelegen? Oder zieht dieser Mann es ohnehin vor, außer Haus Sex zu haben?

Ich gucke unter das Bett, auf der Suche nach einem Stapel Pornohefte.

Tatsächlich liegen Magazine unter dem Bett. Ich setze mich wieder aufrecht hin und betrachte die eher klassischen Magazine: *Penthouse, Playboy.* Kein hartes, schmutziges Pornoblättchen mit großen Titten und Großaufnahmen von Penetrationen. Aber dann finde ich in dem ganzen Stapel etwas, das mich total überrascht.

Boulevardmagazine. Genau die, die auch ich immer lese. Ich gehe den Stapel durch und finde Hefte der zurückliegenden Monate, die auch in meinem Apartment herumliegen. Dann fällt mein Blick plötzlich auf eine etwas ältere Ausgabe, die ich ebenfalls in meiner Sammlung habe.

Ein Magazin, in dem *ich* vorkomme! Das war die Zeit, als

ich mich zu den kleinen Sternchen in der Modelszene zählen durfte, die in London ihr Glück versuchten, auf großem Fuß lebten und schließlich mit leeren Händen dastanden.

»Aha, wie ich sehe, hast du mein pikantestes Geheimnis gelüftet.«

Stone steht in der Tür; sein Haar ist noch nass. Er hat sich in einen flauschigen blauen Bademantel gehüllt. Ein paar dünne Rinnsale laufen noch an seinen Füßen hinab; seine behaarten Waden sehen kräftig aus.

»Nein, das pikanteste Geheimnis dürfte der Preis beim Standardtanzen sein.«

Er lacht und setzt sich zu mir auf die Bettkante. »Nun, ein großer Kerl wie ich muss einen Weg finden, um sich leichtfüßig durchs Leben zu schlagen.«

Das ergibt Sinn und dürfte auch erklären, warum Stone sich bisweilen recht anmutig bewegt.

Dann schlage ich das ältere Magazin auf und breite die Seite auf dem Bett aus, auf der ich zu sehen bin. Im selben Moment rutscht mir die Bettdecke aus der Hand und enthüllt meine bloßen Brüste, aber Stones Blick haftet nur auf dem Bild mit dem Model.

»Habe ich deshalb den Job bekommen?«

Er starrt auf den Artikel und auf mein Foto und schaut dann mich an. Seine Miene ist offen, und er sieht mir freimütig in die Augen.

»Ja, natürlich.«

Er schließt das Magazin und legt es auf den Nachttisch.

»Ich lese die Magazine, weil Stacy sie immer kaufte. Das ist zu einer Gewohnheit geworden. Vielleicht ist das ein Weg, mit ihr in Kontakt zu bleiben.« Für eine Sekunde huscht sein Blick zur Seite, und Stone scheint in sich hineinzuhorchen. Plötzlich fröstelt mir. Nicht weil mir kalt ist, sondern weil sein Kummer mich wie eine kühle Brise erreicht.

Mit einem Mal richtet er seine Aufmerksamkeit wieder

allein auf mich, als habe er Stacy wieder an ihren Platz in seinen Erinnerungen zurückgebracht. »Warum hast du London verlassen, Maria? Was ist passiert?«

»Ich glaube, letzten Endes lag es sogar an diesen Artikeln« – mein Blick huscht kurz zu dem Magazin – »denn irgendwann habe ich gemerkt, wie oberflächlich ich geworden bin und wie sinnlos und nutzlos mein Leben war.«

Das stimmt. Der strahlende Augenblick, einmal vor der Kamera des professionellen Fotografen zu stehen, war schnell verflogen, und dann stand ich da und verspürte die große Leere in mir. »Ich lebte über meine Verhältnisse. Vergeudete meine Zeit. Habe mich nie richtig wohl in meiner Haut gefühlt. Endlich wurde mir klar, dass ich das Scheinwerferlicht verlassen muss, um ... zu meinen Wurzeln zurückzukehren.«

Er beobachtet mich immer noch und sieht Dinge, die ich selbst nur halb verstehe.

»Als ich die Artikel über dich sah, war ich erstaunt, wie sehr du Stacy ähnelst. Ich war wie besessen von diesen Aufnahmen.« Seine Worte klingen aufrichtig, sein Blick ist ehrlich. »Und als ich dann deinen Namen auf der Liste der Bewerber entdeckte, musste ich dich einfach kennenlernen.«

Vielleicht sollte mir das ein bisschen unheimlich sein, als hätte er mir heimlich als Stalker nachgestellt, aber das Gefühl lasse ich gar nicht erst aufkommen. Wenn er auch schlau ist und gerne andere manipuliert, verschlagen und hinterhältig ist er bestimmt nicht.

»Aber mein Lebenslauf war Mist. Eigentlich hätte ich gar nicht zum Vorstellungsgespräch eingeladen werden dürfen.«

»Stimmt.« Er zuckt die Schultern und lächelt dann. »Aber manchmal möchte ich Leute sehen, die bei Youngblood nicht in die engere Wahl gekommen sind. Nur um ihn zu ärgern.«

»Ach ja? Jetzt siehst du, was du damit erreicht hast!«

»Darum geht es nicht. Es gibt noch einen anderen Grund,

warum Blondie mich hasst. Und das hat nichts mit dem Kompetenzgerangel in Borough Hall zu tun.«

»Warum hasst er dich dann?«, wage ich mich mutig vor. Eigentlich geht mich das nichts an, aber ich bin eben furchtbar neugierig, besonders dann, wenn es um diesen Mann geht.

»Weil er sich einmal an mich herangemacht hat, von mir aber eine Abfuhr erhielt.«

Oh, nein!

»Eh ... bist du schwul?« Meine Gedanken überschlagen sich. All diese Bilder, die jetzt auf mich einstürmen! Aber dann erinnert meine Muschi mich an unumstößliche Fakten. »Oder sollte ich besser fragen, bist du *bi?*«

»Ich bin nicht bi.« Er mustert mich wieder mit seinem herausfordernden Blick. Und plötzlich verdichten sich all diese Bilder in meinem Kopf zu einer Momentaufnahme. Stone und Youngblood treiben es. Nackt und verschwitzt, stöhnend und mit verzerrten Gesichtern. Gott, sie würden ein fantastisches Paar abgeben! Youngblood, der coole, gepflegte Städter mit seiner blassen Haut und der tadellosen Frisur. Und dann Stone: Der eher mediterrane Typ mit dem dunklen Teint, der im Vergleich zu Youngbloods schlankem Körperbau groß und stämmig daherkommt.

»Aber du hast ihn abgewiesen?«

»Ja, ich hatte eine schwere Zeit.« Wieder driftet er zu einem melancholischen Ort in seinem Innern. »Er nahm mich mit, als wir von einer Dienstfeier kamen und mein Auto nicht anspringen wollte.«

Falten liegen auf seiner Stirn, und am liebsten würde ich ihn in die Arme nehmen und trösten, als wäre er mein Kind, das sich das Knie aufgeschrammt hat. Ist das nicht bizarr?

»Unter normalen Umständen wäre ich vielleicht in Versuchung geraten. Aber es war Stacys Todestag, und ich fühlte mich ein bisschen angeschlagen. Ich ging nur zu der Dienstfeier, um mich ein wenig abzulenken.«

»Das tut mir leid.«

Seine großen Schultern heben und senken sich wieder. »Ja, da ging alles drunter und drüber. Es war wirklich peinlich. Und das hat William mir nie verziehen.«

Ich berühre ihn am Arm und weiß nicht, was ich im Augenblick sagen soll, aber ich möchte Stone trösten und ihm dabei helfen, all seine Sorgen und Probleme von gestern und heute zu vergessen.

Unsere Blicke treffen sich, und wie immer liest er meine Gedanken. Mit einem Lächeln steht er auf, dimmt das Licht der Nachttischlampe ein wenig und entledigt sich seines Bademantels.

Ist er schüchtern? Was für ein seltsamer Gedanke! Ich erhasche nur einen kurzen Blick auf seinen nackten Körper, aber ich sehe keinen Grund, warum er sich schämen müsste. Er ist zwar kein Adonis mit gestähltem Körper und einem Sixpack, aber wie ein schlaffer Sack sieht er auch nicht aus. Er ist ein großer Mann in mittleren Jahren, der sich gut gehalten hat, wenn man bedenkt, dass er den ganzen Tag am Schreibtisch sitzt.

Als er mich an sich zieht, habe ich eher das Gefühl, neben einem großen, knuddeligen Teddybären zu liegen. Ein starker Bär obendrein. Nicht nur körperlich stark, sondern auch willensstark. Und die ganze Zeit spüre ich seinen Blick auf mir, sehe das Leuchten in seinen Augen. Bei dieser kurzen Entfernung haben seine Augen einen eigenartigen Schimmer, der mir eine leichte Gänsehaut einjagt. Bis mir aufgeht, dass er wahrscheinlich Kontaktlinsen trägt. Ich spreche ihn darauf an, und er bejaht meine Frage mit einem Grinsen.

»Damit ich dich besser sehen kann, Mädchen.«

Und mit einem Mal ist er nicht mehr der niedliche Teddybär, sondern der große schwarze Wolf, der über mich herfallen wird.

»Na komm, vergeuden wir keine Zeit«, murmelt er und

streichelt über meine Flanke. Ich habe Lust, aber eine Sache geht mir nicht aus dem Kopf.

»Normaler Sex im Schlafzimmer dürfte langweilig für dich sein, oder nicht?«

Er schüttelt den Kopf und täuscht ein verzweifeltes Ausatmen vor. »Ich habe nichts gegen normalen Sex zu Hause, solange die richtige Frau in meinem Bett liegt.«

Ich muss an die Fotos denken und an seine Frau.

»Bin ich die richtige Frau?«

»Das fragst du noch?« Mit diesen Worten drückt er seinen großen, warmen Körper an meinen, und seine heiße Erektion teilt mir unmissverständlich mit, dass ich zumindest in diesem Augenblick die richtige Frau bin.

Die Hitze, die von ihm ausgeht, macht mich an, ebenso die Art und Weise, mit der er mich küsst und mich dabei überall streichelt. Trotzdem bin ich noch ein bisschen durcheinander. Gedanken an seine Frau und das Magazin, an William Youngblood und den verräterischen Greg wirbeln in meinem Kopf herum, sodass ich nicht richtig bei der Sache bin. Ich spüre, dass ich ein bisschen feucht werde, zumal Stone mich genau dort mit seiner atemberaubenden Präzision berührt, aber ich bin nicht so heiß wie bei unseren anderen Begegnungen.

Er ist jetzt über mir, schaut mir in die Augen; seine Augen glitzern. Und sehen wieder alles.

»Hey, wo bist du mit deinen Gedanken?« Er stützt sich auf dem Ellbogen ab, steckt mir einige Strähnen hinters Ohr und lässt seine Finger über mein Gesicht wandern. »Hier bin ich. Komm zurück zu mir. Mach dir keine Gedanken.«

Eine Welle der Schuld überkommt mich. Wie dumm bin ich eigentlich? Wir machen nichts Verbotenes oder Riskantes oder Abgedrehtes, und auch das ist wunderbar. Stone weiß genau, wie er seine Fingerspitzen, seinen Mund und seinen Körper einzusetzen hat, und als ich lächele und mich endlich auf den Sex einlasse, verwöhnt Stone mich bereits und lässt keine Möglichkeit aus, mir Lust zu verschaffen.

Und wie gut er sich auf alles versteht!

Mit seiner Zungenspitze macht er sich genau an den richtigen Stellen zu schaffen, leckt mich hemmungslos, lässt die Zunge kreisen und saugt, bis ich halb wahnsinnig werde, ihn mit den Füßen traktiere und an seinem Haar ziehe. Sexdämon, der er ist, weiß er genau, wo mein empfindlichster Punkt ist, aber er muss es auf die Spitze treiben, indem er meine Perle meidet. Ich muss ihm fluchend die Hüften entgegenschieben, weil ich es nicht mehr aushalte.

Erst dann, als ich das Gefühl habe, zu zerplatzen, und all die Gestalten wie Greg oder Youngblood nur noch einer fernen Galaxie angehören, versetzt mir mein cleverer Bobby den Gnadenstoß.

Ich bin total ausgepowert und merke, dass ich wieder komme, als er endlich in mich eindringt. Ich klammere mich an ihn und keuche seinen Namen, als er anfängt, mich zu stoßen.

Es ist mitten in der Nacht, und ich kann nicht schlafen. Liegt das an dem fremden Bett? Vielleicht eher daran, dass ich nicht allein in einem fremden Bett liege, sondern neben Robert Stone?

Aber als ich sehe, wie er neben mir schläft, weiß ich, woran es liegt.

Mich hat's erwischt, und erstaunlicherweise möchte ich ihn beschützen. Was verrückt ist, weil Stone physisch und psychisch der stärkste Mann ist, der mir je begegnet ist. Aber die Sache ist die, dass er bedroht wurde, und das hat in mir das Raubtier geweckt, das sich brüllend auf den Angreifer stürzt und Stone verteidigt.

Im Mondschein sieht er entspannt aus, sein breites Gesicht

wirkt weicher und jünger, sein Mund zärtlich. Ich weiß, dass hinter diesen geschlossenen Lidern ein scharfer Verstand schlummert, der bisweilen gerissene, manipulative und perverse Gedanken hervorbringt. Doch jetzt, als ich diese dunklen, vollen Wimpern betrachte, die fächerartig auf den Wangenknochen ruhen, ist es die Verletzbarkeit dieses Mannes, die mein Herz rührt.

Verflucht seien Youngblood und dieser Greg! Euch werde ich's schon zeigen, weil ihr meinen Bobby bedroht und verletzt habt!

Aber dafür brauche ich einen schlauen Plan.

»Was willst du also machen?«

Ich sitze im Café Mario, diesmal aber nicht mit Stone.

Mir gegenüber sitzt Mel. Sie schaut mich über ihren Thunfischsalat und Latte macchiato hinweg an, und Besorgnis zeichnet sich auf ihrem hübschen Gesicht ab.

Eben habe ich ihr die ganze Story erzählt. Von Stone und mir. Von dem Dogging-Event. Von Youngblood und dessen verdammter CD!

»Ich weiß es nicht, aber ich muss etwas tun! Ich fühle mich verantwortlich!«

Mel setzt ihre Tasse ab und berührt meine Hand. »Dafür kannst du doch nichts. Stone ist derjenige, der sich da hineingeritten hat.« Entschlossenheit liegt in ihrer Miene. »Und er sollte sich schämen, dass er dich da mit hineingezogen hat!«

Ich weiß, dass sie um mich besorgt ist, und ich spüre, dass sie in gewisser Hinsicht Recht hat. Aber wenn ich Stone nicht heiß gemacht hätte – und ich weiß, dass ich ihn scharf gemacht habe –, säße keiner von uns in der Klemme.

Dabei bin ich emotional gesehen wahrscheinlich noch viel schlimmer dran.

An diesem Morgen, als er mich bei meinem Apartment absetzte, meinte er beiläufig, wir sollten einfach abwarten, was Youngblood überhaupt vorhat.

Ich war einverstanden. Natürlich ist es besser, einen kühlen Kopf zu bewahren. Stone hat Recht. Aber in mir ist immer noch diese furchtbare Leere.

Ich glaube, ich liebe ihn.

Aber das werde ich ihm nie sagen, weil ich glaube, dass es nicht das ist, was er will. Er hat seine Frau geliebt und ist im Augenblick für Gefühlsduseleien nicht zu haben. Und ich habe nicht vor, mit einem Mann über meine Gefühle zu reden, der für solche Dinge nichts übrig hat. Was nicht bedeutet, dass ich nicht weiterhin mit ihm Sex haben möchte.

Mit Stone zusammen zu sein ist verrückt. Gefährlich, wie ich festgestellt habe. Manchmal war es mir unheimlich in seinem Wohnzimmer. Aber wenn ich bei ihm bin und seine Berührungen genieße, fühle ich mich lebendiger als in London, als ich mein Leben für so glamourös hielt.

Schnipp!

Ich zucke zusammen und verschütte beinahe meinen Kaffee, als Mel mit den Fingern schnippt.

»Erde an Maria«, sagt sie leise. »Du warst meilenweit weg. Willst du denn jetzt wirklich etwas gegen diesen Mist unternehmen?«

Absolut! Ich weiß, dass Robert Stone mich nie so lieben wird, wie ich ihn liebe, aber das heißt nicht, dass ich nicht darauf brenne, für ihn zu kämpfen! Er scheint sich in sein Schicksal zu fügen, aber ich bin eine Frau, und der Wunsch nach Rache ist tief in meinen Genen verankert.

»Und ob. Ich werde diesen Youngblood mit Dreck bewerfen, der genauso schmutzig sein muss wie der Dreck, den er auf Robert geworfen hat.«

»Ah, wir sind schon bei ›Robert‹, wie? Oh, meine Liebe, dich hat's wirklich erwischt.«

»Hör auf. So schlimm ist es nicht. Ich mag ihn einfach, mehr nicht. Komm schon, du weißt über alles und jeden in Borough Hall Bescheid. Es muss doch einen Weg geben, Youngblood eins auszuwischen.«

»Da ist doch dieses kleine Liebesnest im Keller, oder?«, schlägt Mel vor. »Das wäre doch am einfachsten. Wir beide könnten Greg zwingen, dort unten dieselbe Kamera zu installieren, die er auch Youngblood zur Verfügung gestellt hat. Dann hätten wir den Beweis, dass unser Goldköpfchen die gute Sandy bumst.«

Gut, aber irgendwie reicht das nicht. Es muss persönlicher sein. Intimer. Und obwohl Sandy nicht meine Lieblingskollegin ist, möchte ich sie nicht in diese Sache hineinziehen.

Mel merkt mir an, dass ich zögere. »Holst du uns noch etwas Kaffee?«, seufzt sie. »Vielleicht fällt uns ja noch etwas Besseres ein.« Sie grinst. »Und ich habe da auch schon eine Idee. Vielleicht müssen wir da ein bisschen tricksen und den einen oder anderen um einen Gefallen bitten. Aber es könnte klappen.« Auf ihrem Gesicht macht sich ein Grinsen breit, und sie zwinkert mir herausfordernd zu. »Allerdings erwarte ich eine Gegenleistung, wenn ich dir helfe. Ich tue das nicht für den cleveren Bobby oder um mir was Gutes zu tun, verstehst du?«

Ich weiß, was sie will.

»Du bist dabei!« Ich zwinkere genauso durchtrieben und spüre ein Flattern im Bauch. »Würden dir Spiegeleier und Fritten im Blue Plate gefallen?«

»Klingt super!« Sie leckt sich die Lippen. »Und jetzt zur Sache. Hör zu, was ich mir überlegt habe.«

Zunächst gilt es, Greg auf unsere Seite zu ziehen. Theoretisch kann ich dafür die Sexkarte oder die Ich-mach-dir-ein-schlechtes-Gewissen-Karte ausspielen, um mein Ziel zu erreichen.

Eigentlich bin ich so wütend auf ihn, dass ich ihm den Kopf abreißen könnte!

»Mach auf, du Scheißkerl! Ich weiß, dass du da bist!«, rufe ich und hämmere mit beiden Fäusten gegen die Tür. Ich bin gerade von der Arbeit zurück. Mel hat mich auf ihrem Bike mitgenommen, weil Greg mich weiterhin meidet.

Das Schweigen zieht sich in die Länge. Wieder trommele ich gegen die Wohnungstür. Ich weiß, dass er da ist, denn vorhin habe ich seinen Fernseher gehört, und seitdem hat niemand das Haus verlassen.

»Komm schon, mach auf, du kleiner Wichser!«

Schließlich öffnet sich die Tür ein wenig, und Greg späht durch den Spalt. Er sieht wirklich erschrocken aus, und das stärkt mein Selbstvertrauen. Ich habe ihn!

»Ist irgendetwas?« Seine Stimme klingt heiser, und er ist ganz bleich.

Mit einem Gefühl der Überlegenheit stoße ich die Tür auf und zwinge Greg, weiter in den Raum zurückzuweichen.

Ich brauche kaum etwas zu sagen, denn ich weiß – ich *spüre* –, dass ich Greg schon da habe, wo ich ihn auch haben wollte. Ich habe ihn in der Hand. Und das ist brillant, denn für meinen Plan muss ich die absolute Macht über einen Mann haben.

»Warum hast du das getan? Wie konntest du nur! Ich dachte, wir wären Freunde!«

Greg öffnet den Mund, schließt ihn aber wieder. Auf seinem hübschen, jungenhaften Gesicht zeichnet sich tiefe Reue ab, und er scheint die Sprache verloren zu haben.

Wie ich im Übrigen auch, als ich seinem Blick folge und sehe, was an der Wand hängt.

Es ist ein lebensgroßes Blow-up eines Fotos. Zusammengeklebt aus mehreren DIN A4 Blättern. Die Aufnahmen sind grobkörnig, weil das Foto so stark vergrößert wurde, aber ich sehe mich in eindeutiger Pose auf dem Picknicktisch liegen;

zwischen meinen Schenkeln ist Stone. Ich bin erschrocken, als ich meine beim Orgasmus verzerrten Gesichtszüge so stark vergrößert sehe, aber viel schlimmer ist noch, dass Stones Gesicht und sein Körper komplett geschwärzt sind. Es sieht so aus, als würde ich von einem Schatten gevögelt.

Ich bin kurz davor, den Mut zu verlieren, aber dann dämmert es mir, dass ich den endgültigen Beweis habe, dass Greg mit der Sache zu tun hat. Mein Verdacht hat sich also bestätigt.

»Ich ... ich ...« Greg hat Schwierigkeiten, einen klaren Satz herauszubringen.

»Du bist eifersüchtig auf Stone, nicht wahr?«

»Ja, natürlich bin ich das. Das weißt du doch.« Er sieht mich hungrig an, und ich merke, dass ich einen tollen Anblick abgebe. Feuer liegt in meinen Augen, ich bebe vor Zorn, und meine Spitzen zeichnen sich unter meinem dünnen T-Shirt ab. Ich scheine den Sexappeal einer Kriegsgöttin zu haben.

»Hör auf, mich anzuglotzen, du kleiner Wurm. Du kannst mich erst wieder so angucken, wenn ich es dir erlaube. Von mir bekommst du gar nichts mehr, es sei denn, du machst das, was ich von dir verlange. Du hast noch etwas gutzumachen.«

Er meidet meinen Blick, schaut mit geröteten Wangen zur Seite und tritt unsicher von einem Bein auf das andere. Ich sehe, wie er die Fäuste ballt, um die Erektion zu überspielen, die seine Hose wölbt.

Ich habe ihn. Er ist genau da, wo ich ihn haben wollte. Jetzt gilt es, cool zu bleiben und die Wut zu zügeln. Ich sollte an Stone denken und meine Überlegenheit auf stille und subtile Art ausspielen.

»Gut«, sage ich leise, setze mich auf Gregs Sofa und lehne mich zurück. »Dann lass mal hören. Ich will alles wissen. Jedes Detail. Von Anfang an.«

Wie sich herausstellt, hat Youngblood sich Greg warmgehalten, weil er die Fähigkeiten des jungen Computerspezialisten ausnutzen wollte, um Stone zu kompromittieren. Aber erst als ich meinen Job in Borough Hall aufnahm, hat Greg in Erwägung gezogen, dem Personalchef zu helfen. Bis es klar war, dass ich mich auf Stone eingelassen hatte.

»Weiter«, gebe ich ihm vor, als Greg verstummt. Dabei kämpfe ich gegen mein eigenes Schuldgefühl an. Eigentlich unsinnig, aber ich habe den Mann in Gefahr gebracht, in den ich mich verguckt habe.

Schließlich passte in der Nacht des Dogging-Events alles zusammen: Youngblood erklärte, was er brauchte, und Greg hatte die Technik parat.

»Es war ziemlich erbärmlich. Er ist Stone immer gefolgt und wusste daher auch mehr oder weniger, wo du warst. Ich sollte ihm die Kamera besorgen. Und die technischen Abläufe übernehmen.«

Ein Verdacht keimt auf.

»Soll das heißen, dass du da warst?« Ich nicke in Richtung des riesigen Fotos.

Greg wird knallrot. Er steht immer noch hilflos im Raum und kann nichts gegen seinen Ständer machen. Ich habe ihm noch nicht die Erlaubnis gegeben, sich zu setzen, und er hat kapiert, dass er mich erst fragen muss ... und das in seiner eigenen Wohnung!

»Wir waren beide da.« Zum ersten Mal grinst er, aber nur kurz und eher nervös. »Es war zum Lachen. Er hatte Verkleidungen für uns. Hüte, falsche Bärte. Ich kam mir richtig blöd vor.«

Aber Youngblood hat sein Ziel erreicht. Ich strafe Greg mit einem strengen Blick.

»Wir hielten uns im Hintergrund, bis die Aktion lief. Dann kamen wir nach vorne, als klar war, dass du uns nicht sehen konntest.«

Wieso hätten wir sie sehen sollen? Wenn Stone genauso bei

der Sache war wie ich, dann existierten all diese Gestalten nur am Rande unseres Blickfelds.

»Tut mir leid«, sagt Greg, als er alles gebeichtet hat. »Es tut mir wirklich leid. Ich wollte dich nicht verletzen. Dich schon gar nicht. Ich bin verrückt nach dir. Und Stone hasse ich auch nicht so sehr. Ich war nur sauer auf ihn, weil du offensichtlich nach ihm verrückt bist und nicht nach mir.«

Plötzlich tut auch mir alles leid. Ich bedaure das Durcheinander, in das wir geschlittert sind. Außerdem ahne ich, dass ich mich wahrscheinlich in den Falschen verknallt habe. Praktisch gesehen, meine ich. Mit Greg hätte ich vermutlich eine nette, normale Freundschaft führen können, die sogar zukunftsfähig gewesen wäre. Aber mit Stone? Da sehe ich keine gemeinsame Zukunft.

Ich spüre, dass mich meine Kräfte verlassen, aber ich habe noch die Kontrolle. Ich darf meine Chance jetzt nicht verspielen und muss die Macht, die ich habe, auch nutzen.

»Aha, du magst mich also, bist dir aber nicht zu schade, Youngblood dabei zu helfen, jemanden zu ruinieren, den ich mag. Wie kannst du da erwarten, dass ich dich in irgendeiner Weise mag?« Ich spreche ruhig und neutral. Doch innerlich muss ich lächeln. Das habe ich von meinem Meister gelernt.

»Es tut mir leid! Es tut mir leid!«, wiederholt Greg und ist fast den Tränen nah. Zu meiner Überraschung sinkt er vor mir auf die Knie. »Bitte vergib mir!« Dann verneigt er sich auch noch unterwürfig und berührt mit seinem Gesicht den Teppich.

Ich bin in Hochstimmung. Die absurde Szene hat die Wirkung von Schokolade oder Koffein. Ich verspüre das gleiche Prickeln, das mich überkommt, wenn Stone zu mir ›Miss Lewis‹ sagt. Wahrscheinlich könnte ich mit Greg jetzt alles machen und bin in Versuchung, es auszuprobieren.

Stattdessen breite ich in aller Seelenruhe Mels genialen Plan vor ihm aus, der Youngblood zum Verhängnis werden soll, und erkläre Greg, welche Rolle wir ihm dabei zugedacht haben.

Seine Augen werden ganz groß, als er hört, was wir vorhaben. Er ist aufmerksam und gefügig, und ich weiß, dass ich ihn in der Hand habe.

Vielleicht werde ich noch ein bisschen mit ihm spielen, quasi als Belohnung, wenn alles glattläuft. Und Stone könnte uns dabei zusehen.

14. Kapitel

Zahltag

»Youngblood.«

Er klingt unbekümmert und selbstsicher. Als hätte er sich gerade hämisch über seinen Triumph gefreut. Ich starre böse auf den Hörer, den Mel mir hinhält, und versuche, mir meine Wut nicht anmerken zu lassen.

»Hallo, William, hier ist Maria.«

In der Schule habe ich immer gern Theater gespielt, was mir jetzt hilft. Ich darf keine Nervosität zeigen. Youngblood soll denken, dass ich entweder nichts von der CD weiß oder mich einen Dreck um die Aufnahme schere.

»Eh ... hallo. Wie geht's?«

Ja! Die Tatsache, dass ich ihn beim Vornamen anrede, hat ihn schon ein bisschen aus dem Konzept gebracht. »Mir geht's gut. Ich habe gerade über Ihre Einladung nachgedacht. Ich würde sie gerne annehmen. Hätten Sie heute Abend Zeit?«

Schweigen am anderen Ende. Ich schaue mit einem Grinsen zu Mel auf. Ich hätte gerne mit dem Daumen nach oben gezeigt, aber ich möchte den Nagellack nicht ruinieren, den sie mir eben erst aufgetragen hat.

»Ja, ja, habe ich. Eh ... sollen wir uns irgendwo treffen?«

Ich kann förmlich hören, wie sich die kleinen Rädchen in seinem Kopf drehen. Er versucht herauszufinden, was da läuft und was ich vorhaben könnte.

»Wie wär's mit dem Waverley Grange? Gegen acht in der Cocktailbar?«

Wieder Schweigen. Auch mit der Wahl des Orts scheint er nicht gerechnet zu haben.

Mel gibt mir das Okay-Zeichen, und ich nicke. Sie hatte Recht.

»Ja, das wäre großartig.« Er zögert wieder, und ich merke, dass er nach den richtigen Worten sucht.

»Ja, nicht wahr?«, schnurre ich und hoffe, dass ich nicht zu dick auftrage. »Wir haben ein Date, William. Ich freue mich. Bis später dann.« Ich nicke wieder Mel zu, und sie unterbricht die Verbindung, ehe Youngblood etwas erwidern kann oder mir mit irgendwelchen Fangfragen kommt.

»Hey, du warst super!« Sie springt auf und hopst vor Begeisterung im Zimmer herum. Hier in diesem luxuriösen Hotelzimmer wirkt Mel mit ihrer alten Jeans und den Doc Martens ein bisschen fehl am Platz, aber plötzlich möchte ich auch aufspringen und sie küssen, weil sie mir so toll geholfen hat. Aber daran hindern mich die Wattestäbchen zwischen meinen Zehen, die so lange stecken bleiben müssen, bis der Nagellack trocken ist.

Mel hat immer mal wieder eine Affäre mit der stellvertretenden Managerin hier im Waverley Hotel, und deshalb haben wir die Luxussuite für unser Vorhaben praktisch umsonst bekommen.

»Hoffentlich habe ich nicht zu dick aufgetragen«, meine ich, als Mel sich wieder neben mich setzt und abwechselnd auf die Finger meiner linken und meiner rechten Hand pustet, damit der Lack schneller trocknet.

»Du hast dich unglaublich sexy und selbstsicher angehört. Unser guter William wird dir zu Füßen liegen. Und dabei wird es an diesem Abend nicht bleiben!«, flötet sie.

Ein Schauer durchrieselt mich. Erste Zweifel kommen auf.

»Ich weiß nicht, ob ich das schaffe, Mel. Saskia sagt, er lässt sich sonst auf eine professionelle Domina ein.« Ich spüre wieder dieses Flattern in meinem Bauch. »Vielleicht lacht er mich aus und weigert sich, sich mit mir abzugeben. Ich meine ...« Ich breche ab, denn in diesem Augenblick taucht Stones gelassenes, leicht amüsiertes Gesicht in meiner Vorstellung auf. »Ich habe nie irgendwelche Fesselspielchen oder S/M Sachen gemacht. Die einzige Erfahrung, die ich habe, hat ... mit *Stone* zu tun. Und da hat er immer das Machtspielchen bestimmt. Ich weiß nicht, ob ich in die andere Rolle schlüpfen kann.«

Mel kniet nun vor mir, umfasst meine Unterarme und passt auf, nicht an meine Fingernägel zu kommen.

»Maria, du bist eine schöne Frau, und du bist stark. Du bist eine Kämpfernatur. Wieso sollte ein Mann wie Stone dir sonst hinterherjagen?«

»Er brauchte mich nicht lange zu jagen.«

»Ach, Quatsch«, meint sie und zwingt mich, ihr in die Augen zu schauen. »Er merkt gleich, wenn jemand so ist wie er. Genauso stark, meine ich.« Ich runzele die Stirn, obwohl ich allmählich kapiere, wie Mel das meint. »Mag sein, dass er Spielchen mit dir treibt. Aber doch nur, weil *du* es zulässt. *Du* willst es so. Du lässt ihn gewähren, weil es dir Spaß macht.« Sie lässt meine Arme los und legt ihre Hände auf meine bloßen Oberschenkel, die zwischen dem flauschigen Bademantel des Hotels hervorlugen. »Maria, du bist eine Spielernatur wie er. Das liegt euch im Blut. Und das bedeutet, dass du auch Spiele mit einem Mann wie William Youngblood spielen kannst. Problemlos. Weil er scharf auf so etwas ist.«

Das stimmt. Mels Freundin Saskia, die stellvertretende Managerin hier, schlüpft in ihrer Freizeit gern mal ins Dominakostüm. Und sie weiß aus sicherer Quelle, dass Youngblood sich ab und zu im Hotel mit einer professionellen Domina trifft. Das Waverley Hotel ist sehr diskret und liegt außerhalb der Stadt – also der perfekte Ort für ein kleines Abenteuer in luxuriösem Ambiente.

Eigentlich bin ich erstaunt – und auch ein bisschen enttäuscht –, dass Stone mich nie hierher gebracht hat. Alles, was ich bekam, waren Splitter im Hintern von einem Picknicktisch am Ende der Welt!

Ja, ich sehe, dass Mel Recht hat, aber ich protestiere immer noch. Und das liegt vielleicht daran, dass ihre Hände sich langsam über meine Beine schieben. »Ja, aber er ist Profis gewohnt, und ich bin eine blutige Anfängerin.«

»Wo soll da der Unterschied sein? Du hast alles, was du brauchst« – ohne Vorwarnung öffnet sie den Morgenmantel und legt meinen Bauch und meinen Pelz frei – »genau hier.« Ihr Blick huscht zu meiner Muschi und wandert zurück zu meinem Gesicht. »Die hat er schon einmal gesehen, oder nicht? Und er will sie haben. Der Rest ist nur ›Basic Instinct‹, meine Kleine. Youngblood wird mitmachen. Du brauchst nichts weiter zu tun, als mit ihm so zu spielen, wie der clevere Bobby mit dir spielt. Du hast den Vorteil, dass du bei einem Großmeister gelernt hast.«

»Aber was ist nun mit dem eigentlichen ... eh ... Dominaauftritt?«

»Dafür haben wir uns doch extra all diese Videos angesehen, Dummerchen!«

Ein paar Abende habe ich einen Crashkurs gemacht, wie man Männer dominiert. Und es war ein Riesenspaß, meistens jedenfalls. Ich musste stellenweise kichern, aber ein oder zwei Streifen, insbesondere eine gute Doku zu dem Thema ... die haben mich beeindruckt. Ich weiß nicht, ob ich mich mit den Dominas identifiziert habe, die die Männer auf dem Boden kriechen ließen. Auch die Motivation der Kunden konnte ich nicht ganz nachvollziehen, denn die Typen waren den Dominas völlig ergeben und hilflos ausgeliefert, und das lag nicht an körperlichem Zwang, sondern allein an der harten Stimme und der Aura der Dominas. Ein oder zweimal habe ich beim Zugucken masturbiert.

»Du schaffst das, meine Liebe«, muntert Mel mich weiter auf, ertastet mit ihren Fingern meine Spalte und streichelt mich dort. »Du wirst grandios sein. Du brauchst dich nur zu entspannen.«

Ihre Berührung ist zart, erfinderisch und kommt mir gerade recht. Das Wissen und die perfekte Berührung kann vielleicht doch nur von jemandem kommen, der die gleiche Anatomie besitzt. Ich schließe die Augen, lehne mich zurück und gebe mich Mel hin. In diesem Moment will ich sie. Das ist wohl das Mindeste, was ich für sie tun kann.

Aber als ich komme, bin ich mit meinen Gedanken nicht bei Mel. Ich sehe den Mann vor mir, für den ich mich auf dieses verrückte Unternehmen eingelassen habe.

Youngblood wartet an der Bar, als ich die Cocktail Lounge betrete. Ich bin zehn Minuten zu spät. Alles Teil meiner Strategie, denn ich muss sein Selbstvertrauen so gut wie möglich unterminieren.

Er sieht toll aus.

Bei anderer Gelegenheit – in einem anderen Leben? – wäre ich bei dem Anblick dieses markanten Gesichts, der blonden Haare und der wirklich gut aussehenden schwarzen Sachen dahingeschmolzen. Aber dies ist das richtige Leben, und ich muss meinen Job tun. Die Dame darf nicht dahinschmelzen. Zumindest nicht im herkömmlichen Sinn.

»Guten Abend, William«, summe ich, als ich die Bar erreiche.

Oh, ja! Er gehört mir, das sehe ich jetzt schon! Sein hübsches Gesicht ist das Abbild der Verwirrung. Zunächst einmal ist klar, dass er nicht mit meinem selbstsicheren Auftritt gerechnet hat. Und dann weiß ich, dass ich genauso toll aussehe wie er.

Das liegt an dem kleinen Schwarzen, das sich an meine Kurven schmiegt und das mir aus meiner Londoner Zeit geblieben ist. Hohe Absätze. Schicke Frisur und ein Make-up, das ich Mel zu verdanken habe, denn sie ist eine wahre Künstlerin, obwohl sie sich äußerlich ja meistens den eher männlichen Touch gibt. Der Wodka, mit dem ich mir eben noch Mut angetrunken habe, hat meinen Wangen bestimmt eine anmutige Röte verliehen, aber wenn ich Youngblood so sehe, kommt die Hitze in mir eher von meiner Erregung als vom Alkohol.

»Eh ... hallo, Maria. Sie sehen heute Abend ganz bezaubernd aus«, sagt er, verlässt den Barhocker, steht auf und rückt mir einen Hocker zurecht. Seine blauen Augen leuchten, und er weiß gar nicht, wo er zuerst hinsehen soll: Auf meine geschminkten Lippen, auf meine Brüste, meine Beine, meine hochhackigen Schuhe – aber dann haftet sein Blick, wie erwartet, auf einem netten kleinen Accessoire, das Mels Freundin Saskia mir geliehen hat.

Ich trage wieder ein Halsband. Diesmal allerdings nicht so ein rosafarbenes Teil aus der Nuttenabteilung. Nein, dieses ist echt stilvoll und genau richtig für mein Vorhaben. Es ist ein schmales Band aus weichem schwarzen Glacéleder, das mit kleinen Swarovski Kristallen besetzt ist. Fällt nicht gerade in die Kategorie Modeschmuck, und die meisten Leute würden es vielleicht sogar komisch finden, aber wenn ich sehe, wie dem guten Youngblood die Farbe ins Gesicht schießt, weiß ich, dass er die Bedeutung dieses Halsschmucks versteht.

Ich nehme Platz, schlage die Beine übereinander und rufe ihm dadurch in Erinnerung, was er im Büro gesehen hat.

»Danke«, erwidere ich. Kein geziertes Lächeln. Keine falsche Bescheidenheit. Ich weiß, dass ich *echt* scharf aussehe. »Das nehme ich auch.« Ich deute auf seinen Drink – ein Glas Mineralwasser –, um gleich klarzustellen, dass ich das Sagen habe.

Er schenkt mir ein verspanntes Lächeln und bemüht sich dann, die Aufmerksamkeit des Barmanns zu erregen.

Ich habe das Gefühl, als würde ich langsam von innen verbrennen. Ein rauschhaftes Gefühl überkommt mich. Beinahe vergesse ich zu atmen, weil die Empfindungen so stark sind, aber ich zwinge mich, ruhig zu bleiben. Ich muss supercool bleiben und darf das Heft nicht aus der Hand geben.

Der gute William ist schon ein wenig aus dem Gleichgewicht. Er weiß, dass ich ihn absichtlich im Büro geblitzt habe, aber weil er so tat, als wäre nichts geschehen, ist es jetzt zu spät, mich auf die Aktion anzusprechen. Außerdem weiß er nicht, ob ich über die ominöse Aufnahme im Bilde bin, die Stone und mich bei einem Picknick der besonderen Art zeigt. Aber das Halsband muss ihm wohl den Rest gegeben haben. Als Mann, der sich ein bisschen in der Szene auskennt, fragt er sich jetzt bestimmt, ob das ein geheimes Zeichen ist oder ob ich das Teil rein zufällig angelegt habe. Denn eigentlich weiß ich gar nichts über die Abläufe bei einem Herr und Diener Verhältnis.

Offenbar wirbelt ihm alles Mögliche im Kopf herum, und da ist es kein Wunder, dass seine Hand leicht zittert, als er dem Barkeeper winkt. Er wirft mir einen nervösen Blick zu, den ich mit einem hintersinnigen, amüsierten Lächeln quittiere.

Als ich mein Wasser bekomme, nehme ich einen Schluck, nicke zum Dank, sage aber kein Wort. Ich brauche nichts zu sagen. Möchte es auch gar nicht. Soll er doch schmoren.

»Ich bin so froh, dass Sie mich angerufen haben. Ich hatte gehofft, Sie würden es tun.«

Er kann mir immer noch nicht direkt in die Augen sehen und lässt seinen Blick in kurzen Abständen immer wieder auf meinen Schritt huschen, als könnte er sich nicht beherrschen.

Ich unterbinde das mit einem ermahnenden Blick, worauf sich wieder eine tiefe Röte auf seinen Wangen abzeichnet. »Dachten Sie, es wäre mir egal?«, sage ich cool.

»Ich war mir … nicht sicher.« Er nimmt hastig einen Schluck, und sein Adamsapfel zuckt. »Ich dachte, Sie wären anderwärtig beschäftigt.«

»Mit Robert Stone?« Kein Grund, sich hier scheu zu geben. Legen wir die Karten auf den Tisch.

»Ja, genau. Er hat die Angewohnheit, sich auf neue weibliche Angestellte zu stürzen. Besonders auf die Hübschen.« Ein Flirtversuch. Er ist mit im Spiel.

Mit der Antwort lasse ich mir etwas Zeit. »Und Sie glauben, dass ich es zulasse, wenn ein Mann sich auf mich stürzt?«

»Eh ...« Das Weiße an seinen Knöcheln tritt hervor, weil er sich so stark an sein Glas klammert. Ich hoffe, er zerbricht es nicht. »Nein, eigentlich nicht. Ich halte Sie für eine Frau, die weiß, was sie will. Aber er ist Ihr Boss, und da dachte ich ...«

»Er ist mein Vorgesetzter in Borough Hall. Genau wie Sie.« Ich suche seinen Blick und zwinge Youngblood, mir länger in die Augen zu sehen. »Aber außerhalb des Arbeitsplatzes mache ich das, was mir Spaß macht, William. Wenn ich Robert sehen möchte, setze ich meine Entscheidung in die Tat um. Und heute Abend möchte ich mich eben mit Ihnen treffen.«

Dass ich Stones Vornamen benutzt habe, hat ihn völlig aus dem Konzept gebracht. Er nimmt rasch einen Schluck Wasser, stellt das Glas auf die Theke, nimmt aber dann wieder einen Schluck. Ich merke, dass er um jeden Preis wissen möchte, was ich weiß, aber trotz seiner Beredsamkeit weiß er nicht, wie er die Frage formulieren soll.

Ein bisschen tut er mir leid. Ich will die Kontrolle über ihn haben, ihn aber auch aus seiner misslichen Lage befreien. Das ist ein absolut sonderbares Gefühl. Als ob man ein Kind oder ein Haustier hat, mit dem man streng sein muss, weil es einem am Herzen liegt.

Und plötzlich empfinde ich tatsächlich etwas für William. Er hielt sich für so clever, aber in Wirklichkeit hat er den Boden unter den Füßen verloren. Vielleicht glaubt er, Stone überlegen zu sein, aber dafür fehlt ihm die innere Kraft.

Aber die habe *ich*. Ich weiß mein Lächeln zu verbergen,

aber im Geiste sehe ich das jungenhafte Grinsen meines cleveren Bobby. Er weiß die ganze Zeit Bescheid.

»Was ist los, William?«, frage ich und lasse ihm keine Zeit, eine Antwort zu finden. »Sie wirken nervös. Stehen ein bisschen neben sich. Möchten Sie sich an einen ruhigeren Ort zurückziehen? Wo wir uns ungestört unterhalten können, und Sie ein wenig entspannen können?«

Seine schönen blauen Augen weiten sich bei der Betonung, die ich dem Wort ›entspannen‹ verleihe. Mir scheint, als habe er Stone und die verhängnisvolle CD und alles andere vergessen. Er kann sein Glück einfach nicht fassen.

Und da ist er auch schon auf den Beinen. Wie ein kleines Hündchen, das an der Leine hochspringt und es gar nicht abwarten kann.

»Ja, gerne. Fahren wir zu mir. Das ist nicht weit. Draußen steht mein Auto. Wie ist es mit Ihnen? Sind Sie mit dem Taxi gekommen?«

»Warum sollen wir irgendwohin fahren? Ich habe hier ein Zimmer.« Ich bleibe cool sitzen und nippe an meinem Glas Wasser.

Youngblood sieht mehr als verblüfft aus.

»Sie haben *hier* ein Zimmer? Ist das nicht ein bisschen teuer?«

»Zu teuer für eine kleine Leuchte aus Borough Hall?«

Das hat ihm die Sprache verschlagen.

»Keine Sorge. Die stellvertretende Managerin ist eine Freundin von mir.« Was gelogen ist. Eigentlich möchte ich Madam Saskia näher kennenlernen. »Sie macht mir einen guten Preis.«

Und dadurch bringe ich noch etwas anderes in Gang. Denn ich sehe Youngblood am Gesicht an, dass er sich jetzt fragt, ob ich bisexuell veranlagt bin wie er.

Gott, ist das ein Spaß!

Ich rutsche von meinem Hocker und gehe in Richtung Foyer und Aufzug.

Ich schaue mich nicht um, denn ich weiß, dass er mir folgen wird.

Stone hätte mich bestimmt längst durchschaut. Er hätte geahnt, dass dies zu einem Rachefeldzug gehört, aber wahrscheinlich hätte er trotzdem mitgespielt, nur so zum Spaß. William Youngblood aber ist viel leichter zu beeindrucken. Er ist so stark darauf gepolt, einer dominanten Frau zu gehorchen, dass es beinahe den Anschein hat, dass sein Denkvermögen – und sein Argwohn – nicht mehr richtig funktionieren. Das Bild mit dem Hündchen stimmt genau. Er reagiert wie ein Pawlow'scher Hund auf den Stimulus einer Frau, die das Sagen hat. So war es mit Sandy im Keller, denn da bestimmte sie, wo es langging, und daher wird es auch mit Saskias professioneller Freundin nicht anders gewesen sein.

Ich bin inzwischen so scharf auf meine Rolle, dass ich mich am liebsten auf die altbewährte Weise in Stimmung bringen möchte. Aber ich muss mich noch in Geduld üben und abwarten. Die Falle muss erst noch zuschnappen.

Im Aufzug überrascht William mich. Er versucht, den Arm um mich zu legen, aber ich mache einen Schritt zurück und halte ihn mit meiner Handtasche auf Distanz.

»Noch nicht.«

Er weicht sofort zurück.

Ist das zu leicht?

Für meinen Geschmack ist der Raum zu kitschig, aber die großen Vorhänge des Himmelbetts eignen sich hervorragend als Versteck für die notwendige Technik. William hatte nur die eine Kamera für die Picknicktisch-Aktion, aber für mein Vorhaben stehen mir gleich mehrere Webcams zur Verfügung. Greg meint, er habe alles mehrmals getestet, als er die Kameras installierte, und daher glaube ich ihm einfach.

»Holen Sie uns doch etwas aus der Minibar«, schlage ich vor und strebe dem Badezimmer zu, ohne mich umzudrehen oder eine Erklärung abzugeben.

Sowie ich im Bad bin, versuche ich ruhiger zu atmen. Es fängt an, mir richtig Spaß zu machen, aber trotzdem habe ich noch Bedenken. Ich nutze die Gelegenheit, um schnell noch zu pinkeln, setze mich auf die Brille, nehme mein Handy zur Hand und sende eine SMS.

Action!

Das Zeichen für Greg, seine technischen Finessen zum Einsatz zu bringen. Für mich heißt es, meine Fähigkeiten als Domina unter Beweis zu stellen.

Zurück im Zimmer sehe ich, dass Youngblood eine Flasche Champagner geöffnet hat und sehr zufrieden mit sich aussieht.

Zeit, diese Freude im Keim zu ersticken.

»Champagner?« Ich verleihe der Frage einen spöttischen und leicht missbilligenden Ton, und schon schwindet das Lächeln auf dem blassen, hübschen Gesicht des Personalchefs.

»Ist schon in Ordnung, ich bezahle das.«

»Das werden Sie bestimmt.« Ich nehme das Glas entgegen, ziehe mich ein wenig zurück und nehme Platz auf einem der verschnörkelten Lehnstühle. Seufz, noch mehr Kitsch.

»Setzen Sie sich, William.« Ich nicke in Richtung Bett, und er kommt meiner Aufforderung ein wenig linkisch nach, das Glas noch in der Hand. Nervös nimmt er einen kleinen Schluck. Ich stelle meinen Champagner auf ein Beistelltischchen, obwohl ich mein Glas gerne in einem Zug geleert hätte, um mir noch mehr Mut anzutrinken. »Machen Sie es sich doch bequem.« Ich schlage ein Bein über das andere und ändere meine Sitzposition dann wieder, aber alles läuft so aufreizend langsam ab, dass der gute Youngblood beinahe das Atmen vergisst.

»Schauen Sie, das mit Stone ...«, fängt er an, während er sein Jackett ablegt.

»Vergessen Sie Stone. Er ist nicht hier. Sie sind hier.«

Was nicht ganz stimmt, denn während der brave William sich seiner Sachen entledigt, weiß ich, dass Stone *doch* hier ist. Im Geiste. Das würde ihm gefallen. Nicht unbedingt, weil er seinen Rivalen in unterwürfiger Position würde sehen wollen, sondern weil ihm das Spiel an sich Spaß machen würde. Das wäre genau sein Ding.

»Ziehen Sie sich nicht aus?« Er ist bei der Hose angekommen, und ich genieße den Anblick von Youngbloods bloßer Brust, die unbehaart und recht muskulös ist. Er hat eine schöne Haut, und nicht einmal auf seinem Bauch findet sich ein Härchen. Offenbar enthaart er sich professionell.

Mit einem überlegenen Blick in seine Richtung nehme ich meine Uhr ab und lege sie auf das Tischchen.

Ich merke ihm an, dass er noch nicht recht weiß, weshalb wir in diesem Zimmer sind. Er versucht immer noch herauszufinden, ob das Halsband einfach nur Schmuck ist oder für etwas anderes steht.

Es ist an der Zeit, für Klarheit zu sorgen.

»Ziehen Sie sich ganz aus«, befehle ich. Er zögert noch. »Oder hauen Sie ab. Sie haben die Wahl.«

Er schluckt, seine Finger scheinen an seiner Gürtelschnalle festgefroren zu sein. Ich kann förmlich sehen, wie es in seinem Kopf arbeitet. Ob er die Falle längst ahnt? Aber der Zwang und der Hunger sind einfach zu groß. Sein Schwanz hat längst die Kontrolle über seine grauen Zellen übernommen. Schnell zieht er sich Schuhe und Socken aus und steigt aus der Hose. Seine Erektion ist nicht zu übersehen und formt seine schwarze Unterhose zu einem kleinen Zelt. Wieder zögert er, aber als ich streng meine Augen verenge, streift er schnell die Unterhose ab.

Sehr schön! Ich habe jetzt einen besseren Blick auf sein Teil als unten im Keller. Sein Penis ist lang und schlank und sieht irgendwie elegant aus. Nicht so ein Koloss wie bei Stone, aber auch nichts, für das man sich schämen müsste. Er fasst sich sofort an sein Teil, sowie er nackt ist.

»Um Himmels willen, bitte etwas mehr Selbstkontrolle«, ermahne ich ihn, und er nimmt sofort die Hand weg, als wäre sein Ding aus Feuer.

Aber inzwischen ist nicht nur der gute William heiß gelaufen.

Weiter unten spüre ich ein Kribbeln; ich werde feucht. Ich muss jetzt weitermachen. Nicht, weil ich den Ruf dieses Mannes in den Schmutz ziehen will, sondern weil ich heiß bin. Ich will kommen.

»Legen Sie sich aufs Bett«, sage ich leise, aber bestimmt.

Er gehorcht sofort und legt sich auf die weiche Matratze. Sein Körper ist verspannt, und sein Ständer ragt unübersehbar in die Höhe. Am liebsten hätte ich jetzt meinen Slip ausgezogen und mich auf seinen Steifen gesetzt, aber in diesem Spiel gibt es noch ein paar Runden. Also beherrsche ich mich.

Der Champagner ist kühl, trocken und prickelnd. Ich trinke langsam, erhöhe die Spannung und sehe, dass William mich mit geweiteten Augen beobachtet.

»Woher wissen Sie es?«, fragt er plötzlich.

Ihn jetzt anzufahren, wäre nicht klug, daher gehe ich nicht auf die Frage ein, stehe auf und durchquere das Zimmer. Ich betrachte seinen schönen, erwartungsvollen Körper und lächele. »Was? Glauben Sie, dass ich mich damit zufrieden gebe, auf Parkplätzen und Picknickplätzen gebumst zu werden?«

Er richtet sich schwungvoll auf und ist im Begriff zu protestieren, aber ehe er auch nur ein Wort herausbringen kann, versetze ich seiner blassen, wohl geformten Brust einen kräftigen Schlag mit der flachen Hand.

»Als ich sagte, Sie sollten sich hinlegen, meinte ich es auch so.« Ich spreche weiterhin leise, bringe mich aber voll ein und lege meinen ganzen Willen in meine Worte. William gibt nach; seine Lippen sind noch geöffnet, und in seinen Augen spiegeln sich Furcht und Hunger.

Ich lasse ihm keine Zeit, etwas anderes zu tun, greife unter die flauschigen Kissen, hole meine Utensilien hervor und breite sie vor Youngblood auf der weichen Überdecke aus.

Seine Augen weiten sich vor Schreck, und er fällt aus seiner Rolle.

»Was machen Sie da?«

»Nun werden Sie nicht unverschämt.« Ich gebe eine tolle Vorstellung von eisigem Missfallen ab, und schon ist die Fantasie wiederhergestellt. Ich bin jetzt wirklich drin in meiner Rolle. Jeder Status, den dieser Mann für mich dargestellt haben mag, hat sich in Luft aufgelöst. Übrig bleibt ein hübsches Gesicht. Eine Erektion. Und alles zu meinem Vergnügen. Nicht zu seinem.

Er hat sich halb auf dem Ellbogen abgestützt, aber als ich seine Hände ergreife, lässt er sich einfach zurücksinken und erlaubt mir, ihm die Arme über den Kopf zu strecken. Ich nehme das erste Utensil, ein Paar gepolsterte Handschellen an einer langen Kette, und ziehe diese Kette schnell durch das messingfarbene Bettgestell.

So geschickt wie möglich fessele ich William mit den Handschellen und versuche, mir nicht anmerken zu lassen, dass ich so etwas noch nie ausprobiert habe. Binnen Sekunden ist er an das Bettgestell gefesselt, aber die Kette ist lang genug, sodass William sich noch auf den Bauch drehen könnte, wenn ich es von ihm verlangte. Und dazu werde ich ihn auch bringen.

»Braver Junge«, murmele ich, als er liegen bleibt. Ich gebe ihm ein Leckerchen zur Belohnung und drücke ihm meine Brust ins Gesicht. Ich beuge mich ganz über ihn, gewähre ihm die Vertiefung zwischen meinen Brüsten und genieße seinen warmen Atem auf meiner Haut, während William versucht, so viel wie möglich von meinen Brüsten mit den Lippen zu erhaschen.

Es wäre bestimmt nett, mein Kleid und meinen BH herunterzuziehen, damit er an meinen Spitzen saugen kann, aber dadurch würde ich ihm zu viele Freiheiten gewähren, die einem Sklaven nicht zustehen. Schließlich haben wir es hier mit einem Bestrafungsszenario zu tun. Allzu sehr soll es ihm auch wieder nicht gefallen!

Der absolute Knaller wäre es jetzt natürlich, wenn Stone hier wäre. Dann könnte er mit mir machen, was er wollte: Mich berühren, vögeln, besitzen. Er könnte alles mit mir machen, und der arme William müsste frustriert zuschauen.

Aber würde das nicht meine Autorität untergraben? Würde Stone sich unterordnen und nicht länger der Meister, sondern das Instrument meines Vergnügens sein? Wer weiß? Vielleicht hätte ich ihn in die Sache einweihen sollen. Obwohl ich das Gefühl habe, dass er nicht einverstanden gewesen wäre, und wenn er es herausfindet, bin ich in seinen Augen vielleicht der größte Trottel.

Ich setze mich wieder aufrecht hin und richte den tiefen Ausschnitt meines Kleids, als hätten Williams Versuche ihn verschoben.

Immer noch liegt Trotz in seinen Augen. Und Argwohn. Er ist nicht dumm. Die ganze Zeit versucht sein Ding, die Oberhand zu gewinnen, aber William hält noch dagegen.

Plötzlich lacht er, was mich erschreckt.

»Das ist eine Falle, oder? Hätte ich mir denken können. Wo ist die Kamera? Das hat der verdammte Stone sich ausgedacht!«

Mir liegen grobe Worte auf der Zunge, aber ich beherrsche mich und zwinge mich, mit unbeteiligter Miene auf mein Opfer hinabzusehen.

»Sie enttäuschen mich wirklich, William.« Ich spreche genauso leise wie vorher. Ich darf jetzt nicht die Nerven verlieren. »Und es beleidigt mich, dass Sie Ihre eigene Taktik, die obendrein kindisch und verachtenswert ist, mir oder einem ehrbaren Mann wie dem Director of Finance zuschreiben.«

Ich fahre mit den Fingerspitzen über seine Erektion, von der Eichel bis zum Schaft, um ihn abzulenken.

Und es wirkt.

»Tut ... tut mir leid«, stottert er.

»›Es tut mir leid, Herrin‹«, gebe ich streng vor und versuche mich an die Anweisungen zu halten, die ich in den Videos gehört habe.

»Es tut mir leid, Herrin.«

Seine Stimme klingt jetzt so leise und so demütig, und das Sehnen ist in seine leuchtenden blauen Augen zurückgekehrt. Seine Pupillen sind stark geweitet. Entweder hat er seinen Argwohn vergessen, oder er lechzt so nach den Dingen, die ich ihm geben kann, dass ihm alles andere egal geworden ist.

»Und es sollte dir auch leidtun, William.« Gekonnt betaste ich seine geschwollene Spitze und verreibe den ersten Glückstropfen auf der straffen, roten Haut.

»Ich denke, ich sollte dich züchtigen, meinst du nicht auch?«, füge ich wie beiläufig hinzu, während ich seine Erektion befingere.

Er nickt nur, denn offenbar kann er nicht mehr sprechen.

Meine Finger sind feucht und klebrig, und ich bin kurz davor, sie abzulecken, entscheide mich dann aber anders, da mir etwas Besseres eingefallen ist. Ich halte sie William an die Lippen.

Er widersetzt sich einen Moment, aber als ich Druck ausübe, gibt er nach und saugt seine eigene Feuchtigkeit von meinen Fingerspitzen. Als er fertig ist, reibe ich meine Finger an seiner Brust trocken.

Ich sollte jetzt endlich anfangen. Und zur Strafe kommen. Ich habe immer noch meine Skrupel. Schließlich fehlt mir die praktische Erfahrung. Bei Stones ›Maßnahme‹ war ich das Opfer und nicht die Ausführende.

Es kommt mir so vor, als wäre eine halbe Ewigkeit vergangen, seit ich quer über Stones Knien lag, dabei ist es doch noch gar nicht lange her. Ich versuche, mir etwas von Stones Selbstvertrauen einzuflößen und erinnere mich an seine Ruhe und sein feines Gespür, das er einsetzt, einen anderen Menschen auf ausgeklügelte Art zu züchtigen.

Ich habe beschlossen, William nicht übers Knie zu legen. Er ist zwar ein schlanker Mann, aber für eine Anfängerin wie mich ist er zu groß. Nachher merkt er noch, dass mir im Grunde die Erfahrung fehlt. Es muss aber so aussehen, als hätte ich schon tausend Mal einen Mann gezüchtigt.

Hilf mir, Stone!, rufe ich im Stillen. Führe mich. Gib mir Kraft. Gib mir Weisheit.

Eigentlich hatte ich ja vor, meinen kleinen ›Sklaven‹ auf den Bauch zu drehen, aber wie durch göttliche Eingebung ändere ich meine Meinung.

Danke, mein cleverer Bobby.

Ich greife nach dem sogenannten ›Instrument‹.

Es handelt sich um eine kleine schwarze Lederpeitsche, die elegant in der Hand liegt. Saskia meint, das wäre genau das Richtige für eine noch unerfahrene Domina, und das beruhigt mich. Ich möchte William nicht durch Ungeschicklichkeit wehtun.

Obwohl Schmerzen natürlich sein müssen, und seine Lider zittern schon vor Angst, als ich mit der kleinen Peitsche leicht in meine offene Hand schlage.

»Was ist? Hast du Angst?«, schnurre ich und lasse das schwarze Leder langsam über seine Erektion gleiten. Als er sich windet und gegen die Fesseln aufbegehrt, überkommt mich plötzlich ein böses Verlangen.

Ich möchte ihm richtig wehtun.

Ich verspüre den Wunsch, ihn zu peitschen und ihm Schmerzensschreie zu entlocken. Die Vorstellung erfüllt mich mit einer rauschhaften Begierde, die mir Angst macht. Ich ringe nach Atem.

Verdammt! Bin ich plötzlich die schlimmste Sadistin? Aber

dann dämmert es mir. Das plötzliche Verlangen, ihm wirklich Schmerzen zuzufügen, hat nichts mit Sexspielereien zu tun. Ich will ihn verletzen, weil er meinen Lover bedroht hat.

Genau. Okay. Jetzt wieder in die Rolle schlüpfen, ermahne ich mich.

Ich weiß, dass ich vielleicht ein bisschen ungeschickt wirke, aber ich will keine Klagen und keinen Widerspruch hören.

Einen Moment lege ich die Peitsche zur Seite und nehme einen schwarzen Schal, der so ähnlich aussieht wie der, mit dem Stone mir die Augen verbunden hat. Aber darum geht es mir nicht. Ich brauche etwas Diabolischeres. Etwas, das Stone sich ausgedacht haben könnte.

Und dann hab ich's.

Ich springe vom Bett, ziehe meinen Slip aus, ohne Youngblood mit meinem Pelz anzublitzen. Und die ganze Zeit verfolgt William jede meiner Bewegungen mit nervösen Blicken.

Oh, Mann, wie ich dufte! Ich bin erregter, als ich mir eingestehen wollte. Mein schwarzer Tanga ist richtig feucht und klebrig. Perfekt für meine Absicht.

Ich forme das kleine Ding zu einem Ball, packe William an der schmalen Nase und zwinge ihn, den Mund zu öffnen, damit ich ihn mit dem Tanga knebeln kann.

Er protestiert, aber er kann nichts machen, als ich den Knebel mit dem schwarzen Tuch sichere.

»So ist's besser, nicht wahr?«, raune ich meinem braven Jungen zu.

Er nickt.

Prima! Es klappt doch.

»Jetzt ist die Zeit für die Behandlung gekommen, William. Du musst lernen, keine bösen und hinterhältigen Dinge zu machen. Und es gibt nur einen Weg, damit du auch behältst, was du lernst, nicht wahr?«

Er nickt wieder, sieht aber so aus, als müsste er jeden Moment weinen.

»Gut, fangen wir an. Sei tapfer. Für mich.«

Ich schleudere meine Schuhe fort, steige wieder aufs Bett, suche mir eine bequeme Position auf den Knien und schwebe gleichsam über William und seiner Erektion.

Klatsch!

Ich lasse die Peitsche hart auf die blasse Haut seines Oberschenkels sausen, und William bäumt sich auf und gibt unflätige Dinge hinter seinem Knebel von sich. Als die Hautpartie sich rötet, windet er sich und rutscht auf dem Bett herum. Ich schlage erneut zu, diesmal auf den anderen Oberschenkel, und Youngblood zuckt wieder zusammen.

»Komm schon, William. Du musst ruhig liegen bleiben und ein braver Junge sein.« Ich beuge mich wieder über ihn, küsse ihn sanft auf die aufgeworfenen Lippen, zwischen denen der Knebel steckt, während ich die Peitsche über seinen Bauch und den steifen Schwanz laufen lasse.

Seine schönen blauen Augen sind voller Tränen.

Jetzt schon?

Ich habe mit Trotz, Wut und Widerstand gerechnet – aber nach nur zwei Schlägen ist er wie ein Weichei eingeknickt.

Armer William. Er ist ganz durcheinander. Gerade, als ich den Durchblick habe.

Ich war der böse Bulle. Jetzt muss ich den guten Bullen spielen.

»Das ist alles zu viel, was?«, gurre ich und drücke sein Gesicht wieder in die Vertiefung zwischen meinen Brüsten. Er kann mich nicht mehr küssen, aber er reibt seine Wangen dankbar gegen meine Rundungen.

»Du warst wütend. Eifersüchtig. Alles kam zusammen. Nicht wahr? Du bist neidisch auf Robert, doch du willst ihn. Du wolltest ihn verletzen, obwohl du gerne mit ihm zusammen wärst. Und du wünschst dir von ihm, dass er mit dir zusammen sein will. Habe ich Recht?«

Er nickt in meine Richtung.

»Und mich willst du auch, nicht wahr? Und deshalb bist du noch eifersüchtiger auf Robert. Weil er mich schon hatte.«

Ich richte mich wieder auf und schaue auf sein Gesicht. Auf seine Art ist er recht hübsch. Hübscher als Stone, nach dem klassischen Verständnis von männlicher Schönheit. Und trotzdem bleibt er für mich ein Junge, während Stone ein Mann ist.

»Entspanne dich, William.« Ich küsse ihn auf Wange, Kinn und Stirn. »Nimm deine Medizin, dann fühlst du dich gleich besser.«

Ich schlage ihm wieder hart auf den Schenkel, wobei ich auf die schon rote Stelle ziele. Tränen laufen ihm über die weiche, glatte Wange, und sein zugepfropfter Mund bewegt sich.

Wieder und wieder schlage ich zu, arbeite mich die langen, wohlgeformten Beine hinunter und wieder hinauf, bis die Haut überall die gleiche rötliche Färbung hat. Zwischen den Hieben gönne ich ihm ein paar Liebkosungen. Ein Kuss auf den Hals, die Brust oder den Bauch. Ein gehauchter Kuss auf den Schaft. Aber da muss ich aufpassen. Seine Erektion ist so hart, dass sie aus rötlichem Marmor bestehen könnte.

Schließlich brauche ich eine Pause. Genau wie er. Ich lasse mich in den kitschigen Sessel fallen und nehme einen Schluck von meinem Champagner. Ich habe das Gefühl, den guten William über Stunden bearbeitet zu haben, aber der köstliche Schaumwein sprudelt noch.

Es ist still im Zimmer, abgesehen von Youngbloods Schluchzern. Er hat die Augen geschlossen und scheint sich in seine eigene, innere Welt zurückgezogen zu haben.

Daher ist es wie ein Schock für mich, als mein Telefon klingelt.

Eigentlich sollte ich nicht reagieren, aber es könnte Greg sein, der ein technisches Problem hat. Vielleicht will er auch wissen, wie lange er die Bilder noch ins Netz speisen soll. Besser, ich gehe dran.

Aber als ich das kleine Handy aus meiner Tasche krame und auf das Display schaue, wird mir klar, dass ich mit dem Anrufer hätte rechnen müssen. Ich weiß nicht, wie es kommt, aber der Mann hat unheimliche Fähigkeiten, die sich meinem Verstand entziehen.

Auf dem kleinen, grünlich schimmernden Display steht ein einziger Name.

Stone.

15. Kapitel

Der Mentor

»Was machst du gerade, Maria?«

Ich bin im Badezimmer. Ich brauche etwas Privatsphäre, obwohl William das Telefon bestimmt nicht gehört hat und auch nicht merkt, wenn ich das Zimmer verlasse.

»Maria?«, drängt er sich wieder in das Schweigen hinein. Und seine Stimme hat so einen eigenartigen Unterton, als wüsste er genau, was ich gerade treibe.

»Ich bin ... ausgegangen.«

Er stößt einen leisen Unmutslaut aus.

»Das weiß ich. Ich bin auch nicht zu Hause. Aber was *machst* du gerade?«

»Ich bringe da etwas in Ordnung.«

Er seufzt, und irgendwie ist es der erotischste Laut, den ich je gehört habe. Ich weiß auch nicht, warum.

»Du brauchst das nicht für mich zu tun, weißt du«, murmelt er ins Telefon. Es ist keine Ermahnung. Dafür klingt seine Stimme zu sanft. »Ich komme selbst klar, meine Liebe, das weißt du doch, oder? Aber ich könnte mir nie vergeben, wenn dir etwas zustößt. Oder dir jemand wehtut.« Mein Herz macht einen Freudensprung. »Und jetzt sage mir, dass es dir gut geht. Und du okay bist.«

Ich weiß nicht, was der Unterschied sein soll, und glaube, dass es keinen Zweck hat, seinen Fragen länger auszuweichen.

»Woher weißt du es?«

»Alles cool abzutun, hat mich verrückt gemacht. Ich musste bei dir sein. Also habe ich bei dir geklingelt. Und als du nicht geöffnet hast, habe ich bei unserem Freund Gregory geklingelt.« Er macht eine gewichtige Pause. Und obwohl es mir den Atem verschlagen hat, weil er sagte, er müsse bei mir sein, verspüre ich auch Wut.

Hat er wirklich geglaubt, ich wäre gleich zu Greg gegangen, um ein bisschen Sex zu haben? Ich brauchte technische Unterstützung ... aber heilenden Sex? Nein, danke.

Plötzlich verdrängt Schuld meine aufkeimende Wut, weil ich an Mels Hände denke, die über meine Schenkel wanderten ... Gott, ich bin so schwach! So eine treulose Schlampe!

Aber er spricht weiter, und seine Stimme strömt durch meine Adern wie flüssiger Honig. »Und ich fürchte, er würde bei jeder Befragung einknicken. Ich sah ihm gleich an, dass etwas nicht stimmte. Und dann hat er mir alles erzählt, ehe ich überhaupt die erste Frage stellte.«

Noch ein Mann, der Stone hilflos ausgeliefert ist. Ich erinnere mich, wie Greg etwas konfus erzählte, er habe Stone und mich unten im Hof beobachtet. Und dann sah er sich dem Mann gegenüber, den er vielleicht toll findet, auch wenn er das nie zugeben würde. Ich kann mir lebhaft vorstellen, dass Greg sofort ausgepackt hat.

Ich fange schon an zu fantasieren, und Bilder von Männern in Aktion entstehen in meiner Vorstellung, aber da dringt Stones tiefe Stimme durch die Traumwelt.

»Bist du okay? Sage mir, dass es dir gut geht!«

Mir geht's bestens. Insbesondere jetzt, da Stone anruft und mir erlaubt hat, seine wahren Gefühle in seiner Stimme zu hören.

»Keine Sorge, alles klar. Ich habe sogar richtig Spaß.« Ich halte inne und lächele, weiß ich doch, dass er mir alles an der Stimme anhört. »Stört dich das?«

»Natürlich nicht, du sexy Luder!«, grollt er und lacht dann hemmungslos. Ich höre das Verlangen in seiner Stimme. »Ich wünschte, ich könnte bei dir sein und alles mit ansehen.«

»Dann komm doch her. Und schau uns zu!«

Darüber brauche ich nicht erst nachzudenken. Ich überlege gar nicht erst, was William davon halten wird. Ich will, dass Stone so schnell wie möglich bei mir ist.

»Bin gleich bei dir.«

»Gleich?«

»Ja, ich sitze unten in der Cocktailbar. Du hast doch wohl nicht im Ernst geglaubt, ich würde dich das allein machen lassen, oder?«

»Du arroganter Kerl! Ich bin in Zimmer 17, falls du das noch nicht weißt.« Ich lache, als ich das Handy zuklappe.

Ich pinkele. Wasche mir die Hände. Streiche mein Haar glatt. Trage noch etwas mehr Lipgloss auf. Ich zittere, als ich aus dem Bad komme.

Wenn mir vorher schon heiß war, dann stehe ich jetzt in Flammen.

Ich versuche mir vorzustellen, was für einen Effekt das auf William haben mag, aber ich kann mich gar nicht darauf konzentrieren. Mein Herz hämmert in meiner Brust, als ich den Raum wieder betrete, und kaum habe ich die Badezimmertür zugemacht, da klopft es schon.

William reißt den Kopf herum und starrt mit wildem Blick zur Tür, aber ich bin im nächsten Moment an seiner Seite und beruhige ihn mit einem raschen Kuss.

»Keine Sorge. Alles wird gut. Du wirst schon sehen.« Ich merke, dass er am liebsten an seinen Fesseln reißen würde, aber ich brauche ihn bloß streng anzusehen, und er gehorcht. Doch seine Stirn legt sich in Falten.

Stone klopft wieder.

Gemach, gemach, cleverer Bobby! Alles zu seiner Zeit.

Ich öffne die Tür, und da ist er. Groß. Breitschultrig. Eine Augenweide. Und er scheint sich für William in den Mann in Schwarz verwandelt zu haben. Schwarze Jeans. Edles schwarzes Sweatshirt. Schwarzes Lederjackett.

»Darf ich hereinkommen?« Er legt den Kopf ein wenig

schief, während er mich mit seinen ungezogenen, schokoladenbraunen Augen ungeniert verschlingt.

Am liebsten hätte ich mich auf ihn gestürzt und wäre auf der Stelle über ihn hergefallen. Wie lange ist es her, dass ich mit ihm zusammen war? Ein oder zwei Tage? Und schon habe ich ihn wie verrückt vermisst. Aber da kommt mir ein Gedanke. Mit erhobener Hand halte ich Stone zurück.

»Einen Moment.«

Er sieht verwundert aus, zuckt die breiten Schultern und lehnt dann am Türrahmen.

Ich eile zum Handy und achte nicht weiter darauf, wie stark William sich auf dem Bett hin und her wirft. Von seiner Position kann er Stone vermutlich nicht richtig sehen, aber er wird seine Stimme erkannt haben.

»Cut, Greg! Wir haben alles. Wir sind hier fertig.«

Greg protestiert. Offensichtlich hat er beim Festschmaus zugesehen, obwohl ich ihm gesagt habe, er solle besser nicht zuschauen. Ich wette, auch Mel hat alles genau gesehen, denn ich höre, wie sie sich im Hintergrund beschwert. Eigentlich überrascht es mich nicht, dass die beiden zugesehen haben. Ich habe sogar fest damit gerechnet. Und daher macht die Sache noch mehr Spaß.

»Hörst du, Greg? Stell die Dinger ab! Oder ich komme gleich zu euch und ziehe euch die Ohren lang.«

»Ich wünschte, du würdest es tun«, sagt er mit Gefühl.

Ich wünsche ihm noch eine gute Nacht und unterbreche das Gespräch. Vielleicht stellt er die Webcams ab, vielleicht auch nicht – doch der Gedanke, auch den jungen Gregory zu behandeln, zaubert mir ein Lächeln auf die Lippen.

Und die ganze Zeit beobachtet Stone mich. Sieht mich unverwandt an, und seine Miene ist nicht einfach zu deuten.

»Geht es dir gut?« Er streckt die Hand nach mir aus und berührt zärtlich meine Wange. »Ich habe mir Sorgen gemacht. Ich konnte gar nicht schnell genug hier sein.«

Ich möchte dahinschmelzen. Möchte zu seinen Füßen niedersinken. Er bedeutet mir alles. Ist Lehrmeister, Lover, Mentor. Ohne hin wäre ich nie mit William Youngblood fertig geworden. Man kann noch so viele Videos gucken, nichts geht über den Anblick von lebendiger Kraft.

Aber jetzt muss ich ihm beweisen, dass ich ihm gewachsen bin.

Ich schenke ihm das gleiche kühle, ermahnende Lächeln, das auch schon seinen Erzrivalen in die Knie gezwungen hat. Er richtet sich auf, strafft die Schultern und steht praktisch Gewehr bei Fuß. Ein beeindruckender Anblick.

Ohne ein weiteres Wort wende ich mich von ihm ab und gehe zurück in das Zimmer, weiß ich doch, dass er folgen wird. Ich unterdrücke ein Lächeln, als ich höre, wie er die Tür hinter sich verriegelt.

William reißt so heftig an seinen Fesseln, dass ich Angst habe, er könnte sich verletzen.

»Bist du wohl still«, befehle ich, worauf er gleich gehorcht, obwohl Feuer in seinen Augen lodert. »Wenn du dich nicht sofort beruhigst, werde ich dich mit einer weiteren Maßnahme dazu bringen.«

Er zwinkert wie wild, und sein Blick huscht zwischen mir und Stone hin und her.

Ich drehe mich um und sehe, dass Stone die Szene auf sich wirken lässt. Ein kleines Lächeln umspielt seine Mundwinkel. Allerdings gehört seine Aufmerksamkeit weniger William, sondern eher mir.

»Warum lächelst du? Setz dich und halt die Klappe.« Ich nicke in Richtung des kitschigen Stuhls. »Es sei denn, du brauchst eine Maßnahme.«

Seine Miene wird ernst, und er befolgt meine Aufforderung. In seinen Augen glitzert Vergnügen, und daran werde ich wohl nichts machen können.

Ich nehme wieder die schwarze Peitsche zur Hand und streiche über die Lederriemen, um meine Nervosität zu überspielen, ehe ich meine Position zwischen den beiden Männern einnehme: Zwischen William, der nackt und verwundbar auf dem Bett liegt, und Stone, der den gepolsterten Lehnstuhl zu seinem Thron erkoren hat. Er gibt eine imposante, schwarz gekleidete Gestalt ab.

Ach, *fuck you*, cleverer Bobby! Ich habe hier das Kommando.

»Ihr beide, ihr seid zwei hoffnungslose Fälle. Zwei erwachsene Männer, die sich in Machtspielen verrennen wie zwei rotznasige Jungs auf dem Spielplatz.« Ich schlage mir mit der Peitsche leicht in die offene Hand und hätte beinahe den Faden verloren. Das verdammte Ding tut richtig weh! »Er hat seinen Spaß gehabt.« Ich nicke in Williams Richtung, der mich wütend ansieht. »Jetzt hast du deinen Spaß gehabt.« Ich nicke Stone zu, der einen Arm um seinen Leib geschlungen hat und sich unaufhörlich mit dem Finger ans Kinn tippt. Es sieht so aus, als könnte er sich kaum zurückhalten, voller Erstaunen den Kopf zu schütteln.

»Und jetzt müsst ihr beide noch etwas für mich tun.« Ich bin bei meinem Thema und sehe mich noch durch die Bewunderung bestätigt, die mein Mentor mir entgegenbringt. »Aber offen gesagt interessiert mich das nicht. Ich möchte von euch nur, dass ihr euch hübsch vertragt und zusammenarbeitet.« Ich gönne mir ein verschlagenes, sexy Grinsen und erschauere, weil ich sehe, dass Stone sich auf die Lippe beißt, als wäre ich mit der Hand in seine Jeans gefahren. »Die Versöhnungsphase ist angebrochen, Jungs. Werdet ihr das für mich machen?«

»Alles, was Sie wollen, Miss Lewis«, haucht er. »Alles, was Sie wollen.«

Und er meint es auch so. Diesmal ist ›Miss Lewis‹ nicht das Zeichen seiner Macht, sondern seiner Unterwerfung. Ich spüre eine wirbelnde Freude und sehe William an, der nur nickt und sich in sein Schicksal fügt.

»Gut«, sage ich schroff, gehe ins Badezimmer, ohne einen der beiden Männer eines Blickes zu würdigen, und kehre mit einem dicken, flauschigen Bademantel zurück.

Es ist an der Zeit, meinen Gefangenen freizulassen, um ihm die Möglichkeit zu geben, auf gleicher Augenhöhe zu verhandeln. Ich spüre Stones Blicke im Rücken, als ich William den Knebel abnehme und ihn von meinem Slip befreie. Als klar wird, woraus der Knebel bestand, höre ich, wie Stone die Luft anhält, aber ich wende mich ihm zu und starre ihn streng an. Ehrfürchtig schüttelt er den Kopf.

William sagt kein Wort und lässt sich demütig von mir die Handschellen abnehmen. Dann schlüpft er schnell in den Bademantel und verbirgt seinen nach wie vor steifen Schwanz.

»Also gut, ihr zwei. Ich werde jetzt ein langes, duftendes Bad nehmen, und wenn ich fertig bin, möchte ich, dass ihr wieder Freunde seid.« Ich sehe von einem zum anderen und genieße die bewundernden Blicke. »Das ist das Mindeste.«

Mit diesen Worten rausche ich erhobenen Hauptes aus dem Zimmer und staune, dass ich zwei so gut aussehenden Männern einfach so den Rücken kehren kann.

Ich bin hin- und hergerissen. Ich lasse die Badezimmertür offen, damit ich hören kann, was in dem Zimmer abgeht, aber dann drehe ich das Wasser auf und kann wegen des Rauschens gar nichts mehr hören. Aber während ich mich ausziehe und vorsichtig mein Make-up entferne, allerdings nicht den Lidschatten und das Lipgloss, schleiche ich immer wieder zur Tür, um zu lauschen.

Die Männer unterhalten sich leise, obwohl beide abwechselnd ab und zu die Stimme erheben. Demnach haben sie sich noch nicht wieder vertragen. William hat sogar eine etwas tiefere Stimme als Stone, was komisch ist, weil er viel kleiner ist und schmaler gebaut. Aber Stones Stimme hat diesen vollen, sonoren Klang, der Stärke und Autorität vermittelt. Und das scheint seinem Rivalen zu fehlen.

Ich träufele etwas von den luxuriösen Badezusätzen ins Wasser, und mit einem Mal duftet das Bad wie ein türkisches Bordell. Ich muss ein bisschen von dem Wasser ablassen und neues nachlaufen lassen, damit die Luft wieder erträglich ist.

Als ich dann in meinem Schaumbad versinke, ist es nebenan unheimlich still geworden.

Entweder haben sie sich gegenseitig umgebracht oder sich doch noch vertragen.

Ich bin so gespannt, dass ich mir kein ausgedehntes Bad gönne. So leise wie möglich steige ich aus der Wanne und schlüpfe in einen der Morgenmäntel. Die Flasche mit Feuchtigkeitscreme in der Hand, die das Hotel den Gästen bietet, halte ich auf die offene Tür zu, verreibe die Creme in meinem Gesicht und an meinem Hals und spähe dann durch den Türspalt in das große Zimmer.

Es ist nicht zu fassen! Sie *küssen* sich! Und das ist das Heißeste, was ich je in meinem Leben gesehen habe.

Stone liegt oben, ganz der Mann. Er ist immer noch angezogen und hebt sich dunkel und massig von dem blonden William ab, der noch in den Morgenmantel gehüllt ist. Ihre Münder sind miteinander verschmolzen, und ich ahne, dass Stones Zunge schon ihren Weg tief in den Mund des Partners gefunden hat. Er kontrolliert den Kuss, hat eine Hand auf Williams Halsbeuge gelegt, während die andere irgendwo unter dem Morgenmantel vergraben ist. William windet sich, und seine Hacken zerren an der Überdecke.

Einfach köstlich!

Ich kann den Blick nicht von den beiden wenden. Langsam öffne ich die Badezimmertür weiter und schlüpfe dann ins Zimmer. Stone schenkt mir einen verschwörerischen Blick aus sinnlich verengten Augen, aber William nimmt mich in seinem Taumel nicht wahr. Er ist hin und weg. Wahrscheinlich hätte ich die Tür zuschlagen und ›Feuer‹ rufen können, er hätte nichts mitbekommen. Ich sinke in den Lehnstuhl und mache es mir gemütlich. Obwohl ich keine bequeme Position finde, da meine Lust meinen Bauch zum Flattern bringt.

Als wolle er mir etwas bieten, schlägt Stone Williams Bademantel auf, damit ich auch sehen kann, wie seine Hand über Youngbloods glatte, blasse Haut fährt und dabei die Oberschenkel, die Flanken und immer wieder die Erektion liebkost. William wird bei jeder Berührung wilder, bäumt sich unter Stones Hand auf und rutscht schamlos unter ihm hin und her. Er gibt einen winselnden Laut von sich, der aber von Stones plünderndem Mund verschluckt wird.

Ich bin so feucht, dass ich schon befürchte, trotz des Bademantels einen Fleck auf dem kitschigen Polsterbezug zu hinterlassen.

Und ich bin nicht nah genug dran.

Angezogen von der Hitze, die von meinem Lover ausgeht, trete ich an das Bett und lege mich neben die beiden Männer, wobei ich ihnen gerade noch genug Platz für ihre Akrobatik lasse. Als ich mit meiner Hand unter meinen Morgenmantel fahre, bin ich immer noch davon überzeugt, dass William nichts mitbekommt.

Stone, immer um mein Wohlergehen besorgt, verändert seine Position so, dass ich besser sehen kann, was er macht. Seine Hand sieht wie eine große Pranke aus, die sich um Williams schlanken Schwanz schließt, aber er scheint seinen Partner genauso vorsichtig zu berühren wie mich. Er massiert Youngblood nicht wie wild, er streichelt ihn. Ja, er benutzt seine Fähigkeiten, die ihm keiner absprechen kann, um William Lust zu verschaffen. Und wenn ich sehe, wie William sich unter ihm windet und stöhnt, scheint der clevere Bobby voll ins Schwarze getroffen zu haben.

William ist nachgiebig, willig und unterwürfig. Er ist empfänglich und lässt Stone die Arbeit tun, während er sich einfach zurücklehnt und alles mit sich machen lässt.

Selbstsüchtiges Goldköpfchen!

Ich berühre mich, stelle mir aber vor, wie ich Stone berühre und ihm Lust verschaffe. Mit der freien Hand streiche ich ihm über den Rücken und genieße die Muskelpartien, die sich unter dem feinen Gewebe seines schwarzen Sweaters bewegen. Er schielt zu mir herüber und zwinkert mir zu.

Augenblicke später geht sein Mund auf Wanderschaft; er küsst Williams Hals, das Schlüsselbein, die Brustmuskeln. Als er anfängt, an den kleinen, braunen, münzgroßen Spitzen zu saugen, ruft er noch stärkeres Stöhnen hervor. William biegt den Rücken durch, klammert sich an das Bettgestell und drückt seine blasse Haut gegen Stones rosigen Mund.

Ich streichele Stones Kopf, als mein Lover die Brust seines Partners mit der Zunge verwöhnt, und genieße es, wie sich sein mit grauen Strähnen durchwebtes Haar in meiner Hand anfühlt. Ich möchte dabei sein. Ich möchte mitmachen, und je eher wir mit William fertig sind, desto eher kann auch Stone seine Belohnung bekommen.

Stone schaut zu mir auf, und seine lange Zunge umkreist nach wie vor Williams Brustwarze. Wir kommunizieren miteinander, still und auf mehreren Ebenen, und ich spüre, dass er sofort kapiert hat, was ich will. Er lässt Williams Schwanz los und deutet mir an, mich zu bedienen. Ich beuge mich vor und nehme die pralle Eichel in den Mund.

»Oh, Gott!«, ruft William, und sein ganzer Körper verspannt sich. Ich kann nicht allzu viel sehen, weil Stones massiger Körper neben mir liegt, aber ich kann mir vorstellen, wie William nach unten schaut und sieht, dass sich gleich zwei Münder mit ihm beschäftigen. Ich schließe meine Finger um seinen Schaft und lutsche wie an einem Lolli.

Ich befürchte nur, dass ich nicht so vorsichtig und umsichtig vorgehe wie Stone. Ich hab's eilig. Obwohl William herrlich würzig schmeckt – weil er schon so lange erregt ist, und einzelne Tropfen sickern –, möchte ich mich nicht lange mit diesem Gericht aufhalten. Denn ich möchte viel lieber zum nächsten Gang übergehen. Zum Hauptgang.

Als ich den Kopf hebe, um meine Position zu ändern, sehe ich, dass Stone inzwischen abwechselnd leckt, saugt und kleine Bisse auf Williams Brust verteilt. Eine große Hand hat er flach auf Youngbloods Bauch gelegt, die Finger gespreizt, während er William mit der anderen Hand an der Schulter festhält.

Ich widme mich wieder mit Sorgfalt meiner Aufgabe.

Es dauert nicht zu lange, denn ich wende jeden Trick an, den ich kenne. Mit der Zungenspitze zucke ich um seine Spitze und lasse auch die kleine Kerbe nicht aus. Dann sauge ich. Richtig fest, nur an der Eichel. Immer abwechselnd, während ich seinen Damm befingere.

Nach wenigen Augenblicken schreit er regelrecht vor Lust. Schreit wie eine Frau. Und während seine Hüften nach oben rucken, füllt er meinen Mund mit seinem Sperma.

Für einen Moment verharren wir alle wie auf einem alten Gemälde, zwei Münder auf einem Körper. Dann erst lösen wir uns voneinander. Ich lasse Williams schlaffer werdenden Schwanz aus meinem Mund gleiten und lehne mich an seinen schweißfeuchten Körper. Stone richtet sich auf, betrachtet seinen alten Rivalen mit beinahe zärtlichem Blick und küsst William dann schnell auf die Lippen und die fest zugekniffenen Lider.

Wie es scheint, will der gute William gar nicht sehen, was mit ihm gemacht wurde, aber Stones Lächeln ist breit und strahlt Zufriedenheit aus.

Job erledigt, wie es aussieht.

Aber dann schenkt er mir einen heißen Blick aus schmalen Augen, schiebt William wie eine Puppe, die ihren Dienst getan hat, zur Seite und setzt sich auf die Bettkante.

Und als er sich über mich beugt, zuckt er mit den Augenbrauen und schaut bedeutungsvoll auf meine sämigen Lippen.

Ehe ich protestieren kann, kostet er davon und zwängt seine Zunge in meinen Mund.

Er küsst mich fordernd und genießt den Geschmack von William auf meiner Zunge.

»Mmh ... lecker«, raunt er, und seine Lippen sind unmittelbar vor meinen, als er den Kopf hebt. Er ist wieder in meiner Wertschätzung gestiegen. Man muss schon ein großzügig denkender Mann sein, der sich seiner Männlichkeit bewusst ist, wenn man zugibt, den Geschmack des Spermas eines anderen Mannes zu mögen.

Als ich die Beule an seiner Hose betaste, merke ich, dass er dort hart wie Eisen ist.

»Mmh ... lecker«, ahme ich ihn nach und drücke sanft zu.

Er schiebt meine Hand zur Seite. »Vorsicht, Frau. Ich bin so scharf darauf, dich zu vögeln, dass ich jeden Augenblick kommen kann. Hilf mir lieber, die Sachen auszuziehen!«

Sofort!

Später bin ich absolut erschöpft.

Ich liege eng bei Stone und schmiege mich an seinen Körper, genieße seine Wärme und seine Nähe. So könnte ich für immer liegen bleiben, und ich schlummere ein, bis ich leichte Erschütterungen im Bett wahrnehme, weil William aufsteht. Er geht ins Badezimmer, und somit sind nur noch Stone und ich da. Er bewegt sich nicht, zieht mich dann aber ein bisschen enger an seine Brust, seinen Bauch und seine Schenkel. Ich spüre ein Zucken in seinem Schwanz, aber er meldet sich wohl nur halbherzig zu Wort, als wären Stone und er genauso müde wie ich.

Mit schweren Lidern lausche ich. Wie von Ferne höre ich die Dusche. William kommt wieder ins Zimmer, sucht seine Kleidung zusammen. Dann hüstelt er leise, sodass Stone und ich gezwungen sind, aufzuschauen.

Unser Freund, der Personalchef, guckt uns an, als wäre nichts gewesen. Lässig und elegant steht er vor dem Bett und hat zu seinem Selbstvertrauen zurückgefunden. Kein Anzeichen mehr von dem unterwürfigen Opfer, das Tränen in den Augen hatte.

Stone setzt sich im Bett auf und betrachtet William mit einem langen, nachdenklichen Blick. William erwidert dies mit einem kleinen, schüchternen Lächeln, und da sehe ich, dass er nicht so vor Selbstvertrauen strotzt, wie er uns glauben machen wollte.

»Ich gehe dann mal.« Er zögert, und sein Lächeln vertieft sich. »Das war ...« Er rollt mit den Augen. »Das war unbeschreiblich.«

»In der Tat«, murmelt Stone und greift nach der Decke, die er über uns gezogen hat, als wolle er aufstehen, um dem guten William einen Kuss zum Abschied zu geben.

Wie scharf wäre das gewesen!

Aber ich werde in meiner Erwartung enttäuscht, obendrein noch Zeugin eines homoerotischen Lebewohls zu werden. William hastet förmlich zur Tür, ehe Stone sich überhaupt aus der Decke befreien kann. »Wir sehen uns ... dann in Borough Hall.« Mit diesen Worten öffnet er die Tür und ist schon im Begriff, hinauszueilen, als er noch einmal zögert. »Gute Nacht, Maria.« Er kommt über ein Flüstern nicht hinaus. »Gute Nacht, Robert.«

Und dann ist er fort, und die Tür fällt leise ins Schloss.

»Und, wollt ihr beide nun den Frieden halten?«

Ich schaue Stone an und ziehe an der Decke, damit sie unter meinen Armbeugen bleibt. Komischerweise komme ich mir etwas schüchtern vor. Das ergibt keinen Sinn, aber ich bringe es einfach nicht fertig, mich aufzusetzen und freimütig meine Brüste zu zeigen.

Stone schenkt mir ein kleines, zärtliches Lächeln. »Oh, nächste Woche werden wir uns wahrscheinlich schon wieder wie zwei Pitbulls an die Kehle springen.« Er zuckt die Schultern wie ein träger Bär. »Aber zumindest haben wir einen Weg gefunden, unsere Konflikte beizulegen.« Er zwinkert mir durchtrieben zu, lehnt sich in den Kissen zurück, kratzt sich an der behaarten Brust und zieht mich wieder eng an sich.

»Was?«, entfährt es mir. »Nach allem, was ich unternommen habe, um die Dinge zwischen euch zu richten? Ihr seid doch wirklich undankbare Kerle!«

»Wir sind eben Männer. Wir sind von Natur aus dumm«, erwidert er ruhig, »aber keine Sorge, ich werde dich immer zugucken lassen.« Er schiebt seine Hüfte ein bisschen vor, als wolle er mich auf seinen langsam anschwellenden Schwanz aufmerksam machen.

»Das will ich doch hoffen!«

Eine Weile reiben wir unsere Körper aneinander. Nur so spielerisch. Nichts Ernstes.

Schon scheinen wir wieder in Sexgefilde zu driften, als ich plötzlich, wie aus dem Nichts, ganz melancholisch werde. Obwohl Stones Penis jetzt immer mehr an Volumen zulegt und wieder bereit ist, muss ich eine Frage loswerden, die so bedeutungsvoll ist, dass sein Schwanz vielleicht wieder erschlaffen wird.

»Und, wirst du mir jetzt ein gutes Zeugnis ausstellen?«

Kein Erschlaffen. Seine streichelnde Hand hält nicht inne.

»Wozu brauchst du ein Zeugnis? Du hast doch nicht etwa vor, Borough Hall zu verlassen, oder?« Sein Atem umspielt warm meine Haut.

»Nein, das nicht. Aber so läuft es doch, oder nicht? Du hast was mit einer Frau, und wenn du sie wieder loswerden willst, stellst du ihr ein tolles Zeugnis aus, und sie sucht sich einen besseren Job.« Ich kann kaum noch atmen. Kann nicht mehr klar denken, weil ich mir eben ins eigene Fleisch geschnitten habe.

Seine Hände streicheln mich weiter. Sein Penis ist hart. Stone scheint nicht einmal verspannt zu sein.

»Warum glaubst du, dass ich dich loswerden will?«

Poch. Poch. Poch. Mein Herz. Ob Stone die Vibrationen an meinem Rücken spüren kann?

»Ich wette, das sagst du immer.«

»Ja, stimmt.« Er küsst mich auf den Hals. »Aber für gewöhnlich meine ich es nicht so.«

Langes Schweigen, und etwas in meinem Innern beginnt zu flattern, aber das hat nichts mit Sex zu tun, obwohl ich mit Rücken und Po an der Brust und den Lenden eines tollen, erregten Mannes liege.

»Aber ich werde dich langweilen.«

»Nun, dann müssen wir eben dafür sorgen, dass es immer interessant bleibt, oder?« Sein Schwanz drängt etwas fester gegen mein Hinterteil. »Sollte kein Problem sein für ein so einfallsreiches Mädchen wie Sie, Miss Lewis.«

Ich weiß, was er will, und ich glaube, ich weiß, was er damit sagen will. Also schiebe ich mich ihm entgegen und bewege mein Hinterteil mit der Finesse einer Pornodarstellerin.

Denn wenn man schon keinen unnatürlichen Sex mit dem Mann haben kann, den man liebt, mit wem dann?

Insbesondere dann, wenn er deine Liebe vielleicht erwidert.

Epilog

Ich starre wieder auf die Tür. Diese große, alte Tür, die in sein Büro führt.

Irgendwo in meinem Innern beginne ich zu zittern. Ich glaube, so fühlt man sich, wenn man kurz vor dem Fallschirmabsprung steht. Da ist dieses Flattern im Bauch. Ein Adrenalinstoß. Das Herz schlägt dir bis zum Hals.

»Gehen Sie nur hinein, Miss Lewis«, sagt Mrs. Sheldon und schenkt mir ihr warmes, mütterliches Lächeln. »Er freut sich immer, Sie zu sehen.«

Sie hat bestimmt immer noch keinen Schimmer, was zwischen Stone und mir läuft, aber ich habe das Gefühl, dass die Dame denkt, ein Hauch Romantik liege in der Luft.

Eigentlich ist diese Vermutung gar nicht so falsch, aber hier geht's nicht um Herzchen, Blümchen und zarte Liebesbeteuerungen.

Entschlossen gehe ich ins Büro und lasse die schwere Tür hinter mir fest ins Schloss fallen. Er schaut von der Arbeit auf; seine Augen leuchten, mustern mich.

Mir stockt der Atem, aber das lasse ich mir nicht anmerken. Bei diesem Mann ist es jedes Mal wie beim ersten Mal. Ich bin mir sicher, dass jeder, der mich oder ihn nicht kennt, sich fragen würde, was ich an diesem stämmigen, unauffälligen Arbeitstier mittleren Alters in Borough Hall finde. Sein Haar ist mit grauen Strähnen durchsetzt, er hat die Hemdsärmel hochgeschoben, die Krawatte hängt nicht gerade. Er ist doch nichts Besonderes. Gar nicht mein Typ. Nur Mr. Durchschnitt, könnte man sagen.

Falsch, alles ganz falsch!

»Guten Tag, Maria. Was kann ich für Sie tun? Setzen Sie sich doch.«

Er deutet auf den harten Stuhl vor seinem Schreibtisch.

Keine Chance! Heute nicht.

Ich gehe unbeirrt zum Schreibtisch und lasse eine Akte auf die Unterlage fallen.

»Es geht um diese Leistungsbeurteilung, Mr. Stone«, kündige ich im Tonfall einer Geschäftsfrau an. »Ich habe sie genau durchgelesen und werde das Gefühl nicht los, dass sie zu einseitig formuliert ist.« Ich halte inne und suche ungeniert seinen Blick. »Ich meine, wir sollten einige der Punkte recht schnell angehen.«

Wage es nicht zu lachen, du Bastard!

Aber er lacht nicht. Das würde ihm im Traum nicht einfallen. Mir übrigens auch nicht, wenn die Rollen vertauscht wären. Das wäre bestimmt ein Riesenspaß, aber wir müssen ernst bleiben.

Stone schlägt den Aktenordner auf und liest das einzige Blatt Papier, das sich darin befindet, mit todernster Miene. Eigentlich steht dort nichts anderes als »Robert Stone ist geil«, aber für unsere heutige Vorführung hat es ein zehnseitiger Leistungsbericht zu sein.

»Und welche Punkte wären das?«

Auch seine Augen verraten ihn nicht. Sie sind groß und braun und leuchtend. Dann testet er meine Standfestigkeit. Ich habe das Novizinnenstadium noch nicht ganz hinter mir – trotz meines beachtlichen Debüts. Und ihm macht es Spaß, mich zu testen und meinen Einsatz zu erhöhen.

Cool bleiben, Maria. Nicht einknicken. Er versucht nur, dich zu testen.

»Zum Beispiel Ihr Benehmen. Ich finde Sie unverschämt. Und sexistisch. Sie sind ein Dinosaurier, Mr. Stone, und ich habe das Gefühl, Sie bräuchten ein bisschen Nachhilfe in Sachen ›Modernes Verhältnis der Geschlechter‹.«

Das ist natürlich alles lächerlicher Mist, aber ich finde, dass ich mich recht gut schlage.

Er seufzt, aber nicht aus Ungeduld. Es ist eher ein Laut, mit dem er Reue vortäuscht, und da weiß ich, dass ich ihn habe.

»Ja, ich fürchte, da haben Sie Recht, Miss Lewis.« Seine Miene ist nachdenklich, das Herausfordernde ist aus seinem Blick verschwunden. Aber seine Augen strahlen, als könne er sein Glück kaum fassen. »Und was schlagen Sie vor, um diesen Missstand zu ändern?«

Ich gehe um den großen Schreibtisch herum und zwinge Stone dazu, seinen großen Stuhl ein wenig zurückzuschieben. Als ich nach unten schaue, muss ich mich wirklich bemühen, mir ein Lachen zu verkneifen.

Seine Erektion spannt seine schwarze Anzugshose wie ein Zelt. Ich reagiere darauf mit einem missbilligenden Blick, als fände ich den Anblick abstoßend, doch dabei macht er mich ganz heiß.

»Nun?«

Verwirrung spiegelt sich auf seiner Miene. Wie gerne würde ich lächeln, aber ich tue es nicht. Ich probiere etwas Neues aus.

»Ich würde mich gerne setzen, wenn Sie nichts dagegen haben.« Meine Stimme bleibt cool. Es besteht kein Grund, in Augenblicken wie diesen die Stimme zu heben oder sich durch aggressives Verhalten hervorzutun. Wer so reagiert, hat schon verloren.

Er opfert seinen Stuhl, und ich nehme Platz. Ich genieße das von seinem Körper angewärmte Leder und Stones Geruch, der an der Polsterung haftet. Er steht artig neben dem Stuhl und wartet auf das nächste Stichwort.

»Zeigen Sie mir Ihren Penis«, sage ich in normalem Tonfall.

Seiner Miene ist nichts anzumerken, aber in seinen Augen ist Feuer. Nach kurzem Zögern wandert seine Hand zur Gürtelschnalle, und während er sie öffnet, gebe ich ihm einen leichten Stoß, sodass Stone gezwungen ist, sich auf den Schreibtisch zu setzen. Mit seinen großen, geschickten Händen macht er sich ans Werk, und Sekunden später läuft die Show: Sein Penis sieht toll aus. Er lugt wie ein großer, saftiger rötlicher Stab aus dem Hosenschlitz, und ich muss mich auf meine Hände setzen, weil ich ihn so gerne angefasst hätte.

Oder weil ich mich woanders berühren möchte.

»Keine Unterwäsche?«, hake ich nach und versuche, neutral zu klingen. Die Frage allein müsste Missbilligung genug sein.

»Eh ... nein.«

Aha! Er zögert! Hab ich dich!

»Ist das nicht unpassend für einen Mann in Ihrer Position?«

»Ja, ich nehme an, das stimmt«, räumt er gleich ein und spannt seine langen Finger, als verspüre auch er das brennende Verlangen, sich zu berühren.

»So, Sie nehmen es also nur an?«, sage ich scharf und stehe auf. Mein Rock streift die Spitze seiner Erektion und bringt Stone dazu, sich auf die weiche Unterlippe zu beißen. »Was ist, wenn Sie gerade mit dem Bürgermeister in einer Sitzung sind und eine Erektion haben? Ohne Unterhose, die die Wölbung zumindest ein bisschen abmildern würde, meine ich.« Ich drücke mich an ihn, und unsere Gesichter sind auf gleicher Höhe, weil er immer noch auf der Schreibtischkante hockt. »Er ist dann vielleicht ganz erregt und will Sie haben.«

Stone nagt noch am Winkel der Unterlippe, aber diesmal vor Freude. Wenn man bedenkt, dass unser Bürgermeister ein zweiundsiebzigjähriger Laienprediger bei den Methodisten ist, klingt mein Szenario ziemlich komisch. Trotzdem glaube ich, dass niemand meinem cleveren Bobby widerstehen könnte, wenn er es sich in den Kopf gesetzt hat, jemanden zu verführen. Und da wäre es egal, welche Position dieser

Jemand einnimmt, welches Geschlecht er hat oder welchen moralischen Richtlinien er verpflichtet ist.

Von jetzt an werde ich bestimmt eine harte Zeit haben.

Also gebe ich den Versuch auf.

Ich drücke einen Kuss auf diese weichen, roten Lippen und schließe meine Finger um den harten, geröteten Penis. Als wäre er von einer Zentnerlast befreit, gibt Stone einen leisen, kehligen Laut von sich, streckt die Arme nach mir aus und zieht mich an sich.

Spiele ich eben ein andermal die grausame Diva, um ihm wirklich hart zuzusetzen. In Zukunft werde ich noch manch eine Gelegenheit haben, meinen Lover für seine Unverschämtheit zu züchtigen.

Bis dahin halte ich Mr. Stone bei Laune.

Ende